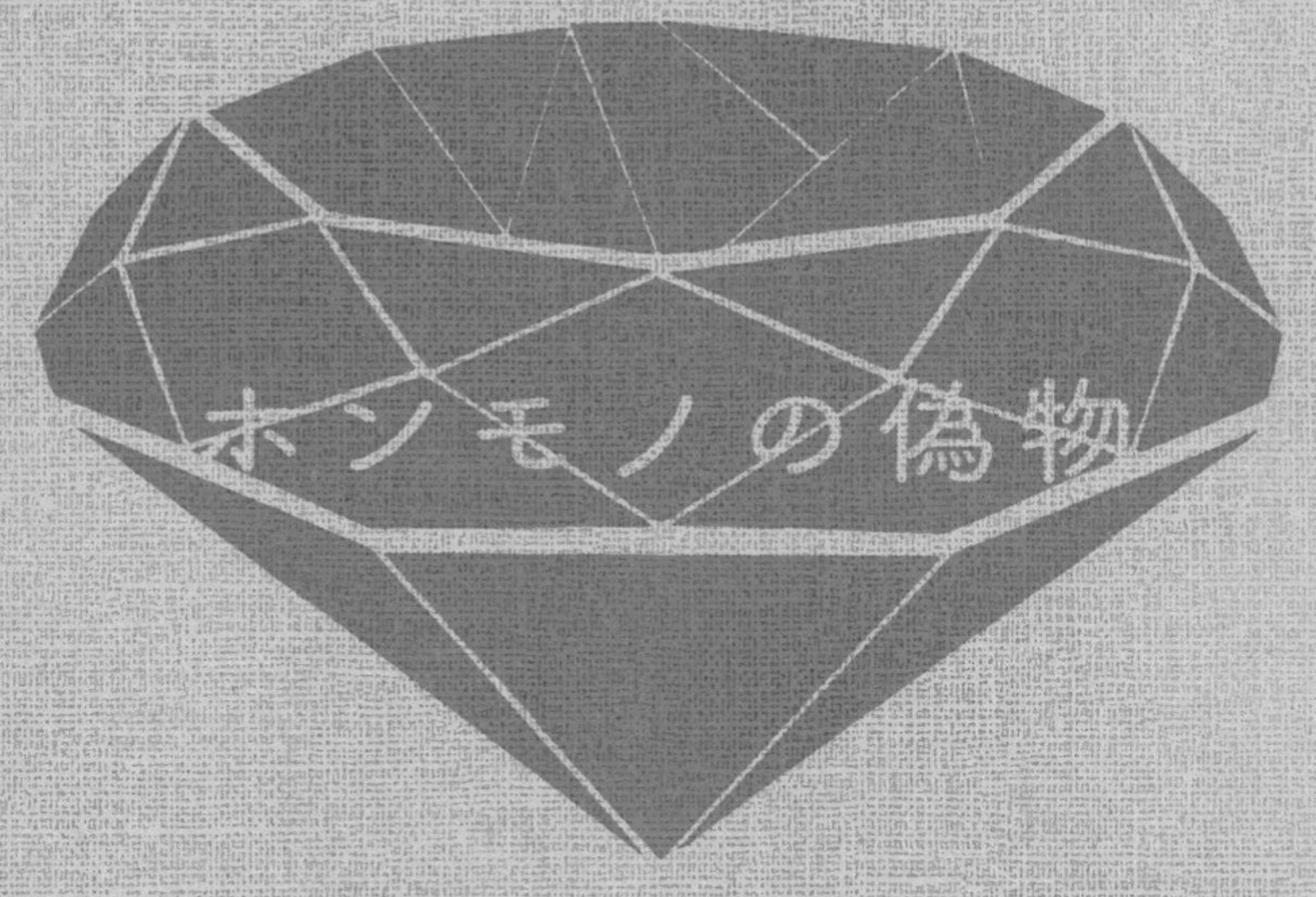

ホンモノの偽物

模造と真作をめぐる8つの奇妙な物語

Genuine Fakes

How Phony Things Teach Us About Real Stuff

リディア・パイン
菅野楽章▶訳

AKISHOBO

ホンモノの偽物

Genuine Fakes
How Phony Things Teach Us About Real Stuff
By Lydia Pyne

This translation is published by Aki Shobo by arrangement
with Bloomsbury Publishing Pic through Tuttle-Mori Agency, Inc.

目次

装丁｜アルビレオ
カバー写真｜小池健輔

序　ウォーホルのいないウォーホル

偽物(フェイク)に騙されたいという人はいないが、騙された人の話を聞くのはだれもが好きなものだ。捏造、贋造、偽造はこれまでにいくつも面白い物語を生み出していて、その歴史は数千年に及ぶ。たとえば、古代ローマでは、目利きの美術品収集家がギリシアの貴重な壺や彫刻の安いまがい物を警戒していた。有名な哲学者のキケロはなかなか眼力があったらしく、ギリシアの美術品の中でも間違いなく真正(オーセンティック)なものだけを集めていたという。一方、将軍スッラや皇帝ネロのような政治家や、美術通だが見下されていたローマ貴族は、そうではなかった。中世になると、「正真正銘」の聖遺物を巡礼中の騙されやすい旅行者に売るという胡散臭い、しかし儲かる商売が登場した（その数世紀後の一八六〇年代に、ヨーロッパの中世の聖骨箱を見てまわったマーク・トウェインはこう皮肉を言った。「聖ドニの遺骨などは、必要とあらばわれわれにも複製がつくれるほどたくさん見た」）。優秀な偽造者は何世紀も収集家の目をくらませ、自らのポケットを満たし、意気揚々と世間をたぶらかしている。巧妙ないたずらからまぬけなペテンまで、偽造の歴史はわたしたちを決して飽きさせない。

偽造は、美術や骨董品の世界だけに存在する現象ではない。偽造の魔の手を逃れられるものはおそらくなく、あらゆるもの——絵画に化石、稀少本に香料、宝石に工芸品、そして自然そのもの——がこれまでに偽造されてきた。それも大々的に。

「本物（リアル）」と「偽物（フェイク）」をまるっきり異なるものとして区別できる場合は簡単なことで、そのような例はすんなり見つかるだろう。サックス〔米国の高級百貨店チェーン〕で売られているデザイナーハンドバッグ？　本物だ。グッチ（Gucci）の「c」がひとつしかない、道端で呼び売りされているまがい物のバッグ？　偽物だ。ルーヴル美術館の《モナ・リザ》？　本物だ。eBayで買えるダ・ヴィンチ作品？　偽物だ。リヴィングヒストリーミュージアム〔昔の町並みや人々の暮らしなどを再現した野外博物館〕？　本物だ。ルネッサンスフェア〔ルネッサンス期を模した会場で、当時の衣装を着て楽しむイベント〕？　楽しいが、偽物だ。ラクレットチーズ？　ウィスコンシン産のチェダーチーズ？　本物だ。チーズウィズ〔さまざまな添加物が加えられたペースト状のプロセスチーズ商品〕？　偽物だ。間違いなく偽物だ。

しかし、何が本物で何がそうでないかが分けにくい場合はどうだろう？　本物であるということは真正でもあるということなのだろうか？　偽物がオリジナルよりも有名になったときはどう考えるべきか？　偽物が本物以上に真正性（オーセンティシティ）への期待を満たしてくれることはありえるのか？　あるいは、人工物が自然物よりも好ましい（より倫理的と言おうか）ことはありえるのか？　真正性の古い基準は二一世紀にどのように書き換えられるのか？

結局、この世界は表面だけではうまく分類できないものであふれている。本物であると同時に本物でない、中間的なものでいっぱいなのだ。これは「ホンモノの偽物」と呼ぶことができるだろう。わたしたちはそれを真正だと思うこともあるし、思わないこともある。それは物議を醸し、興味をかき立て、難問を突きつける。そしてそれはいたるところにある。

アメリカのアーティスト、アンディ・ウォーホルは一九八七年二月二二日に死去した。しかし彼の死は必ずしも、もうこれ以上新たなウォーホルの絵画がつくられ、売られ、集められないということを意味しなかった。

二〇一〇年、アーティストのポール・スティーブンソンが、二〇世紀半ばのウォーホルのオリジナルのアセテートを一〇枚見つけた（アセテートとはシルクスクリーンで使われる「ネガ」のことである）。スティーブンソンは、その時点では何に使うかはっきりしていなかったものの、ともかく購入した。そのアセテートにはウォーホルのアイコニックなモチーフ――ジャッキー・ケネディ、毛沢東、そしてウォーホルの自画像――が含まれていて、ピッツバーグのアンディ・ウォーホル美術館、ウォーホルの刷師だったアレクサンダー・ハインリキ、アートの専門家であるレイナー・クローンによって、すぐに本物だと認証（オーセンティケート）された。ウォーホル自身がアセテートにインクを残している、と彼らは結論づけた。

ウォーホルの画法について幅広く調べたあと、スティーブンソンはそのアセテートを使うことに決め、ハインリキと協力して、ウォーホルが用いていたのと同じ方法で新たな版画を制作した。BBCの報道によれば、スティーブンソンは「シルクスクリーンインク、ストレッチャーバー、カンヴァスなど、すべてオリジナルのアーティストが使っていたのと同じもの」を使ったという。見方によっては、スティーブンソンは実質的に新たなウォーホル作品を生み出していた。だが、スティーブンソン自身はこれをオリジナル作品だとは考えていないとすぐに宣言した。この一連の絵画は《アフター・ウォーホル》と題され、スティーブンソンは「強制コラボレーション」だと表現している。オリジナルのアーティストがその存在を知ることがありえないからだ。

事実として、ウォーホルは版画の制作に多くの人の協力を得ていた。スタジオが「ファクトリー（工場）」と呼ばれていただけのことはあって、たくさんのアシスタントや職人が描画と印刷の物理的な作業の大部分を担当していた――ウォーホルは最後の仕上げをするだけだった。場合によっては、アシスタントや、さらにはウォーホルの母親が、代わりに絵にサインすることもあった。

ウォーホルの研究者として名高いレイナー・クローン（二〇一六年に死去した）は、スティーブンソンが制作したこれらの版画は真正なものであると考えられ、将来的に真正な作品としてカタログに加えられることもあるだろうと語っていた。二〇一七年一〇月のBBCの取材記事によれば、クローンはスティーブンソンの版画を見たときにこう述べたという。「言われているような環境下でこれらのポジを用い、プロフェッショナル（研究者と刷師）によって死後に制作された絵画は、真正なるアンディ・ウォーホルの絵画だ」。一方、ピッツバーグのウォーホル美術館は同記事の中で、スティーブンソンの版画はたしかにウォーホル作品の精神にしたがっているが、ウォーホルはすべての作品に必ず何らかの手を入れていて、それは《アフター・ウォーホル》には起こりえないことだと指摘した。同美術館は、この強制コラボレーションのコンセプトについて、「問題がある」とも言った。

《アフター・ウォーホル》は、言うまでもなく、本物性、作者性、真正性に関するさまざまな問いを呼び起こし、この版画は「ホンモノの偽物」の完璧な例になっている。「世界有数のウォーホル研究者がこれはウォーホルだと言っていて、オリジナルのアーティストが行っていた機械的な作業をすべて行い、オリジナルのアーティストが『他人にわたしの絵を制作してほしい』と言っていたとしたら——彼は実際にそう言っていましたが——どうなのでしょうか？」と、スティーブンソンはBBCに問いかけた。「わたしにはその答えはわかりません」

ところで、二〇一一年に、アンディ・ウォーホル財団はアート界を驚かせることをした。認証委員会を解散し、ウォーホルの総作品目録（カタログ・レゾネ）に現時点で含まれていない作品の認証に関する論争や法律問題にこれ以上関与しないと明言したのだ（認証委員会とは、どの作品がそのアーティストの作品であると保証されうるか、総意で認められたカタログに入りうるかを決める「公式の」権威である)。一九九五年から二〇一一年のあいだに、ウォーホル財団の委員会は六〇〇〇点ものウォーホル作品とされるもの——本物もあれば、違うものもあった——を調べたが、不満を抱いたコレクターが訴訟を起こし、それにかかる費用がかさんだため、店じまいすることにしたのだ。「一年間の法律関係の費用が七〇〇万ドルにのぼりました」と、財団の理事長であるジョエル・ワックスは、二〇一五年に『オーセンティケーション・イン・アート』のインタヴューで語った。「弁護にかかるコストがあまりに大きくなり、わたしたちは弁護士に出費するのが嫌になりました。それよりもアーティストに出費したいのです」

委員会が解散した結果、今後オークションにかけられるウォーホルの絵は、委員会の鑑定なしに出品されることになった。すでに認証されている作品——つまり、真正なウォーホル作品だと認められ、カタログ・レゾネに含まれているもの——は、コレクターの世界で特に価値のあるものになった。たとえば、《三人のエルヴィス》(一九六三年)は、委員会が解散した三年後の二〇一四年に、クリスティーズで八二〇〇万ドルで売れた。これほどの値がついた大きな要因は、《三人のエルヴィス》がすでに認証されていたことだろう。

いわゆる稀少なアート作品は、認証の仕組みが盤石で、そのアーティストのカタログ・レゾネが不変であると、ますます貴重なものになる。リチャード・ポルスキーなど、いまもウォーホル作品の認証をしている現代アート専門家もいるが、それはウォーホル財団とは無関係である。ポルスキーは、BBCから《アフター・ウォーホル》について訊かれ、こう答えた。「彼〔スティーブンソン〕が正直なのはいいですね。彼はこれをアンディがつくったとは言わず、自分がつくったと言っているのですから」。ポルスキーはスティーブンソンの版画に「それなりの」額がついたことを称えたが、ウォーホル美術館と同じ懸念も示した。「何と言うか、ウォーホルのキャリアを拡張しようとしているように思えます、彼は死んでいるにもかかわらず。興味を惹かれるところはありますが、あまりに浅はかに感じます」

ウォーホル財団が認証委員会の解散を決定してから、ほかのアーティスト——ジャン＝ミシェル・バスキア、ロイ・リキテンスタイン、キース・ヘリング、ジャクソン・ポロックなど——の財団も委員会の解散を選択するようになった。間違って偽物を認証してしまった際の法的な影響を考えてのことである。過去一〇年のあいだに、アーティストの作品の真正性に焦点を当てた学会がいくつもキャンセルになっている。ほんのわずかな疑いでも、作品の価値に影響が及びうるからだ。アートジャーナリストのステイシー・パーマンは、二〇一五年にウォーホルの認証委員会の解散についてレポートし、こう結論づけた。「リスクの大きいアートの世界では、訴訟の恐怖が認証者に口輪をはめている」

「ポール・スティーブンソンの版画は新たなウォーホル作品となりうるか」という物語がとりわけ興味深いのは、どこで「本物」が終わり、どこから「偽物」（あるいは本物未満のもの）がはじまるのかということを考えさせるからだ。

表面的には、これは滑稽なほど単純な話に思える。多くの人があきれ顔でこう考えるだろう。その絵が「ウォーホル作品」だとされるなら、当然、それはウォーホル自身が、厳密な意味で生きていたときに描いたものだ、と（これは死後出版の例と対照的だ。たとえば、『ジュラシック・パーク』の著者マイクル・クライトンは、墓の中から三冊のSF小説を出している）。スティーブンソンのアートは、何があるものをホンモノにし、何がそうでないものにするのかと問うている。

真正性の問題、そしてスティーブンソンの「ホンモノの偽物」をどうとらえるかということは、アートの世界に特有の難問というわけではない。認証をめぐる難題やそれに対する好奇心は、骨董品、稀少本、写本、食品香料、さらには化石などの市場にまで広まっている。ここでも、「本物」と「偽物」をまるっきり異なるものとして扱うのは簡単だが、本物かそうでないかという問題は、実際のところ、真正性の問題――特に、それがいかに文化的、金銭的価値に変換されるか――であることが多い。真正性は、わたしたちが物質世界をどう評価するか、そして知的財産、表象、さらには歴史についてどう考えるかということの物差しだ。二一世紀のいま、「フェイクニュース」や「オルタナティヴファクト」の懸念の真っただ中で、真正性の問いは特に差し迫ったものになっている。

二〇世紀末のアメリカの哲学者デニス・ダットンは、真正性に関するひとつの分類方法を提案した。これは、本物（リアル）と本物でない（ノット・リアル）のあいまいなグラデーションについて考えるのに適していると思われる。彼が提唱したのはこういうことだ。真正性は、あるものが間違いなくその作者（贋作者ではなく）の作である場合は「名目上の真正性」と表現できる。それに対し、「表現上の真正性」を媒介するのは、その作品の価値、感情、信念——ダットンが言うところの「固有の威厳」だ。つまり、アート作品——それにかぎらず、どんなものでも——が真正なものだと考えられうる、あるいは考えるべき基準はいくつもあるし、真正性は時の流れとともに変化しうるのである。

スティーブンソンのウォーホルが、たとえば、カンヴァスではなくビニールにプリントされていたとしたら、物質的に、真のウォーホルの精神に沿っていないことは明白だっただろう。同様に、スティーブンソンがそれらの絵を、なぜ、そしてどのように制作したのかというストーリー、すなわち来歴（プロヴナンス）もなく、人を騙すために使っていたとしたら、もはや興味深いオリジナル作品ではなく、贋作品となっていただろう。つまり、どの偽物が問題で、どのように、なぜ問題なのかということを考えると、目的、来歴、物質、歴史といったものがすべて関係してくるのである。「ホンモノの偽物」の複雑なストーリーをいろいろと調べてみれば、間違いなく、真正性と作者性の問題が問われ、答えられ、再び問われることになる。

この本を書くうえで最も大変だったことのひとつは、どの「ホンモノの偽物」を取り上げるかを決めることだった。ここで話題にしたいずれのものにも、三つか四つか五つ、最終的にカットすることにしたが、同じように興味深い話があった。本の企画が動き出すと、友人や同僚が種々雑多な珍品に関する情報を送ってくれ、そのどれもが素晴らしい「ホンモノの偽物」の例だった。「こんなものがあるなんて！」受信ボックスに送られてくるものを見て、わたしはしょっちゅうそう言っていた。

何を取り上げるか？　そしてさらに大変なのは、何を削るか？　ということだ。結局わたしは、真正性に関する問いをかき立てるもの、単純明快な答えがないと思うものを選んだ。贋作の絵画が、スペインの贋作者（スパニッシュ・フォージャー）のもののように、それ自体として収集の対象になったら？　それでもやはり偽物だと考えるべきだろうか？　しかしそれは真正な偽物だろうか？　いたずらでつくられた一七二五年の模造化石は、約三世紀前の人々の自然観を理解するのにいかに役立つのだろうか？　古代マヤの絵文書「グロリア・コデックス」のような人工遺物は、発見時の状況や来歴が著しく信用できない場合、本当に真正なものだと認められるのだろうか？

話をさらに進めてみよう。二一世紀のいま、自然界のものをコピーするテクノロジーが進化し、そうしてできたレプリカはそれ自体として倫理の問題をはらむようになっている。研究所製（ラボグロウン）のダイヤモンドが、物質レベルで天然ダイヤモンドと同一だとしたら、その二つを分けるのは何なのだろう？　消費者の圧力？　では、「偽物」が天然物よりも倫理的だということはありえるのだろうか？　同じことは合成香料についても言える。自然のどの部分は真に複製でき、どの部分はできないのか？　あるいは、模型、レプリカ、コピーが博物館や観光地で十分に「本物」の代わりになるのはどのような場合か？　逆に、明らかに模造だと思われる場合は？　ライヴ配信、ドキュメンタリーなど、自然界を見る方法はたくさんあるが、現地に行けない場合、どれが最もリアルで、最も真正な方法なのか？　そしてそれらの代替物の代償は何なのか？

「フェイクニュース」の話題は今日のメディアを席巻しているが、本書には含めないことにした。プロパガンダ史を研究する専門家のほうが、そのテーマにふさわしいコンテクストやニュアンスを伝えられるだろう（わたしがオススメするのはケヴィン・ヤングの『バンク――でっち上げ、ごまかし、剽窃、まがい物、ポストファクト、フェイクニュースの興隆』Kevin Young, *Bunk: The Rise of Hoaxes, Humbug, Plagiarists, Phonies, Post-Facts and Fake News* だ）。本書で取り上げている「ホンモノの偽物」は基本的に物質世界に根差したものだ――物理的な有形物で、これまでにさまざまな方法でつくられ、壊され、つくり直されてきたものである。わたしはそれらのものから、真正性についてどう考えるべきかという難問を突きつけられてきた。

別の観点から見てみよう。一八六七年にヨーロッパと聖地を旅していたマーク・トウェインは、そこに記述されている歴史――特に観光客に提示される歴史――が本物とは言えないような事例を数多く目撃した。『イノセント・アブロード』に自身の経験を書いたとき、「骨格を何度も復元できるほどに聖ドニの真正な遺骸があった」ことは間違いないと感じていた。聖ドニの遺骸が同時にそれほど多くの場所にあるとなれば、もちろん信憑性が損なわれることになるだろう。「この聖遺物の件は少しやりすぎではないか？　われわれは訪れたすべての古い教会で本物の十字架のかけらを見つけたし、それを留めていた釘もあった。独断的にはなりたくないが、樽一個分ほどの釘を見たと思う」と、マーク・トウェインは旅行中に仲間たちと見たヨーロッパの聖遺物について語っている。「それからイバラの冠があった。その一部はパリのサント・シャペルにあり、ノートルダムにもあった」

それらの骨がすべて「本物の」聖ドニの骨であることも、釘のすべてがキリストが磔にされた十字架のものであることもありえない。しかしトウェインは、それらの遺物はやはり、わたしたちの真正性への欲求をかき立てるのではないか、そして何世紀も本物未満でありながらも、ある種の本物性を持っているのではないか、と言っている。重要なのは、人々がそれらの骨を本物であってほしいと思っているかどうかなのだ。トウェインは、この本物性への欲求は文化的偽薬（プラシーボ）のように作用しているのだろうと論じている。その骨が人々の琴線に響くほどリアルなのだとしたら、それはある意味で、ホンモノだと考えていいくらいに立派なものなのである。「わたしたちはそれらの主張を疑いたくはなかった」とトウェインは言っている。「それらが正しいものだとは確信できなかったが」

この世界には「ホンモノの偽物」があふれているし、本物とそうでないものを分ける線がはっきりあるわけではない。「ホンモノの偽物」は真正性のグラデーション上にあり、そこからはさまざまな物語が新しく生まれてくる。偽造には、文化の現状を揺るがす不気味な力があり、物事がホンモノとされていく過程に一石を投じている。

古代ローマの風刺家ペトロニウスはわたしたちにこう教える。「世界は欺かれることを望んでいる。ならば欺かれるがよい」。美しい歴史の皮肉で、ペトロニウスがこの格言を実際に、厳密に述べたのかどうかははっきりしない。とはいえその心は生きている。

第一章
厳粛なる嘲り

二〇一二年五月二三日の水曜日、イギリスのオークション会社ボナムズが、二〇世紀に集められた見事な贋作コレクションの入札を開始した。詩人のパーシー・ビッシュ・シェリーや小説家のジョージ・エリオットが書いたというまがい物の手紙、中世のパネル画などの絵画の模造品、シェイクスピアの偽のエフェメラ〔ビラやチケットなど、長期保存を目的とせずにつくられ、のちに収集の対象になった印刷物〕。歴史的偽物を愛する皆さん、名高い〈スチュアート・B・シンメル贋作コレクション〉の競売にようこそ！

生前、スチュアート・B・シンメルは、ビジネスと会計の分野で成功を収めるとともに、稀少本、写本、版画、歴史的な印刷機器のコレクターとして一目置かれる存在だった。「彼は熱意と気迫をもってこの壮大なコレクションを築きました」と、ジョン・ニール・フーヴァーは二〇一三年のシンメルの葬式で述べ、「書物とそれがいかに人生を導くかを探求する真の冒険家」だったと称えた。彼は世に認められた大家の作品を集めるだけでなく、半世紀をかけて、極上の贋作、捏造品、偽物も収集していた。

シンメルが贋作の収集をはじめたのは、友人のカーネル・ドレイクからバイロン卿のサインを買ったときだった。その友人は見事なバイロンの贋作をうっかり買ってしまっていた（シンメルは寛大にも、将来的にそのサインが本物だとわかった場合、ドレイクに売り戻すと言った）。そこからシンメルは、驚くべき来歴やストーリーを持つ最上の偽物、立派な値がつく稀少品だけを集めていった（「出所（プロヴィニエンス）」は、遺跡など、人工遺物が発見された場所を指す。「来歴（プロヴナンス）」は、博物館やコレクターの文脈に入ると、遺物や作品の文化的および管理の変遷を指す）。彼は熱意と眼力をもって模造品を集めた。彼のコレクションの偽物はすべて、そう、認証されていた。

「贋作の動機はつねに複雑だ。儲けや名声が目的であれ、何かを主張したいのであれ、たとえ作者とされる人から忘れられていてもその作品が存在するべきだという信念があるのであれ」と、名高い書物コレクターのニコラス・バーカーは、シンメルの品が載った二〇一二年のボナムズのカタログの序文で語っている。「スチュアートのコレクションにそのような難しさはない。彼のものはすべてホンモノの贋作だ。彼は贋作やそれについての書物を集めることに大きな喜びを感じていた。今度は皆がその分け前を同じように楽しむ番だ」

ボナムズの競売リストに載っている多くの見事な真正なる贋作の中でも、二人の贋作者の傑作はとりわけ魅力的な「ホンモノの偽物」として際立っている。スペインの贋作者（スパニッシュ・フォージャー）とウィリアム・ヘンリー・アイアランドの作品である。スパニッシュ・フォージャーは、一九世紀末から中世絵画の模造品を描いて売っていた正体不明の人物だ。一方、ウィリアム・ヘンリー・アイアランドは、一八世紀にウィリアム・シェイクスピアの署名を偽造し、戯曲をでっち上げたことで有名になった。この二人の贋作者とその贋作品は実に名高く、それゆえシンメルのコレクションに含まれ、どちらもそれ自体として高い値のつく人気の収集対象になっている。これらの贋作からわかるのは、偽物はバレるバレないという話以上のものになりうるということだ。

「スパニッシュ・フォージャーは史上最も腕がよく、成功した、多作な贋作者のひとりだ」と、モルガン・ライブラリーの中世およびルネッサンス期の写本のキュレーター、ウィリアム・フォルクレは、二〇世紀末に数多く発表したスパニッシュ・フォージャーの作品に関する著作の中で論じている。フォージャーの才能と大胆さを大いに称賛するフォルクレによれば、「最近まで彼の数多いパネル画、写本、装飾された紙片は、本物の一五～一六世紀の作品として評価、称賛されていた。いまでは、彼の贋作として売られ、収集され、さらには展示までされるようになっている」

スパニッシュ・フォージャーの物語はパリではじまる。一九世紀後半、パリは主要なアート運動の中心地だっただけでなく、贋作製作の本拠地でもあり、観光客、そして金のあるコレクターや美術館の代理人をターゲットにしていた。本物未満のアートは、コピー、レプリカ、完全な贋作など、いたるところに存在した。

贋作の問題があまりにも広まってきた一九〇四年、フランスの美術史家・批評家のポール・ドゥリュー伯爵は、市場に偽物がはびこっていると警告する一連の記事を発表した。人々が買いたがるようなアート作品であれば、必ず偽物がつくられている（巧みな偽物もある）と、ドゥリューは論じた。のちにスパニッシュ・フォージャーの作とされる具体的な作品への言及はないが、それらの記事からわかるのは、スパニッシュ・フォージャーはパリの偽物アート市場の仕組みを知っていたということだ。熱狂的な、しかし少し騙されやすい買い手がどのような偽物に飛びつくか、よくわかっていたのだ。

長きにわたり、スパニッシュ・フォージャーの作品はアート界の警戒網をくぐり抜け、個人や機関の数多のコレクションに加わっていった。いまなお、新発見の作品がいろいろと出現している。二〇一六年にも、スパニッシュ・フォージャーの「新たな」作品が発見され、テレビ番組の『アンティーク・ロードショー』で認証された。フォージャーのいくつかの写本のページに関しては、早い時期――一九一〇年代半ば――から偽物ではないかという噂があったが、アート認証の世界でこの贋作者とその偽中世絵画が正式に認識されたのはその一六年後のことだった。

一九三〇年、モルガン・ライブラリーの館長ベル・ダ・コスタ・グリーンは、ホルヘ・イングレスの一五世紀のパネル画とされる《聖ウルスラの婚約》の認証を依頼された。巨匠ホルヘ・

イングレスは一五世紀中頃の著名な画家・啓蒙家で、主にカスティーリャで活動していた。特に有名なパネル画のひとつ、《聖マリアの歓びの祭壇画》（略式的に「天使の祭壇画」として知られる）は、スペイン・フランドル絵画の伝統が表れた作品だと多くの研究者が考えている。イングレス作品を手に入れることはどの美術館にとっても一大事であり、メトロポリタン美術館理事会の購入代理人、ウンベルト・ニョーリ伯爵はなんとしても《聖ウルスラの婚約》をコレクションに加えたかった。《聖ウルスラの婚約》はすでにライオネル・ヘンリー・カストによって認証されており、ニョーリもその意見を受け入れていた。彼はこの絵の真正性について理事会に確信を強めてもらうため、グリーンが太鼓判を押し、理事会に購入を勧めることを期待していた。提示金額は三万ポンドだった。

ベル・ダ・コスタ・グリーンは、スパニッシュ・フォージャーの物語において不思議な存在になっている。《聖ウルスラの婚約》に出会う二五年前、彼女はジョン・ピアポント・モルガンに司書として雇われ、当時増え続けていた彼のアート、骨董品、写本、稀少本のコレクションを管理する職に就いた。ジューニアス・スペンサー・モルガン二世――プリンストン大学の稀少本を担当する司書補で、ジョン・ピアポントの甥――がグリーンを伯父に紹介し、最初の面接を取り持ったのだった。

ベル・ダ・コスタ・グリーンはベル・マリオン・グリーナーという名で生まれた。ジェネヴィーヴ・アイダ・フリートとリチャード・セオドア・グリーナーの娘で、リチャードはハーヴァード大学初の黒人の卒業生（一八七〇年）である。グリーンが育ったのはワシントンDCで、歴史家のハイディ・アーディゾーンが言うところの、苦闘する有色人種のエリートコミュニティの出身だった。彼らはしっかりと教育を受け、広い人脈を持っていたが、それでも二〇世紀初頭のアメリカのレイシズムに大きく影響を受けていた。一九〇〇年ごろ、彼女の父が母と別れ、シベリアで米国外交官となったあと（彼はそこで二番目の家族を持った）、国勢調査の記録によれば、ベルの家族は名前を変えはじめたようだ。プリンストンに来る前に、ベルはセカンドネームの「マリオン」をとり、「ダ・コスタ」を加えた。

一九〇五年に「モルガン氏の図書館」で仕事をはじめたグリーンは、装飾写本に関する専門知識をプリンストンで取得していた。月給七五ドルでモルガンの個人司書として働きはじめると、それから四〇年のあいだに、J・ピアポント・モルガンと、彼が亡くなった一九一三年以降はその息子のジャックのために、数百万ドルものビジネスに関わった。一九二四年にこの図書館が公的機関になると、館長に就任し、二〇世紀を代表するコレクションとライブラリーを築いていった。

しかし、ベルの経歴で最も重要なのは、自らの出自の神話――どこからやってきたのかという自らの物語――をつくり出し、それを使って際立った知性を活かしたことだろう。彼女はモルガンとの最初の面接の際、母は落ちぶれた南部の貴族の出で、祖母はポルトガル系だと言い、ダ・コスタという名前と、当時の新聞が言ったところの「エキゾティック」な外見について説明した。アーディゾーンによれば、二つの人種を継いでいることがベルのアイデンティティにどれほどの影響を与えたかは不明だという。よく知られていることだが、ベルは亡くなる前に個人的な書簡を燃やし、四三年のキャリアを通じて、公的な仮面(ペルソナ)を注意深くコントロールしていた。

ベルは装飾写本の一流の研究者として手放しで称賛されているが、学術界で仕事をしたことや大学の正式な職を得たことはなく、学術研究や著作は発表していない。しかし彼女は、ある心酔者が言うように、「裕福な男が何気なく築いたコレクションを、世界最高峰のコレクションに変えた」のである。グリーンはニューヨークやヨーロッパの知識人や貴族の中でもまったく屈することなく、一九三九年にはアメリカ中世学会の会員に女性として二番目に選ばれた。ボヘミアンな司書という評判を受け、辛辣なウィットで知られていた。彼女の特によく引用される名言のひとつは、自身の職業の持つ野暮ったい、ステレオタイプなイメージを断固として否定するものだ。「わたしが司書だからといって、それらしい格好をしなければいけないということにはならない」

一九三〇年、《聖ウルスラの婚約》のコピーをベル・ダ・コスタ・グリーンに送ったニョーリ伯爵は、そのパネル画が美術史上でもとりわけとらえどころのない贋作者の、数十年にわたる追跡のきっかけになろうとは夢にも思っていなかった。

《聖ウルスラの婚約》はまぎれもなく牧歌的な絵だ。そしてかなり大きい。本やオンラインで《婚約》のプリントやスキャンを何ヵ月も見ていたわたしは、この絵を小さなサイズで認識するようになっていた（都合上、何度も寸法をタイプしていたにもかかわらず）。だが、モルガン・ライブラリーで《婚約》の閲覧願いを出すと、司書たちは発泡スチロール箱に注意深く立てかけられたそれを台車に載せて運んできた。パネルの大きさにわたしは驚いた。巨大なフレームと箱を除いても、横六〇センチ、縦七六センチある。司書たちは、実際に目にすることができて興奮していると言っていた。モルガンのコレクションの中でもめったにリクエストされない品なのだ。

《聖ウルスラの婚約》では、ペロペロキャンディーのような木が背景に点在し、数隻の小さな船が港のあたりを動いている。ランスロット〔アーサー王伝説に登場する騎士〕とグィネヴィア〔アーサー王の妃で、ランスロットの愛人〕のようなカップルが、ある城から別の城へ向かう。人物は皆小さな曲がった口をしていて、その口をすぼめて甘ったるい笑みを浮かべている。ウルスラは緑の袖のフィアンセに控えめに手を差し出し、彼女の気高い侍女たちは宝石で飾ったヘッドドレスと襟ぐりの深いドレス姿で気取っている。白い膨れた雲が青空いっぱいに浮かび、聖ウルスラの世界はいつも晴れているのだと思わずにはいられない。ベル・ダ・コスタ・グリーンはこの絵に描かれた中世の穏やかなユートピアを見て、全体として明らかに疑わしいところがあると結論づけた。

何か――いくつか――彼女にはしっくりこないところがあった。ひびが入っていた――経年劣化？　そうかもしれないし、違うかもしれない――が、そのひびは都合のいいことに人物をいっさい消さないように入っていた。とにかくあまりにも……あまりにもなのだ。あまりにもこれ見よがし。あまりにも完璧。合点のいかない見事なディテールがあまりにも多い。皮肉なことに、そのパネル画はあまりにも中世風だった。

綿密な分析の末、グリーンは、《聖ウルスラの婚約》はホルヘ・イングレスの作品ではなく、中世の作でないことも間違いないと結論づけた。彼女はその結論を、『アート・ニュース』（一九二九年）――その中でライオネル・ヘンリー・カスト卿はこれをイングレスの作だとしていた――の《婚約》のカラーイラストの裏に書き留めた。「イタリアでメトロポリタン美術館の購入代理人をしていたニョーリ伯爵から届けられた」と彼女は書いた。「美術館の理事会で検討されるにあたって、その重要性を『裏づけ』てほしいということだった」。彼女は《婚約》の作者を「スペインの贋作者（スパニッシュ・フォージャー）」と名づけ（《婚約》はスペインの画家の作品だとされていたため）、二〇世紀初頭に描かれたものだと断定し、それから九年にわたって、この贋作者の偽の中世絵画をくまなく集め、注意深く記録していった。ちなみに、当然ながら、メトロポリタン美術館はこの絵の購入を断った。

グリーンはスパニッシュ・フォージャーの作品とわかるものを体系的に記録していったが、彼の二つの作品は一九一四年の時点ですでに疑問を呈されていた。フランスの著名な考古学者で骨董品の専門家であるサロモン・レナックが、《一六歳の少女の肖像》という絵を贋作だと暴いたのである。同年、レナックはアンリ・オモンとともに、ユウェナリスの装飾写本の中にも新たに偽の中世絵画を見つけた。しかし、どちらも「捏造」と分類されただけで、特定の人物の作とされることはなかった。それが、ベル・ダ・コスタ・グリーンが《聖ウルスラの婚約》を鋭く鑑定したことで変わり、《一六歳の少女の肖像》もユウェナリスのものもスパニッシュ・フォージャーの作品だとされるようになった。

実のところ、グリーンは以前にフォージャーの作品を見ていた。モルガン・ライブラリーがスパニッシュ・フォージャーの作品を一点所蔵していて、グリーンは一九〇九年にこれを真正な中世の典礼書だと認証していたのだ。フォージャーはメトロポリタン美術館のコレクションにも入り込んでいた。グリーンがつくりはじめたリスト――彼女のキュレーターとしてのキャリアの中で合計一四点になった――は、その後も項目が増え続けている。アートの専門家が公共や個人のコレクションの中からフォージャーの作品を探し出しているのである。

「わが友人の画家――本当の名前がわからないので、『スパニッシュ・フォージャー』と呼びますが――にはずっと興味を持っておりますので、九月二六日付のお手紙を拝読し、ほかにも数点が判明したと知って喜んでおります」と、ベル・ダ・コスタ・グリーンは、ボストン美術館の絵画のキュレーター、チャールズ・カニンガムに手紙を送った。カニンガムは一九三九年に、キュレーターの世界の多くの人と同様、グリーンがフォージャーを調査していることを知り、喜んで手伝いたいと思った。「彼（あるいは製作所）はまず写本の分野からはじめたのだと思います（間違いなく同じ手による絵を複数見ていますが）……すべて元の写本を突き止められるはずです。いちばん最近見つけたものは本当にすごいものでした」

キュレーターたちはスパニッシュ・フォージャーの作かもしれない作品を、自館のコレクションやオークションで見つけ、写真をグリーンに送っていた。「写真を送ってくださりありがとうございます。今朝届きました」と、ベル・ダ・コスタ・グリーンは一九三九年九月末にカニンガムへの手紙に書いた。「はい、これはどれもわが親愛なる友のものです」。しかし、二年後、この気まぐれないたずらっ子の贋作の魅力は少し薄まっていた。「九月一七日付のお手紙と写真にお礼を伝えておらずたいへん申し訳ありません」と、ベル・ダ・コスタ・グリーンはチャールズ・カニンガムに手紙を書き、こうぼやいた。「『奴』はちょっと面倒な存在になってきていると思いませんか？　写真のうちの二つはわたしが持っているものとほとんど同じです」

長年、多くの人がフォージャーの名前を、あるいは少なくとも明確な国籍を突き止めようとしている。学者たちはフォージャーのネタ元を見つけ出してはいる。一八六九～八二年にパリでポール・ラクロワが出版した五巻組の本で、中世およびルネッサンス期の生活の詳細なイラストが収められているものだ。フォージャーがさまざまな絵の中でラクロワのどのモチーフを用いたかも特定できている。この本の出版年にもとづいた文化的な分析の結果、スパニッシュ・

フォージャーの最初期の作品は一九〇〇年代初頭のものだと推定された。また、フォージャーの作品の出所がパリであることものちに突き止められた。

しかし、この画家の素性はいまだ謎のままだ。国籍も、人生も、そもそも男性かどうかもわからない。そしてこの謎は、間違いなく、スパニッシュ・フォージャーの変わらぬ魅力の大きな要素になっている。

では、何をもって正真正銘のスパニッシュ・フォージャー作品とするのか？　それはいくつかある。中には完全にアマチュアのアート愛好家にも明らかな――何を見つければいいかを知りさえすれば――ものもあるが、かなり難しいものもあり、その場合は法科学的な手法を用いることになる。

まず、《聖ウルスラの婚約》で最初にグリーンが気づいたように、あからさまに甘ったるい光景が描かれている。スパニッシュ・フォージャーの描く顔はどれも首をかしげていて、口は弓のように曲がり、足はバレエを踊っているかのように外を向いている。また、フォージャーは中世の世俗的生活の非常に限定された面を描いており、チェスや鷹狩り、騎士やとがった頭巾の女性が目立つ。庭、音楽、遊戯、一角獣、どんちゃん騒ぎの光景だ。スパニッシュ・フォージャーの絵で中世の宗教的側面に焦点を当てているものはほとんどない。二〇世紀初頭のブルジョワのコレクターの興味をかき立てるのは、城や馬上槍試合、音楽、ドラゴンの光景であり、宗教的な中世ではないだろうと、彼はきわめて正確に判断していたのである。

もうひとつの典型的な証拠は豊満な貴婦人だ。彼女たちは、真面目な衣装ダンスには入れられないような、大胆なデコルテの服を着ている（「どの女性にもおっぱいがある」と、ある同僚はわたしにスパニッシュ・フォージャーの写本を見せながら、ため息をつき、あきれた表情で、淡々と言った。「本物の中世絵画はスパニッシュ・フォージャーみたいに谷間を見せはしない」）。これらの証拠を合わせてみれば、スパニッシュ・フォージャーはまさに一九世紀版の中世を描いていたのだと感じられる。ウォルター・スコット卿の小説『アイヴァンホー』から飛び出してきたかのような光景で、数百年後にならないと想像できない中世騎士道の装飾物でいっぱいなのだ。

スパニッシュ・フォージャーは素材の使い方に気をつけ、コレクターから過度な詮索を受けないようにしていた。彼は木のパネルに描くこと、紙片やばらばらの写本のページに装飾することにこだわっていた。《聖ウルスラの婚約》などの作品では、両面に絵が描かれた古い木のパネルを使っている。表向きは反りを防ぐためだ（彼と同時代の贋作者は素材に関する眼力がそこまでない者もいて、手近な木材を使って中世風絵画を描いていた。同じころにパリの偽物市場に出まわったある偽のパネル画は、机の引き出しでつくられていたが、その証拠はパネルの裏の鍵穴だった）。《婚約》を細かく調べた研究者たちは、都合のいいひびの多くはスパニッシュ・フォージャーが鋭い金属の道具を使ってつくった可能性が高いと判断した（皮肉なことに、それらのひびはパネルが偽物だとわかる前に修復担当者によってほとんど直されていた）。研究者たちは《聖ウルスラの婚約》

のネタ元がラクロワの『ヴィ・ミリテール』とシャルル・ルアンドルの「婦人、貴族、侍女」であることも突き止めたが、一九世紀末のさまざまな主要文献から受けた影響をまとめたものでもあると強調した。

しかし、《婚約》の魅力と成功の秘訣を理解するには、絵全体を見ることが重要だ。科学的鑑定の技術がなかった二〇世紀初めには、絵が描かれた木からその相対年代を特定することは不可能だっただろう。古く見える、ゆえにそれは古い、だったのだ。

パネル画に加え、スパニッシュ・フォージャーは装飾写本のページも贋造していたが、その際には正真正銘の中世の写本に自らの装飾を足すというかたちをとり、信憑性を高めていた。彼の数少ない宗教が題材の作品のひとつ、《マグダラのマリアの悪魔祓い》を現代の方法で調べたところ、写本のページの縁飾りは数世紀前のものだが、アーミン毛皮を着たマグダラのマリアは明らかに違うと判明した。フォージャーは中世のベラム紙に描かれたものを削り取り、そこに自らの挿絵を加えるということもしていた。つまり、絵と文章がしばしばまったく合わない現代のパリンプセスト〔書かれた文字を消し、新しい内容を上書きした、羊皮紙やベラム紙の古文書〕をつくっていたのである。

そのようなスパニッシュ・フォージャーの写本の一葉が、テキサス大学オースティン校のハリー・ランサム・センターに所蔵されている。妊娠中の聖母マリアを迎える聖エリサベトと三人の傍観者が描かれたものだ。ページの反対側には赤い四線譜が六段、きちんとした記譜法で書かれている。わたしはハリー・ランサム・センターの閲覧室でこの「訪問」の絵を注意深く見てみたが、そうするとページの端に沿って刃で切った跡が目についた。切れ目はややむらがあり、スパニッシュ・フォージャーが一四〜一五世紀の音楽祈禱書から交唱のページを一部切り取り、その裏に一九世紀版の光景を描いたのだとすぐにわかった。

スパニッシュ・フォージャーはどのような偽物ならうまくいくかがわかっており、スケールの大きなものをつくる気はなかった。たとえば、本一冊をまるごと偽造するのはかなり難しかっただろう。ミスを犯す可能性は対象の複雑さに比例するからだ。「写本まるごとの偽造は、企てられることもあるが、めったにない」と、オットー・クルツは二〇世紀中頃に発表した、学生およびコレクター向けの、ヨーロッパの贋作に関する詳細な解説書の中で述べている。「どんな写本でも、どれだけ真に迫っていようと、おかしな部分が出てくるだろう。ページ全体のこともあれば、章頭の飾り文字だけのこともあるが。写本全体をでっち上げることは難しいが、細かな変更をすることは比較的容易であり、それが額面どおりに受け取られれば、その写本はなかなか興味をそそるものになることもある」。シンプルにいくことで、フォージャーとしては秘密を漏らしてしまう可能性が減った。スパニッシュ・フォージャーの本当に天才的なところは、中世の贋作というジャンルを自ら発展させ、そこにこだわり続けることにした判断力である。

スパニッシュ・フォージャーが細かなミスをまったく犯していないということではない。シンシナティ・トリプティクやテュークスベリー・ポリプティクなど、数枚のパネルを使う複雑な試みでは、サイドのパネルを閉じて見ることを意図していなかったのが明らかだ。真正なトリプティク——三枚のパネルからなる絵で、外の二つのパネルには蝶番（ちょうつがい）がついていて、開閉できるようになっている——は、パネルが開いていても閉じていても見られるようになっている。しかしスパニッシュ・フォージャーのトリプティクの試みでは、どちらかのパネルの外扉を閉じると、厳密な意味で絵が全面に及んでいないことがわかる。これは、このトリプティクが本物ではない明快な証拠だ。

二〇世紀前半に、アートの専門家たちはスパニッシュ・フォージャーのスタイルと手法を大まかに把握していった。一九七〇年代になると、新たな科学的方法が生まれ、鑑定人たちは贋作探知の武器に加えた。本物のスパニッシュ・フォージャーの絵を科学的に識別できないだろうかと、専門家たちは考えた。

《一角獣狩り受胎告知》という装飾写本のページは、そのようにアートと科学を組み合わせる絶好の対象になった。専門家たちは、それぞれの専門分野を融合させることで、スパニッシュ・フォージャーのアート全体に関する理解を深める機会になると考えた。《狩り》に描かれているのは、大天使ガブリエルが、ひもでつながれた二匹の猟犬とともに、膝をついた聖母マリアと対面しているところで、彼女のもとには小さな一角獣がいる。全体としては、緑の生い茂った野原、林冠、金色の空という風景だ。アートの専門家たちは、この絵は複雑な宗教的寓意を滑稽なほどに単純化している——フォージャーはオリジナルの中世のテキストの挿絵の最も「面白い」要素だけを抜き取っている——と論じた。また、トリエント公会議によって一五六三年に《一角獣狩り受胎告知》の描写が厳しく禁止されていたことも指摘した。つまり、一六世紀の画家たちは、当時そのようなスタイルでそのような絵を描いてはいけなかったのである。それに、眼力のある専門家には、やはり「何かおかしい」と感じられるところがあった。しかし、《狩り》が問いかけたのは、科学はスパニッシュ・フォージャーの物語に何を加え、専門家がすでに知っていることを裏づけられるのかということだ。

ここで法科学的分析の出番となる。アートの専門家たちは、モルガン・ライブラリー・アンド・ミュージアムの指揮のもと、ニューヨーク州立大学ストーニーブルック校と協力し、ブルックヘヴン国立研究所で《一角獣狩り受胎告知》に中性子照射を施し、スパニッシュ・フォージャーが使用した塗料をより詳しく把握しようとした。その結果は驚くべきものだった。《一角獣狩り受胎告知》は低速中性子の光線を当てられ、低レベルの放射線を浴びた（このような方法では作品が傷つくことはない）。光線の中性子は塗料の異なる原子核にくっつき、一部の原子は放射性同位体となって、塗料の元素組成によって異なる固有の半減期を持つことになる（どの塗料の色も異なる元素を含んでおり、それらの元素はその色に特定の色合いを与えるのに欠かせない）。科学者たちは一九日間にわたってX線写真を撮り、異なる放射性同位体がどのような反応を示すか、崩壊の仕方に塗料にもとづいたパターンがあるかを調べた。《狩り》の場合、緑の塗料が金よりも早く崩壊し、金は赤よりも早く崩壊するということがすぐに明らかになった。X線写真には金の塗料のかすかな輪郭が残っていたが、緑の塗料は消えていた。

ブルックヘヴンの物理学者たちは写本のページの放射エネルギーを測定し、金、水銀、ヒ素が高濃度であることを発見した。緑の顔料は、亜ヒ酸銅でできていて、パリスグリーンという一般的な塗料に含まれるものだった。これは重大な発見だった。なぜならパリスグリーンが入手可能になったのは一八一四年ごろだからである。こうして科学も、キュレーターの鑑定と同じように、《一角獣狩り受胎告知》が中世の作品であることはありえないという結論を出した。絵の主題から導き出された推論と完全に一致したのである。

パリスグリーンはさておき、ひとたび何を見ればいいかがわかると、だれでも――わたしのようなアート素人でも――スパニッシュ・フォージャーの作品を示すサインに気づかないことは不可能になる。モルガン・ライブラリーで《聖ウルスラの婚約》を見ながら、わたしはベル・ダ・コスタ・グリーンの手がかりリストに目を通していた。小さな曲がった口、バレエを踊っているような足、これ見よがしな城、大胆なデコルテ。チェック、チェック、チェック、チェック。スパニッシュ・フォージャーのほかの装飾写本も見たが、それらの美しい細密画は、騎士、戦闘、とがった帽子をかぶった貴族でいっぱいだった（貴婦人のすぼめた唇が鱒のようになっているのを見て、にやにや笑いを抑えられなかった）。しかしその細部ときたら！　わたしはこの細密画の細部に魅了された。

わたしは傲慢にもフォージャーの作品を一笑に付してやろうと考え、さまざまな手がかりで武装していたが、各ページ、全ページの細部の巧みさを見て、絵が描かれた背景はさておき、スパニッシュ・フォージャーは——それがだれであれ——素晴らしいと思った。オースティンのハリー・ランサム・センターで、スパニッシュ・フォージャーがいかに中世の楽譜を転用し、中世風の細密画を生み出したのかを見たとき、何百もの意志決定の結果として、いま目の前にあるこのページがあるのだと気づいた。それは一四～一五世紀に交唱聖歌集のオリジナルの写本がつくられた際の決定でもあるし、スパニッシュ・フォージャーが現在のかたちのものをつくった際の選択でもある。聖エリサベトのローブの緑色は中性子放射化分析を行うとパリスグリーンとして浮かび上がってくるのだろうかと、わたしは思わずにはいられなかった。

今日、スパニッシュ・フォージャーの作品は、公的私的を問わず多くの重要なアート・写本コレクション——ダートマス、ハーヴァード、メトロポリタン美術館、ペンシルヴェニア大学、テキサス大学オースティン校ハリー・ランサム・センター——に含まれている。しかも、今後さらに作品が発見されそうだ。スパニッシュ・フォージャーの現在知られている全作品は約三五〇点とされていて、その数は増えている。フォージャーの「オリジナル」作品がいくつあるかはわからず、それゆえ新たな作品を発見できる可能性がある。フォージャーのこれまでの経緯から考えれば、アートの専門家たちが今後数十年のあいだに彼の作品をさらに掘り出し、「認証」することは間違いない。

言うまでもなく、その素晴らしく興味深い変わった来歴のために、スパニッシュ・フォージャーの贋作はよく売れている。オークションで多くの作品に天文学的な値段がつき、最低落札価格が数万ポンドになることも多い。二〇一二年に〈スチュアート・B・シンメル贋作コレクション〉のスパニッシュ・フォージャーの四作品がオークションにかけられたとき、最低落札価格は四〇〇〇ポンドから八〇〇〇ポンドだった。コレクターは、スパニッシュ・フォージャーの本物の贋作と、それにまつわる物語を欲しているようだ。

ウィリアム・ヘンリー・アイアランドの物語はさらに歴史をさかのぼり、スパニッシュ・フォージャーの一世紀以上前にはじまる。一九世紀にスパニッシュ・フォージャーが瞬く間に成功した大きな要因は、独自のスタイルをつくり上げ、人々が求めるものを人々が望むメディアで提供したことだった。同じように、アイアランドが成功した大きな理由は、人々がウィリアム・シェイクスピアのあらゆるものに執着していたことだった。アイアランドの贋作の物語は、モノが持つ力と威信——それは完全にバレたあとも存在する——を証明するものだ。アイアランドの捏造シェイクスピアは、まさに端から端まで偽物の物語である。

ウィリアム・ヘンリー・アイアランドは一七七五年にロンドンの平凡な家庭に生まれた。父親のサミュエル・アイアランドは骨董品のコレクター、旅行記の出版人、詩聖〔シェイクスピアのこと〕の熱烈な崇拝者だった。稀少本のコレクターとして、サミュエル・アイアランドはシェイクスピアの署名入りのものを何か手に入れ、本格的なコレクターとしての自身の評価を高めたいと思っていた。一七九四年、ウィリアム・ヘンリーは法律家の助手という退屈な職に就いていて、父親からは「愚鈍」すぎてコレクターの世界に興味を持つことはないだろうと思われていた。ウィリアム・ヘンリーはどうにか父の誤りを証明したかった。

そうして一九歳のとき、ウィリアム・ヘンリーは、真正な古い紙と思えるものを使ってシェイクスピアの署名入り証書を贋造した。「事務所にあった古い貸付帳の端から羊皮紙を切り取って、ジェームズ一世の時代の証書を前に置き、それからその筆跡をできるかぎり模倣した」と、アイアランドは数年後に書いている。「こうしてウィリアム・シェイクピア［ママ］とジョン・ヘミング、そしてマイケル・フレイザーとその妻のエリザベスのあいだの賃貸契約の証書ができ、そこにわたしがシェクスピア［ママ］の署名を書き添えた。実際の署名の写しを目の前に置いて」

この「新発見」のシェイクスピアの証書を見せられたサミュエル・アイアランドは狂喜した。本物でないとは決して思わなかった。ウィリアム・ヘンリーはすぐにもう数点を贋造し、それもうまくいった。そしてさらに続いた。ウィリアム・ヘンリーはそれらのシェイクスピアの文書を学校の仲間を通じて発見したと言っていて、その話は父親やほかの優れた専門家の詮索をかわすほど信用できるものだった。その後の一年半、一七九四年一二月から一七九六年三月一日まで、アイアランドはシェイクスピアの法律文書への署名を偽造し、新たな「失われた」シェイクスピアの戯曲(『ヴォーティガンとロウィーナ』)を書き、別の「失われた」戯曲(『ヘンリー二世』)を「発見」し、「家族史」の内容まででっち上げた。シェイクスピアの名前が出てきてほしいところで、ウィリアム・ヘンリー・アイアランドは必ずそれが出てくるようにした。

サミュエル・アイアランドは「新しい宝物をしかるべき崇拝心をもって扱っていた」と、アイアランドの専門家で書籍商のアーサー・フリーマンは、ハーヴァード大学に寄稿したアイアランドの贋作についての概説に書いている。サミュエルは贋造された発見物を展示し――人々はサミュエルからチケットを買い、週三回の決められた時間に見に行った――興味を持った申込者には、さらに価値ある文書や、四ギニー〔当時のイギリスの金貨で、一ギニーは二一シリング〕の紙に複写したものを提供した。

こうした贋作をつくるのは簡単ではなく、ウィリアム・ヘンリーは複数の方法を組み合わせることで、父親や世間をたぶらかしていた。自伝の『告白』の中で語っているように、最初に贋造した証書を含め、彼は一七世紀の紙の断片をよく使い、とりあえずの詮索をかわしていた(これはスパニッシュ・フォージャーの素材調達の方法と似ている)。本物をしっかり使って贋造することで、疑念を抱かせないようにしていたわけだ。

ウィリアム・ヘンリーは偽の文書や証書の中でシェイクスピア(Shakespeare)の名前をさまざまな綴りで書いていて(Shaxpear、Shakespeare、Shakespere、Shakspeareなど)、それはシェイクスピア自身が異なる綴りを使っていたことに即していた。これは、贋作をより信用できるものにするディティールだった。ウィリアム・ヘンリーはまた、歴史的に本物とされている一七世紀の四つ折り判の本、演劇のプログラムなどを見つけ出し、そこにウィリアム・シェイクスピアと署名したりもしていた。贋作に本物を組み入れるという手法は、ペテンを続けるのに有効だった。彼は自身の贋作を使って過去の贋作を「認証」するということもしていて、そうすることで自分が発見したシェイクスピアのエフェメラや文書に厄介な疑いが生じるのを避けていた。

しかし、偽シェイクスピアのためのインクを入手するのが難しかった。文書の贋作をはじめたころ、ウィリアム・ヘンリーは、トーマス・ローリーの製本所――贋作を量産していたニューインの拠点から歩いて行ける距離にあった――が、少量の酸を加えてインクを泡立たせることでまさにエリザベス朝期らしいインクをつくれると知った。最初にその瓶入りの古風なインクを買ったとき、彼は、このインクを使って父親を騙し、文書を実際よりも古いものだと思わせられるか試してみたいと、ローリーとその弟子たちに軽口をたたいたらしい。インクの補充が必要になったころには、ウィリアム・ヘンリーのシェイクスピア「発見」の評判は広まっていた。だが、彼が製本所に行って同じ店員にインクを頼んだとき、だれも何も言わなかった。「写本の評判は彼らにもしっかり伝わっていたのだが」と、ウィリアム・ヘンリーは振り返っている。「そしてわたしがそれを発見したとされる人だったのだが」。ローリーと店員たちは疲れきっていて、ウィリアム・ヘンリーがそのインクを何に使おうがかまわない、ただ買ってくれさえすればいい、と考えていたのかもしれない。実際、ウィリアム・ヘンリー・アイアランドは補充インクになけなしの金をはたき、贋造を続けた。

サミュエル・アイアランドはウィリアム・ヘンリーの「新発見」の文書をまとめ、自分なりに学術的解説をつけて、『ウィリアム・シェイクスピアの署名捺印書類および法律文書集』として一七九五年のクリスマスイヴに出版した。サミュエル・アイアランドの大作に対する反応は、控えめに言っても賛否両論だった。

シェイクスピアの魅力は社会階層を超え、文化的正統性とブルジョワ的振る舞い（ハビトゥス）をシェイクスピア・コレクターにもたらしていた（アイアランドの品の中でとりわけ人気だったのは、シェイクスピアから妻のアン・ハサウェイへのラブレターで、シェイクスピアの髪の房がついているとされていた）。だれもがシェイクスピアの何かを愛していた。だれもが何か――登場人物や経験など――個人的にその劇作家とつながれると感じるものを持っていた。アイアランドの偽物はイングランドの貴族階級を騙しただけではなかった。サミュエル・パー博士やジョゼフ・ウォートン博士のような一八世紀を代表する学者たちの詮索もかわしていた。アイアランドの「ホンモノの偽物」を見て、博学な文学者のジェームズ・ボズウェル（名高い文学者サミュエル・ジョンソンの友人）は膝をつき、その大切な品にキスしたと噂されている。〈文書〉（ザ・ペーパーズ）として知られるようになったそれらのものは、人々に崇められていたのである――最初のうちは。

著名な学者の中には、エドモンド・マローンのように、初めから〈文書〉の真正性を疑い、アイアランドが世間の期待に完璧に沿ったものをいくつも運よく見つけ出していることをいぶかしむ人もいた。サミュエル・アイアランドが『文書集』を出版すると、偽物はマローンの手に負えないほど多いとわかった。一七九六年、マローンはきわめて辛辣な『ある書類および法律文書集の真正性に関する調査』を出版した。これは〈文書〉とウィリアム・ヘンリー・アイアランドの発見談の偽りを的確に暴くものだった（マローンは前年のサミュエル・アイアランドの本にも我慢ならず、滑稽な素人出版だとみなしていた）。マローンは素材の矛盾を指摘するとともに、来歴やディティールがあまりにも奇妙で、真正なシェイクスピアの文書だとは考えられないと論じた。

　たとえば、アイアランドの『リア王』の写本の最後のページにはいたずら書きがあった。ウィリアム・ヘンリーが消すのを忘れていたのだ。原文を勝手にいじっているところもあった。オリジナルの『リア王』で、シェイクスピアはリアにこうわめかせている。“I woud divorce me from the mother's toombe / Sepulchring an adultress”（お前の母親の墓とは離縁する／姦婦を埋葬したのだからな）このセリフがアイアランドのバージョンでは、“I could divorce thee fromme thye Motherres Wombe / And say the Motherre was an Adultresse ...”となっている。アイアランドの読者は、後者――贋作――のほうがはるかに優れたもので、シェイクスピアの厄介な機微が明瞭になり、リアの非難がずっと理解しやすくなっていると感じた。**これ**がシェイクスピアの書こうとしていたことなのだ。詩聖が幸運にも、アイアランドが想像したくらいに明確に書けたなら。しかしエドモンド・マローンは受け入れなかった。

マローンが『調査』を出版すると、息子のアイアランドはすぐに降参し、父親と世間を騙すためにやったのだと認めた。自伝『告白』の中で、彼はこう書いている。「古い文書をつくり出して、シェイクスピアのものだと言えたとしたら、少しばかり楽しいことになるし、骨董品を探す人たちがどこまで軽信するかを示せるのではないかと思った」

ところで、アイルランドの劇作家リチャード・ブリンズリー・シェリダンは、シェイクスピアの「失われた」作品、『ヴォーティガンとロウィーナ』を上演する権利をサミュエル・アイアランドから買った。シェリダンは一七九六年の春にドルリー・レーン劇場で上演することにしたが、支配人で俳優のジョン・フィリップ・ケンブルは激しく反対した。彼やほかの俳優たちは『ヴォーティガンとロウィーナ』が真正なものだとは思っておらず、その後も決してそう思うことはなかった。演劇界では、ケンブルはわざと「そして、此の厳粛なる嘲りが終わりし時」というセリフを繰り返し、自分がこの劇について考えていることを観客にはっきり伝えようとしたと噂された。『ヴォーティガンとロウィーナ』の初演は一七九六年四月二日（マローンが『調査』を出版した三日後）だったが、ケンブルはその一日前、すなわちエイプリルフールにしたほうがいいだろうと言っていた。

「最後の二幕はますますひどくなり、マローンを支持する疑念に満ちた観客たちは、声を上げて俳優を舞台から下ろした」と、美術史家のノア・チャーニイは著書『贋作のアート』の中で、この事件について皮肉を込めて書いている。そして「これが唯一の上演となった」。早くからシェリダンも、詩聖のほかの作品と比べて、『ヴォーティガンとロウィーナ』はひどく単純で、まったく洗練されていないと言っていた。しかし、もしシェイクスピアが『ヴォーティガンとロウィーナ』を書いていたとしたら、いやはや、ドルリー・レーン劇場はそれを上演していただろう。

　圧倒的な証拠があったにもかかわらず、アイアランドの父を含む多くの人が、〈文書〉は偽物でありウィリアム・ヘンリーの告白は本物だということを信じようとしなかった。ウィリアム・ヘンリーの伝記作家たちの共通認識によれば、サミュエルは「あまりにまぬけで浅はかな」息子にこれらの贋作のような完成されたものをつくることはできないと考えていて、息子の告白を信じないまま墓に入ったようだ——贋造された〈シェイクスピア文書〉のまぎれもない力を信じることを選んだのだ。世間の熱狂者たちも同じように感じていた。シェイクスピアの威信はあまりに大きく、ウィリアム・ヘンリーが告白したからというだけでこれらのお宝を偽物だと否定することはできなかった。「シェイクスピア崇拝、詩聖崇拝（バードラトリー）は強固なものになっていたが、シェイクスピア研究のレベルはそこまで達していなかった」と、著述家のパトリシア・ピアスは『シェイクスピア贋作事件』に書き、アイアランドが人々を引きつけたことについてこう説明している。「〔アイアランドの同時代人は〕シェイクスピア関連のものが隠された場所がいつか見つかるのではないかとずっと思っていた、それまでに発見されたものが嫌になるほど少ない中で。ロンドンの文学者たちは、『シェイクスピア文書』が本物だと信じたかったのである」

ウィリアム・ヘンリーが贋作を告白したというのに、サミュエルはそれらの品をまとめて洒落たロシア革装丁の、留め金がついた二つ折り判の本を三冊つくり、髪の房が付されているとされたアン・ハサウェイへの手紙など、三つの特別な文書用に緑色で縁取った木の箱を特注した。贋作だと非難され、世間から嘲笑われることが不満だったらしいサミュエルは、一七九九年にさらなる行動に出た。『ヴォーティガンとロウィーナ』と『ヘンリー二世』(ウィリアム・ヘンリーが「発見した」別の「失われた」戯曲)を出版したのである。

サミュエルは一八〇〇年七月に亡くなった。アーサー・フリーマンによれば、「攻撃にさらされ苦しみながら」だった。相続人たちは、彼のシェイクスピア以外の本などを一八〇一年五月にサザビーズでオークションにかけたが、合わせてわずか五二ポンドにしかならなかった。残りの近親者であるウィリアム・ヘンリーの母と姉妹は、一連のことから解放されたいと願い、ウィリアム・ヘンリーのシェイクスピア贋作一七〇点を、議員、銀行家、愛書家のジョン・〝ドッグ〟・デントに売り、三〇〇ポンドを受け取ったという。

しかし、ウィリアム・ヘンリーの物語は、ほかの多くの偽物、贋作、捏造品の物語と同じように、彼がシェイクスピアのエフェメラを量産していた一八ヵ月だけで終わりはしない。たしかに、一七九四年から九六年の一八ヵ月間に、彼はオリジナルの偽〈シェイクスピア文書〉を生み出していた。しかし、そこで贋造をやめる準備はできていなかったようだ。彼はつねに無一文で、債務者監獄に入れられる恐れがいつもあったから、再び贋作の筆をとることを選んだのは想像に難くない。ちなみにウィリアム・ヘンリーは自らの名声（悪名？）を利用するなかなか劇的な方法を見出した。自らの贋作を贋造し、オリジナルの「ホンモノの偽物」として売ったのである。

早くも一七九七年三月には、ウィリアム・ヘンリー・アイアランドは一〇点の贋造贋作のセットを、近所に住む法律家のオールバニー・ウォリスに売っていた。それから四〇年にわたって、ウィリアム・ヘンリーは、有名な一七九四〜九六年の「オリジナル」と自ら称した品の贋造を続け、長く、上々の（と言っていいだろう）キャリアを送った。ウィリアム・ヘンリーの母が一八〇一年にそれらの品をすべてデントに売っていたことを思い出してほしい。にもかかわらず、稀少本のコレクターによれば、それらの「コピー」はいまもたくさん存在し、オークションに出てくる。しかもその来歴はしっかりと認証されている。そして、それらの贋造贋作は売れる、よく売れるのだ、特に現代のコレクターに。

「彼は人々が渇望しているもの、無条件に受け入れたいものだけを与えた」と、アート史家のリチャード・グラント・ホワイトは述べ、アイアランドの魅力、そしてなぜこれほど多くの人がこれほど長くまがい物を買っているのかを説明している。このグラント・ホワイトの考察は、〈文書〉が偽物だとわかったすぐあとに人々がアイアランドの品を熱心に集めるようになった理由についての適切な解説でもある。そして、現代のコレクターにとってのアイアランドの魅力についても説明している。「アイアランドの作品の真のインスピレーションは、顧客の心理を理解していたことにあり、彼らがもっともっとと言うと、彼らの欲求や、どこまで信じられるかに応じて品を提供した」。二〇一二年の〈スチュアート・B・シンメル贋作コレクション〉はさまざまなアイアランドの品を売り物にしていた——「W・H・アイアランド」という自らの署名が入った手紙から、本当に真正なシェイクスピアのエフェメラにアイアランドが「ウィリアム・シェイクスピア」と署名したものまで、あらゆるものがあった。ちなみに、やはり、シェイクスピアと署名されたもののほうが「W・H・アイアランド」というものよりもよく売れた。

今日、ウィリアム・ヘンリー・アイアランドは、シェイクスピア贋作界のいかがわしい英雄たちの中で最も収集価値のある人物のひとりであり、真正なアイアランドの品はオークションで数百ポンドから数万ポンドの値がついている。金銭的な面だけでなく、ウィリアム・ヘンリー・アイアランドの贋作は研究者の興味を引き続けてもいる。アイアランドの品を所蔵するハーヴァード大学などの機関は、それらの贋作をさまざまな研究プロジェクトに役立てている。

ベル・ダ・コスタ・グリーンが、《聖ウルスラの婚約》はホルヘ・イングレスのパネル画ではなく、確実に中世のものではないと判断すると、メトロポリタン美術館は購入を断った。この絵は何十年も私的なコレクターたちの手をわたった末、一九八八年にマーティン・W・クーパーから母の記念としてモルガン・ライブラリーに寄贈された。今日、このパネル画はスパニッシュ・フォージャーの経歴における重要な品となっており、モルガン・ライブラリーが終の棲家となったのは実に適切なことだろう。

スパニッシュ・フォージャーの物語（そしてウィリアム・ヘンリー・アイアランドの物語）の中で重要な部分は、作品がたんなる「偽物」であることをやめ、それ自体として認識、収集されるものになったところだ。一九七八年、モルガン・ライブラリーはスパニッシュ・フォージャーの作品そのものにフォーカスした展覧会を企画したが、アメリカのアート評論家ヒルトン・クレイマーは『ニューヨーク・タイムズ』にこの展覧会のレヴューを寄せた際、フォージャーを「一九世紀の画家」として紹介した。モルガン・ライブラリーは、この展覧会によってコレクターが自身のコレクションを再検証し、フォージャーの作品がより多く日の目を見るようになればいいと考えていた。

モルガン・ライブラリーが落胆することはなかった。この展覧会を見たレディ・ジーン・キャンベル――ノーマン・メイラーの最初の妻――は、自身の家族のコレクションの中にあった《乗船する貴婦人》という丁寧に額に入れられた絵をあらためて見てみた。そしてすぐに真正なスパニッシュ・フォージャーの作品だとわかった（「見つけた」と、彼女は電話でウィリアム・フォルクレに言った。「わたし持ってたの」）。レディ・ジーンの祖父が一九二〇年代にパリでその絵を買っていたのだった。彼女が象牙の額に入ったその絵をモルガンに持っていき、フォルクレに見せたとき、フォージャーのスタイルがいかに特徴的かがはっきりした。専門家でなくとも、展覧会を一度見るだけで、自分のコレクションの中から見つけ出すことができるのである。

スパニッシュ・フォージャーの展覧会のカタログが印刷されようというころ、カリフォルニアのディーラーが、俳優のジョン・バリモアが以前所有していたという時禱書を持ってきた（時禱書は祈禱、詩篇、聖書の記述などを集めたもので、中世に広まり、豪華な装飾が施されることが多かった）。ディーラーはそれが一五世紀のものでない——紙と縁飾りは本物だったが——ことに落胆していたが、フォルクレはその本に描かれている有名なフランスの騎士がまさしくスパニッシュ・フォージャーの手によるものだと気づいて興奮した。「一九八四年、ジョン・バリモア・ジュニアはスパニッシュ・フォージャーを題材にした映画の脚本のアイデアを思いついた。当然、彼が主役を務めることになる。いまはウォルターズ美術館にある写本を彼の父が所有していたのだから」と、フォルクレは著書『スパニッシュ・フォージャー』の中で振り返っている。「ジェームズ・コバーン、ピーター・オトゥール、リチャード・ハリス、アレック・ギネスのような人たちにオファーがなされようとしていた。長年、わたしはこの映画が実現することを望んでいた」

　このような物語こそが、スパニッシュ・フォージャーのアート作品の真正性を高め、アート界のいかなる認証よりも、作品を本物にするのである。パネル画であれ、時禱書であれ、何であれ、モノにはそれ自身の複雑な歴史がある。年々、絵画や写本が増えるにつれ、スパニッシュ・フォージャーは少しずつ正当化されるようになり、わたしたちはスパニッシュ・フォージャーのアートを真正性のグラデーション上で「本物」のほうに動かしていいと思うようになってきている。彼の物語にこれほどの説得力があるのは、間違いなく、こうした壮大な偽造をやってのける大胆さ、そしてそれを暴く巧みな技と知識のためでもあるだろう。

元々、これらの贋作の目的は人々を欺くことであり、正当なものだと信じさせようとしていた。しかし現在、それらはたんなる偽のアート作品以上のものになっている。それは複雑な歴史を持ったモノであり、いまや真正な中世の作品と思われていた期間よりも長く、「スパニッシュ・フォージャーの作品」としてこの世に存在しているのである。同様に、アイアランドのシェイクスピア——「オリジナルの贋作」も、ウィリアム・ヘンリー本人の手による「ホンモノの偽物」も——も、本物と考えられていた期間より長く、偽物として歴史的に認識されている（アイアランドの独特なねじれは、自らの贋作を贋造したことだ）。

スパニッシュ・フォージャーとウィリアム・ヘンリー・アイアランドはアート贋作の長い歴史の中の二人の登場人物にすぎないが、人々に望みのものを与えることで「ホンモノの偽物」がいかにそれ自体として収集の対象になったかを、二つの側面から見事に示している。それらが本当に「本物」になるのは、もはや人を騙そうとしなくなったときだ。「アート、そしてその真正性には騙し絵的なところがある」と、ノア・チャーニイは『贋作のアート』の中で述べている。「傑作と贋作のあいだの線が、非常に細いか、目に見えないこともある。犯罪がなされるには、だれか、あるいは何かが被害を受けねばならない。特定の人——騙された買い手など——であれ、アーティストの評判のような抽象的なものであれ」

今日の人々にとっては、この二人のアーティストに欺かれるリスクはほとんどないから、彼らのストーリーは、偽造者の創意工夫や芸術的スキルを称えるものとして、あるいは熱狂的すぎるアートコレクターへの戒めとして受け入れられる。一方でこれらのストーリーは、偽物に確かな来歴をもたらしてもいて、そこからはっきりするのは、コレクターはまがい物のまがい物ではなく、きちんとした——ホンモノの——偽物を欲しているということだ。したがって、収集の対象になる偽物とは、稀少性や来歴を持つものであり、それはどちらも欲望と経済の論理に左右されるのであって、必ずしも道理にしたがいはしないのである。

「贋作者はこの皮肉な状況をどう考えただろうか」と、ウィリアム・フォルクレは言う。「自分の作品がいまや贋作それ自体として収集されていること、正真正銘の中世の芸術作品というよりも自らの贋作としてよく売れていることを喜んだだろうか」

こうして、スパニッシュ・フォージャーやウィリアム・ヘンリー・アイアランドのような人々の作品は、そもそもが偽物だからこそ正真正銘のものになる。ホンモノになった偽物なのだ。

第二章

嘘石の真実

一七二五年五月三一日、バイエルンのヴュルツブルク大学で医学部教授長をつとめていたヨハン・バルトロミュー・アダム・ベリンガー博士は、近くのアイベルシュタット山で見つかったという三つの化石を渡された。そのうち二つは虫が笑っているかのようで、三つ目は光線を発する太陽のかたちをしていた。ベリンガーはすぐに、自信をもって、これらの化石はふつうの化石ではないと断定した。そして、実のところ、これはそもそも化石ではないということがまもなく明らかになる。

熱心な博物学者で、自然界のさまざまな珍しいものを収集していたベリンガー博士は、ヴュルツブルクの地元の人々を大勢雇い、アイベルシュタットで化石の採集を行わせていた。長年のあいだに、地元の化石、そしてバイエルン地域では見られないような珍しい化石を揃えていた。「稀少で上等な標本は、フランケン地方では見つけられなかったから、ヨーロッパのほぼ全地域から集めた」と、ベリンガー博士は一八世紀に誇らしげに書いている。「買うか、お願いするか、友人や支援者の厚意で」

さて、ベリンガーと本物でない化石の物語は、一七二五年五月にはじまる。彼が雇った三人の「採掘人」――一七歳のクリスチャン・ツェンガーと、ともに十代のニクラウスとヴァレンティンのヘーン兄弟――が、アイベルシュタット山で新たに発見した三つの珍しい品をベリンガーのもとへ持ってきた。ベリンガーは有頂天になった。そして、これらの化石はアイベルシュタット地域で通常見つかるものとは大きく異なるようだと、すぐに自信をもって考えた（彼は貝などの化石をたくさん持っていたが、光線を発する太陽ほどインパクトのあるものはなかった）。ベリンガーはこの発見物を「像石（イコノリス）」と呼び、下っ端の者たちに山のガレ場を調査するようけしかけた。さらにお宝が見つかることを期待して。

その後の夏の数ヵ月のあいだに、アイベルシュタット山はこのうえなく多産な場所だとわかった。ツェンガー、ヘーン兄弟、そのほか採掘人たちは、次々と化石を見つけ、驚きの連続だった。最初の三個が数十個になり、数十個が数百個になり、数百個が数千個になった。ベリンガーはほとんど我を忘れていた。これらの発見に関する著作『リトグラフィエ・ヴィルセブルゲンシス』を出版した一七二六年の春までに、一一〇〇点から二〇〇〇点の「化石」標本を入手していたと推定されている。そしてそれらの発見物はすべて、最初の三つと同じくらい驚くべきものだった。

『リトグラフィエ・ヴィルセブルゲンシス』の中で、ベリンガーは急増していた自身のコレクションを仰々しく分類している。

> ここに、自然のすべての界の標本があるが、特に動物と植物のものでは、小さな鳥（羽を開いているものも閉じているものも）、蝶、梨とコイン、飛んでいる甲虫……ミツバチとスズメバチ……蠕虫（ぜんちゅう）、ヘビ、海や沼のヒル、シラミ、牡蠣、カニ……カエル、ヒキガエル、トカゲ、シャクトリムシ、サソリ、クモ、コオロギ、アリ、バッタ、カタツムリ、貝のついた魚……甲殻類、巻き貝、ホタテ貝、これまで知られていない種。

息つくこともなく、ベリンガーは続ける。

> 葉、花、植物、すべてのハーブがあった……鮮明な太陽と月、星、燃えるような尾の彗星があった。そして最後に、わたしと仲間の調査員たちに崇拝の念を抱かせる驚くべきものとして、畏れ多きエホヴァの名がラテン文字、アラビア文字、ヘブライ文字で刻まれた立派な銘板があった。

ノアの方舟が含まれていないとはいえ、アイベルシュタット山がヨハン・ベリンガーに差し出したもの以上に完璧な、地球上の生命のリストを想像するのは難しい。人間の顔をした太陽、星、生きているかのようなカエル、そして神の名が刻まれた珍品は、貝の化石などとるに足らないものと思わせた。エホヴァ（旧約聖書の神の呼び名）に関係した化石まであることを考えると、これらの発見は自然界だけに収まるものではなかった。ベリンガーは岩石にエホヴァの名前が現れていたことについてこう論じている。「光が墓石（近くで見つかった）から何らかのかたちでヘブライ文字を『吸収』し、それをアイベルシュタット山のイコノリスに写したのだろう」

ベリンガーはイコノリスをとにかく早く世界に紹介したかったため、分析を簡略化した。実のところ、一八世紀初めに必要とされていた研究を基本的にすべてすっ飛ばしたのである。彼はこの奇妙な発見について、ほかの博物学者（つまり、ほかの専門家）に相談しなかった。また、化石の体系的な分類どころか、形式的な記述すらしなかった。

一方、ベリンガーがしたことは、彼にとっての研究論文（モノグラフ）『リトグラフィエ・ヴィルセブルゲンシス』にすぐさま取りかかることだった。カエル、貝、鳥、彗星の化石を図解する二一枚の彫刻版の制作まで依頼した。研究中の標本の詳細な図解は、研究内容を人に伝えるうえで重要なものであり、スイスの博物学者コンラート・ゲスナーが一五六五年に『化石、主に石と宝石、その形状と外観に関する本』を出版して以来そう考えられていた。

発見物のカタログを作成しただけでなく、ベリンガーは化石一般の起源——一八世紀初めの博物学者にとって非常に興味深かった問題——に関する理論をいくつか唱え、そうして自身とイコノリスを科学的な議論の舞台に躍り出させた。博物学者のあいだで最も広まっていた説のひとつは洪水説で、地球に「洗礼を施した」聖書の洪水が、その流れと波の激しい力で動物や植物の遺物を岩に埋め込んだとするものだった。『リトグラフィエ』の中で、ベリンガーは数ページを費やして読者に洪水説について説明している。彼はまた、エドワード・ルイドやチャールズ・ラングの精子説（種子が放出する小さな精子が岩を体外受精させ、その内部で生長するという説）についても考察した。そのうえで、アイベルシュタット山などでの発見物が化石の起源をめぐる議論の解決に大いに役立つだろうと述べた。

貴重な発見物に臆面もなく熱狂し、仕事に打ち込むベリンガーだったが、本を書くのは大変だった。「たびたびペンを置いていたと告白しなければならない。昼も夜も義務に追われ、気が散り、疲れ果てていたのだ」と、彼は本の締めくくりに書いている。「夜遅くくらいしか時間がとれない中で、国外の人からも批評的な検討がなされるであろう仕事に取り組んだ」

ベリンガーは、笑顔を浮かべる動物や、エホヴァの名前が刻まれた化石の真正性を決して疑わなかったが、大学の人々は噂話をはじめた。神の手ではなく、人の手でつくられた化石だという声もあった。ヴュルツブルク大学のベリンガーの同僚で、地理学、代数学、解析学教授のJ・イグナッツ・ロデリックなどは、ベリンガー博士の目の前で石灰岩を彫り、一七二五年のいま、だれかが石を加工し、アイベルシュタット山に埋め、ベリンガーの採掘人に発見させるのはいかに簡単であるかを示した。

頑固で強情なベリンガーは、自分の化石にどこまでも忠実だった。何ヵ月ものあいだ、ロデリックや、ロデリックの同僚で大学の図書館員、枢密顧問官のヨハン・ゲオルク・フォン・エックハルトなどからの中傷に怯まなかった。ロデリックとフォン・エックハルトは岩石の彫刻のまわりにナイフの跡があると指摘し、クモの巣のようなものがこれほど完璧に保存されていることはありえるだろうかと疑問を呈した。ベリンガーは彼らの懸念をあっさり受け流し、この流言屋たちは自分たちが自然界のお宝を発見できないから嫉妬しているだけだとみなした。

大胆にも、ベリンガーは『リトグラフィエ・ヴィルセブルゲンシス』の中でこう宣言した。「わたしは［噂に］屈しなかった。この最高の初版がはっきりと示すとおりである。そして、今後も屈することはない。わたしはフランケン地方のこの新しい石のコレクションを全世界に公開すると決めたように、この最も正しい大義のために闘うと強く決心している」。これらの化石を発見、発表できたベリンガーは、何と幸運だったことか！

もっとも、それらが化石であればのことだが。イコノリスは偽物で、実のところ、特に説得力のある偽物ですらなかった。哀れなるかな、ヨハン・ベリンガー博士は一七二五年五月に最初の「化石」を受け取った瞬間から、いたずらに引っかかっていたのである。犯人――ベリンガーにそれらの化石の真正性を信じないように言った張本人、同僚の高名なロデリック教授とフォン・エックハルト――は、ベリンガーが無駄足を踏むのを笑い、彼を少し謙虚にさせようとしていただけで、すぐに問題は収まると思っていた。

彼らには知る由もなかったが、それから一二ヵ月のうちに、大量の偽化石の出現とその後の裁判を経て、ベリンガーのリューゲンシュタイン（嘘石）――すぐにそう呼ばれるようになった――の物語は、決して単純な話ではなかったと判明する。

一八世紀初め、化石の発見は比較的珍しかった。その自然の珍品は、中世以来、裕福な教養人のコレクションの一部をなしていたが、一八世紀のコレクターのあいだでも、知られている化石の種類はかなり少なかった。博物学者のコレクションに含まれていた化石は、軟体動物（アンモナイトやベレムナイトなど）の殻、サメの歯、サンゴ、ウミユリ、ウニ、シダなどだった。脊椎動物の骨の破片はあちこちにあったかもしれないが、骨格は珍しかった。多くの博物学者がこのような海に関連しているらしい品を聖書のノアの洪水の痕跡だと考えていたとはいえ、より確固とした説明をしたいと思う学者も多くいて、もしベリンガーの収穫品が真の化石だったなら、発展著しい博物学（自然史）の分野にとってはまさに大発見だった。

人工的に手が加えられていることにベリンガーがすぐに気づかなかったという事実を二一世紀の人が理解するには、少なからず不信の停止が必要かもしれない。それらの石にはナイフの跡がはっきりと存在していたし、その彫刻の芸術性は寛大に言っても「がんばった」と「未熟」のあいだのレベルなのだから。ここで、ベリンガーはそもそもなぜ、どのように騙されたのかという疑問が湧く。彼や一八世紀の博物学者にとって、化石、それも正統な化石とは何だったのか？　そしてベリンガーの珍品はどう違っていたのか？

ベリンガーと同時代の博物学者のあいだでは、「化石」にはさまざまな意味があり、現代の古生物学では化石とされない多くのものが「化石」と言われていた。歴史的に、多くの博物学者は、植物や動物に似た石だけを指してこの言葉を使っていた。一方、今日なら考古学的発見と言われるようなものまで幅広く含めて考える人もわずかにいた。fossil（化石）という言葉はラテン語のfossaが由来で、一般に地面から出てきたものを指す言葉だった。これには岩石、コイン、植物や動物に似た「形象石」、そして宝石用原石（ジェムストーン）も含まれうる。これが、ベリンガーの時代よりも前、一七世紀の学者が集めていた「化石」だった。

「問題は、『化石』の起源が有機体かどうかではなく、どれが有機体（あるいはその一部）の遺物かを判断することだった」と、イギリスの著名な地質学者で科学史家のマーティン・J・S・ルドウィックは『地球の深い歴史――いかに発見され、なぜ重要なのか』の中で説明している。「つまり、植物や動物に似た『化石』のうち、どれが実際に生物を起源としていて、どれが偶然似ているのかということだった」

ここで、歴史、遺物、自然はどのように関わり合っていたのか、その三つは当時発展していた博物学の分野をどのように支えていたのかという問題にたどり着く。「真に有機体を起源とするもの［「化石」］だけが、自然そのものの古い遺物と考えられ、それゆえ人類とそれに関わる地球環境の歴史についてのさまざまなかたちの証拠を補完、さらには代替することができた」

とルドウィックは述べている。つまり、ベリンガーが本当に真正な貝の化石と偽物のアイベルシュタット山の人工品を集めていたころ、化石の起源についてはまだ議論の最中にあったもの の、一般的に、化石は人がつくったのではない何かの有機的な遺物を指すと考えられていたということだ。一七三五年、ベリンガーの化石の物語の一〇年後に、スウェーデンの博物学者カール・フォン・リンネが『自然の体系』の初版を発表し、生物学における体系的な命名法と自然界を系統立てて分類する方法を博物学者たちに示した。リンネの分類法を用いれば、ベリンガー(やほかの博物学者たち)が「化石」と分類した非生物的なものの一部は、生命とは関係のない異質のものとして除外されることになる。ベリンガーのカタログはまとまりのない寄せ集めのように思えるが、一七二〇年代の科学のしきたりに一応は沿っていたのである。

つまるところ、ベリンガーの「化石」は、遠い過去の自然界に関する理解から生まれたもの、いわば一六世紀の化石観の痕跡なのかもしれない。ルネッサンス期の哲学者たちにとって、この世は壮大な一直線のヒエラルキーをなしていた——神が頂点にいて、続いて天使が、さらに続いて人、動物、植物、そして最後に鉱物が存在する。つまり、それぞれが明確に上下に結びつく、存在の大いなる連鎖ということである。こうした哲学的な土台があったため、ベリンガーの採掘人たちが見つけた「化石」はそのような世界観にすっぽりとはまり込み、その化石の「結びつき」は馴染みがあるものでもあり、同時に予期せぬものでもあったのだろう。ロデリックとフォン・エックハルトがつくったいたずらの化石は、まさにベリンガーが見つけたいと思っていた化石だった。本人がそれを自覚していたかどうかはさておき。

自らの「化石」の起源については未解決の問題としたまま、ベリンガーはアイベルシュタット標本の発表に身を捧げた。一七二五年末のこの時点で、いたずら屋たちはベリンガーが何もかも信じきっていることに困惑しはじめていた。ロデリックとフォン・エックハルトがそもそもいたずらを企てたのは、ベリンガー博士が癪に障ったからだった。彼らの言葉を借りれば、ベリンガーは「横柄」で、「自分たちを見下しているところがあった」。そこで彼らは、アイベルシュタット山にちょっとした品を埋め、彼の高慢の鼻を少しばかりへし折ってやろうとしたのである。

筋書きはこうだった。ベリンガーは化石収集の偉業を称えられるが、やがてその石灰岩の化石が捏造であることに気づき、自分のコレクションが偽物でいっぱいだと知って恥をかく――特に、ロデリックとフォン・エックハルトが幸運にもその愚かさを指摘したとなれば(彼らの共通のパトロンであるフランケンの領主司教など、だれか有名な人の前で披露してもらいたいとも思っていた)。しかし、本の出版の準備をはじめたということは、彼がその化石を完全に信じているということであり、この悪ふざけが及ぼす影響は当初考えていたよりもはるかに大きくなっていた。

ロデリックは、ベリンガーの発見物のような石を彫るのがいかに簡単かを示したとき、ほとんどベリンガーに気づいてほしいかのよう――ベリンガーにわかってもらえるようにタネを明かしているかのようだった。ベリンガーは原理としてはそういうこともありえると認めたが、自分の「化石」がそのようにでっち上げられたとは考えようとしなかった。一七二五年五月から、一七二六年に彼の化石論が出版されるまでのあいだに、ロデリックとフォン・エックハルトは冗談が行きすぎたと判断し、化石は偽物だという噂を流しはじめた。ベリンガーは『リトグラフィエ・ヴィルセブルゲンシス』の終わりのほうに、短く歯切れのいい、少し高慢な章を差し込んで、人造の化石だという考えを否定し、そのような主張は職業的な嫉妬や羨望の結果だろうと言った。しかし数ヵ月後、ベリンガーは態度を変えようとしていた。

いたずらが明らかになった正確な日付や状況ははっきりしていない。一説によれば、フランケンの領主司教が自らこの学術的な混乱に足を踏み入れて話をまとめ、ベリンガーにこの岩石は化石ではないと伝えたという。また、別の説によれば、ベリンガーがアイベルシュタット山を調査していた際、岩石に自分の名前が彫られているのを見つけ、そこで「やられた」と気づいたという（この後者の説は、科学史の中で神話化されている）。いたずらが明かされた事情を知ることはできないが、すぐに影響があったことはまず間違いない。

まず何より、ベリンガーは自らの失敗に屈辱を感じ、手に入る『リトグラフィエ・ヴィルセブルゲンシス』をすぐさま買い占めはじめた。だれかがどこかでこの本を買い、彫刻と解説を見て、これを本物の化石だと考えたベリンガーはまったく無知だと思われるのを恐れたのである。それからベリンガーは、ロデリックとフォン・エックハルトに対する訴訟に打って出た。

J・イグナッツ・ロデリックとゲオルク・フォン・エックハルトの嘆かわしい行動によって自分の名声と学問的誠実性が汚された、とベリンガーは感じていたようだ。彼は、化石に騙された愚か者として歴史に名を残すまいと固く心に決めていた。一七二六年四月一三日、「名誉の維持」を期待するベリンガーの特別な要求のもとに、訴訟手続きがヴュルツブルク聖堂参事会ではじまった。手続きは全三日間で、その後の審問は市の裁判所で一七二六年四月一五日と六月一一日に行われた。

一七二六年四月一三日、ベリンガー博士は、捏造の彫刻の石を彼のもとに、そして博物学の収集の世界の「いろいろな人たち」のもとに故意に持ってきて本物だと偽ったとして、「アイベルシュタットの若者たち」を告発した。それらの石を真正なものだと主張していた彼は、この名誉の問題はつまるところアイベルシュタットの石の正統性の話になると感じていた。訴訟に関連した文書には、ベリンガー博士は領主の主治医であるとともに「学問的な好事家(ディレッタント)」であると書かれていて、ロデリックとフォン・エックハルトがベリンガーを癪に障ると思ったことに少しばかり同情を示している。一方で裁判所は、ベリンガーの主張はもっともで、責任をもって訴訟に臨んでいると感じ、いたずらに関与した人々をできるかぎり早く尋問すると約束した。

裁判記録によると、裁判所の第一の目的は、だれがこの一連の出来事の首謀者なのか、補佐役として巻き込まれた人たちは自らの役割をどこまで知っていたのかを特定することだった。

すぐにはっきりしたのは、たとえば、「若い採掘人たち」は利用されていたにすぎなかったということだ。彼らは山を掘り、風変わりな「化石」を集め、そのがんばりに対して一、二枚のバッツェン硬貨がほしいだけだった（裁判記録によれば、嘘石の発見に対する最大の報酬は二二バッツェン、現在の二スイスフランほどだった）。採掘人たちは、当時一七歳のツェンガーに言われたものを採集していただけだった。

〈若い採掘人たち〉への尋問

［裁判所］彫刻の技術を学んだことのある者はいますか？

［裁判所］これらの石に見られる形象や文字を何らかの本で見たことがありますか？

［裁判所］このような彫刻された石をだれかが山に隠すのを見たことがありますか、またそのような石を掘り出しませんでしたか？

［裁判所］エックハルトとロデリックの両氏から、石に彫刻を施し、それからそれを市内に持ってきて、掘り出した発見物だと偽るよう仕向けられましたか？

これらの問いに対する答えはすべてノーで、裁判所は採掘人たちには責任も悪意もないと判断した。一方、クリスチャン・ツェンガーに対する尋問はより直截的だった。

クリスチャン・ツェンガーへの尋問

［裁判所］どこで「ドラゴンの石」やヘブライ文字が書かれた石、そのほかナイフが使われた石を手に入れましたか？

［裁判所］ロデリックかエックハルトから、そのような石をベリンガーにしっかり届けるよう命じられませんでしたか？　ほかにはだれに届けましたか？

［裁判所］まるまる数週間、エックハルトの家で石の研磨、制作をしていませんか？

［裁判所］ロデリックとエックハルトからネズミとヘブライ文字の小さなスケッチを受け取りませんでしたか？　それらはどのような目的で渡されたのですか？

［裁判所］雪花石膏を使った仕事をしましたか？　それを用いて制作し、エックハルトとロデリックに見せたものは何ですか？

ツェンガーはさらりと、自分はロデリック氏から命じられて彫刻品をロデリックの仕事場から山に運んだ、ほかの採掘人たちは誠実にそれを発見しただけだ、と述べた。ロデリックはこのスキャンダルの責任をニクラウスとヴァレンティンのヘーン兄弟に押しつけようとあがいたが、兄弟はむしろ哀れなほどに実直な印象だった。

［裁判所］［ニクラウス・ヘーンは］研磨か彫刻をしたり、あるいは道具を使って何かをした

り、あるいは自身が発見してベリンガー博士に届けた石で何かをしたりしましたか？

［答え］石には何もしていませんが、見つけた石をベリンガー博士に届けました。ただ、それを見つけたからです――だいぶ前に貝の石を届けたときと同じように。

［裁判所］［ロデリック］氏はさらに何か言ったり、別の要求をしたりしましたか？

［答え］彼［ロデリック］は、神の導きによって、［ヘーン兄弟が］石を彫って山中に隠していないかどうかを確認しにきたと言いました。これに対して、そのようなことはしていない、見つけた石を渡したのだと答えました。［ニクラウスでは］埒が明かないと見たロデリックは、弟のほうに同じ質問をしました。ナイフで石を彫ったことを認めなければ手かせ足かせをはめると脅しもかけました。

このような具合だった。裁判所は宿屋の主人の妻まで呼び、ロデリックがアイベルシュタット地域を訪れたことについて証言させた。一七二六年六月一一日にはクリスチャン・ツェンガーにさらなる尋問を行い、少しでも正直だと感じられないところがあれば大変なことになると警告した。すぐに明らかになったのはこういうことだ。ロデリックとフォン・エックハルトがこのいたずら全体の首謀者であり、ツェンガーはロデリックが仕事場で「化石」を彫っていたことをよく知っていた。なぜなら、彼自身がヘーン兄弟らに発見させるためにアイベルシュ

タットに石を埋めていたのだから。ほかの人たちは、事実上、付き合いで参加していただけだったようだ。

そして、はじまりと同じくらい唐突に、審問は終わった。四年後の一七三〇年までに、若者たち、採掘人たちは歴史の記録から消え、ロデリックはヴュルツブルクを離れた。自発的に町を出たのか、逃げるようにだったのかははっきりしない。一七三五年には、裁判がはじまったときに書いていた本を書き終えるため、こそこそと町に戻り、許可を得て公文書館に行ったという。フォン・エックハルトは死んだ。ベリンガーは大学での研究と医療業務を続け、学術界でいくらか称賛された二冊の本を出版し、残りの人生をかけて、どこかにさまよう『リトグラフィエ・ヴィルセブルゲンシス』を追跡した。その本が思いがけず読まれてしまうことがないように。

化石の収集や購入はいまにはじまったことではない。ベリンガーの嘘石のエピソードの前にも後にも、何世紀にもわたって、化石は輸入、売買され、ヨーロッパの裕福な人々がコレクションを築いていた。化石は、サンゴ、イッカクの牙とともに、収集物として昔からとりわけ人気のあるものだった。見事な化石はつねに眼力のあるコレクターの買い手がついている。アメリカ合衆国では、二〇〇年以上にわたって化石が買われ、売られ、集められてきた。モンティセロの邸宅で、トマス・ジェファーソンがマストドンの顎や歯などを収集していたのは有名だ。

この自然物には、断片的にしか存在しないという特有の性質があり、その神秘感は間違いなく今日の化石にも漂っている。化石ができるのは、有機体が死に、その体が何百万年もかけて石化したときだが、有機体全体が完全に保存されていることはめったにない。骨は踏みつけられたり焼かれたりすることがあるし、化石が本来のかたちで発見されるには、地質、地形、化石生成の条件が完璧でなければならないからだ。この段階で、化石は自然物なのである。数十億年前の泥に残った葉の痕跡であれ、ジュラ紀の恐竜の骨であれ、それは地質作用が時間の中で働いた結果なのだ。

化石記録というものの断片的な性質ゆえ、「有機体全体」がめったに見つからないのと同様、有機体の「ストーリー全体」が残っていることもない。化石を見つけるということは、かつて生きていた生物の断片を地質上の墓から掘り起こすことだ。そして化石に意味を与えるには、科学、博物学、民俗学、アートがひとつになって、筋の通った物語を提供する必要がある。そうして化石はホンモノになるのである。「化石とは何なのだろう」と、フランスの古生物学者パスカル・タッシーは、科学史家エイドリエン・メイヤーの著書『最初の化石ハンター』に収められた彼女との対談の中で語っている。「もしその痕跡が時の経過の中で保存も破壊もされていなかったとしたら」

化石発掘の歴史は、研究者と愛好家が化石記録の溝を埋めようとさまざまに取り組んできた歴史でもある。この溝埋めは比喩的な意味の場合もあれば、文字どおりの場合もある。たとえば、科学的な仮説によって進化の物語を完成させることがある一方、博物館がオリジナルの標本の欠けている部分を骨の複製や鋳造物で埋め、来館者にその有機体の完全に近い姿を見せることもある。あるいは、物理的にも物語的にもあまりにも溝が多く、科学者やコレクターが自分の見たいように見てしまうこともある。そして注意力のない人は、まったく偽物の化石でその欲求を喜んで満たす。

化石はひとたび発見されると、それ自身の生命を持つようになる。化石の文化的威信が生まれるのは、発見され、人々――科学界の人であれ、商業界の人であれ――に知られたあとである。そのとき、その化石は科学的にも重要になる。なぜなら、科学とは化石にまつわる文化活動のひとつだからだ。ただこれはあくまで、価値はどこで生まれるのか、法律や金銭の面で化石にどこで価値が与えられるのかという話で、化石の本質的な価値――奢侈品としてであれ、博物学の遺物としてであれ――に関する問いへの答えは出ない。

アートや骨董品と同じように、化石も科学的、商業的重要性が生じるやいなや、偽物がコレクションに侵入しはじめる。「贋作者は野心的だ」と、アート犯罪史家のエリン・トンプソンは著書『どうしても欲しい！　美術品蒐集家たちの執念とあやまちに関する研究』の中で皮肉を込めて言っている。「当然だろう。その世界では、得るものは大きく罰は小さいし、自身のコレクションに贋作が含まれていることを知られるくらいなら、みっともない失敗を隠そうとする買い手たちが、責任を追及してくる可能性は低いのだから」

早くも中世から、化石コレクターたちは自身のコレクションの真正性を気にしていた。何世紀も、化石は多くの方法で、さまざまな理由で偽造されている。偽化石――そしてそれをいかに本物の中から探し出すか――の問題は、現代の古生物学者、博物館の館長、コレクターにとっても大きな問題だ。ベリンガーのケースはとりわけ大々的だが、偽物はその後もたくさん現れている。

偽化石のつくり方はいくつもある。ゲオルク・フォン・エックハルトとJ・イグナッツ・ロデリックは化石を含まない岩石からベリンガーの嘘石を彫ったが、歴史的に最も広まっている偽化石は、真正な化石の一部を継ぎはぎして、自然界には存在しない有機体をつくり出したものである。このような「フランケン化石」とも言うべきものは、人々が望むかたちの化石を提供しようとするものだ。困ったいたずらとして科学界に放り出された捏造化石から、儲けを見込んでコレクター市場に売りに出された継ぎはぎ化石まで、偽化石の多くは少しの本物からはじまっている。

特に、琥珀に包まれた化石は、数世紀にわたって科学と商売の世界の定番品となっている。「コレクター（プロとアマチュアの古生物学者を含む）は最も珍しい、最も特別な琥珀化石を入手しようと競い合っている。説得力のある贋作をつくるのは比較的容易で、金銭的および科学的賭けはきわめて大きくなりうる」と、デヴィッド・グリマルディ、アレクサンダー・シェドリンスキー、アンドリュー・ロス、ノーバート・ベアーは、一九九四年に学術誌の記事で論じた。「贋作はかつては中世の王族にプレゼントとして贈られていたが、その問題は今日も残っている」。高値がつくため、こうしたジュラシック・パーク的化石は偽物の中でもとりわけ儲かるものになっているが、最も詮索、鑑定しやすいものでもある。

早くも一八九一年に、ドイツの植物学者・博物学者ゲオルク・クレブスは、ドイツのベッカー博物館の琥珀コレクションに見られるトカゲの骸骨は怪しいと感じていた（そのコレクションはのちにケーニヒスベルク地質協会に受け入れられた）。そのトカゲの化石が入った琥珀が真正なバルト海の琥珀だとしたら、そのトカゲの種の最古の例になる。クレブスは同僚たちに相談し、一九一〇年、そのトカゲが入った琥珀は本当に言われているとおりのものなのかという疑問を公表した。その標本が本物かどうかを判断するため、クレブスは琥珀を割ってトカゲを調べた（それからそれは二五年にわたってベッカー博物館で——ときには水中で——展示されたというが、その理由はいまとなってはわからない）。残念なことに、その標本は第二次世界大戦中に紛失してしまったらしく、そのトカゲの真正性については謎のままになっている。しかしこの琥珀の影響で、世界中の博物館が自館の琥珀化石コレクションを再検証するようになった。

琥珀化石を偽造する方法は二つある。本物の琥珀は非常に硬く、珍しい植物や動物を入れるために「再融解」することは不可能だ。一方、ほぼ琥珀のような樹脂（すなわちコーパル）は柔軟で、琥珀のような標本をつくることができ、見た目のうえではほとんど区別がつかない。実のところ、コーパルはその粘着性で生物相をたしかにつかまえるため、コーパルに虫、植物、動物が入り込んでいることはよくある。そしてコーパルは琥珀ほど古くない。このような偽造は、単純な代用の例である。無警戒の買い手に、本物の琥珀化石よりも安く、見つけやすいものを与えるのだ。

琥珀偽造のもうひとつの方法はこれよりずっと悪賢い。偽物をつくるために、真正な琥珀を切り開き、くり抜き、何か（植物、動物、昆虫など）をその穴に入れて、すべてを接着剤で再接合するのである。信じられないように思えるが、この方法は大成功を収めている。実際、完璧に保存された小さなハエの入ったそのような偽の琥珀化石が、ロンドン自然史博物館のキュレーターや職員を七〇年以上にわたって騙していた。この琥珀は半分に切られ、小さく彫られたくぼみにコブアシヒメイエバエの死骸が入れられていた。そしてきれいに再接合され、科学者たちに何十年も、一九世紀のハエを数億年前のものと思わせていた。偽造が発覚したのは一九九三年のことで、当時大学院生だったアンドリュー・ロスが熱い光のもとでその標本を見たところ、ぞっとしたことに、溶けていたのだ。二つの琥珀をつなげていた接着剤がにじみ出ていたのである。

しかし、このような偽物は琥珀化石だけでつくられているわけではない。最も有名で悪名高い偽化石のひとつは古人類学（人類の進化の研究）の分野から生まれている。

一九一二年二月、古物コレクターで弁護士のチャールズ・ドーソンが、イングランドのイースト・サセックス州ピルトダウンの道端の砂利の中に、非常に珍しい化石を見つけた。その化石はヒト科の、人類の祖先の化石のようだった。二〇世紀初頭の科学的分析で、その頭骨と顎には解剖学的特徴のふつうではない混合が見られる——一部はヒトで、一部は明らかに類人猿のよう——とされ、数十人の研究者が、このピルトダウンの「化石」はホモサピエンスの系図の類人猿とヒトをつなぐ完璧な「ミッシング・リンク」だと結論づけた。この発見は、二〇世紀初めに広まっていた進化のモデル——ヒトの「大きな脳」がヒト科の進化の原動力になったとする説——を正当化することにもなると、研究者たちは言った（当時の科学の議論では、大きな脳があることで、独自の人間文化を生み出す力が生物学的に授けられたとされていた）。一九二〇年代、ピルトダウンの発見物は最初期のイギリス人として喧伝され、長きにわたってイングランドの古人類の歴史の絶対的な証拠だとされた。もっとも、イングランド以外では、この「化石」はかなり物議を醸していたが。

ピルトダウン人は人類の祖先としての地位を四〇年ほどにわたって維持した。しかし一九五三年になって、ロンドン自然史博物館の科学者たちがこの化石を「いたずら」、すなわち第一級の偽物であると暴いた。標本の最初の発見時には不可能だった化学的分析によるさまざまな検査の結果、研究者たちは、ピルトダウン人はミッシング・リンクでないばかりか、そもそも本物の化石ですらないと結論づけたのである。ピルトダウン人の頭骨は中世の人間の頭の断片を継ぎ合わせたもので、そこに現代のオランウータンの顎を組み合わせ、チンパンジーの歯を歯槽に差し込んでいた。それゆえ、二〇世紀初めの化石専門家がその標本に類人猿のような特徴とヒトのような特徴を見たのは不思議なことではない。ピルトダウン人は科学史上最も息の長かったいたずらのひとつで、謎も残っている。犯人はいまだ特定されていないのである。化石の発見者であるチャールズ・ドーソンが最も有力な容疑者ではあるが。

ピルトダウン人と似ているが短命に終わった事件は、一九一一年五月に起きた。フランクフルトの東、シュタイナウに近い〈悪魔の洞窟〉で見つかった「先史時代の人類の頭骨」が、ドイツの人類学者とメディアの注目を集めたのである。以前から、建設業者のアルベルト・リューデルスは、〈悪魔の洞窟〉を観光地にしたいと思っていた。彼は必要なインフラを整備するために掘削作業をしており、その現場のひとつの近くで頭骨が見つかった。

その後の数ヵ月、この化石はメディアで激しい議論の的になった。ドイツの人類学者ヘルマン・クラーチはその真正性を支持し、ドイツの知識人や新聞に対して、ネアンデルタール人に属する可能性もあるのではないかと言った。五月中旬から八月一〇日までのあいだに、この話題に関して二〇の新聞に約五〇本の記事が出た。やがて、より厳密な調査をした解剖学者のフリードリヒ・ハイデリヒが、その頭骨はチンパンジーの頭骨にすぎず、古く見せるために過マンガン酸カリウムで化学的に処理され、〈悪魔の洞窟〉に隠されたのだということを暴いた。村の薬剤師だった詐欺師のヴィレム・ラッペ――兄がカメルーン旅行の土産としてその頭骨を持ってきていた――はシュタイナウの有名ないたずら者で、すぐに白状した。ひとたび間違いがわかると、ドイツのメディアはクラーチとリューデルスを思う存分こき下ろした。ピルトダウン人とは違い、この「化石」は人類学の研究に大きな影響を及ぼさなかったが、この例からわかるのは、新しい化石の認証は発見の出所に大きく依存するもので、歴史上ずっとそうだったということだ。

ピルトダウンのいたずら（そしてそれと似たもの）がこれほど成功したのにはいくつもの理由がある。しかし、最も興味深い理由のひとつは少しややこしいものだ。つまり、それは贋造された化石だが、本物の骨でつくられていたということである。進化、解剖、科学に関する研究者たちの先入観にもとづくと、ピルトダウン人はまさに彼らが探し求めていたものだった。彼らが予想していた、類人猿とヒトをつなぐ「ミッシング・リンク」だった。ピルトダウンのいたずらの九〇年後、別の偽化石が科学界を飛びまわった。『ナショナルジオグラフィック』によると、この偽物、アーケオラプトルの物語は、中国遼寧省北部のシアサンジアチという小さな村の近くではじまる。本物の化石を使い、大儲けを期待してつくられたそれは、真正ではない化石がいまもたくさんあることを思い出させてくれる。

一九二〇年代以来、遼寧省は化石ハンターと古生物学者にとってのメッカになっている。地質的にこの地域の化石はよく保存されていて、恐竜の軟組織が化石化している例もある。ここ数十年は、最古の花や哺乳類、損傷のない翼竜の胚の化石証拠をもたらしたこと、さらに最近では羽毛恐竜の化石が発見されたことで有名になった。この地域は、化石発見における、世界で最も実り多く重要な場所のひとつである。

さて、一九九七年七月のこと、中国の農民がなかなか珍しい化石——羽毛の痕跡のある、歯の生えた鳥のような生き物——を見つけた。その農民は、化石が大きく完璧であればあるほど金になるとわかっていた。アカデミックな古生物学者は地元の化石ハンターから化石を買うことを避けがちだが、商業的な化石市場ではよく購入される。農民はいくつかの化石のかけらを接着剤で接合し、結果的に、見事なものができた。そして売れた。

一九九八年六月、中国国外に密輸されたその化石は匿名のディーラーに買われた。その年のうちに、羽毛恐竜を個人コレクターが所有しているという噂が古生物学界に広まり、一九九九年のツーソン・ジェム&ミネラルショーで、ユタ州ブランディングの恐竜博物館のオーナーであるスティーブンとシルヴィアのツェルカス夫妻に八万ドルで売られた（恐竜博物館の理事会が費用を出し、科学的分析が可能になった）。これは恐竜の羽毛の最初の物理的証拠であり、鳥と祖先が同じであることを示すものだと考えられた。

しかし科学界は、いかに驚くべき発見であろうと、この化石に懐疑的だった。何か……「違う」ところがあった。『サイエンス』や『ネイチャー』のような一流の査読付き雑誌では発表が見送られた。出所がかなり疑わしく、多くの科学者は国際的な最善慣行（ベストプラクティス）に背く標本を扱うことを拒んでいたからである。また、この化石は本当にひとつの標本なのか、複数の個体の一部が集まったものなのではないか、という懸念も示された。

一九九九年、テキサス大学オースティン校の古生物学者ティム・ロウが、チームによる最初の科学的分析の一環として、この化石の詳細なCTスキャンを行った。ロウの分析によって、この化石が実際には合成物――ひとつの有機体が化石になったのではなく、いくつかがつなぎ合わされたもの――である可能性が示された。忌々しい懐疑論者だ、というのがロウの所見に対するツェルカス夫妻の反応だった。この発見物は『ナショナルジオグラフィック』で「ミッシング・リンク」として喧伝され、メディアで盛んに報じられた。

さらなるCTスキャンがなされると、ロウが疑ったとおり、アーケオラプトルは標本のキメラであるという結果が出た。問題の化石は、実際のところ、三つの恐竜の種の五つの個体からできていた。この化石の密輸業者は、大当たりするのはどのようなものかがわかっていた。科学界の多くの人(最初の検証者たちを含め)が初めから合成物である可能性を疑っていたとしても。この化石は偽物とされているが、アーケオラプトル・リアオニンゲンシスという名前は科学文献に残っており、問題のある種を排除したいと考える多くの古生物学者を当惑させている。

アーケオラプトルの化石は間違いなく偽物だが、ピルトダウン人やベリンガーの嘘石のような意味での捏造ではなかった。必ずしも科学界を騙すためにつくられたのではなかったからだ。むしろ、細々と暮らしていた発見者が実入りを期待して継ぎ合わせたものだった(アーケオラプトルのような見事な化石を見つければ、約二年分の給料に匹敵する収入を得られるともいう。そして、のちの発掘で、科学者たちはこの地域で実際に羽毛恐竜を見つけ、アーケオラプトルが示した説を補強した)。

ピルトダウン人はいたずらや捏造と言われるが、アーケオラプトルは合成物と言われることが多い。これは偽化石の分類において、いくらか同情的な区分だ。

合成物をつくることには真っ当な理由がある。問題が生じるのは欺瞞の色を帯びてきたときだ。科学界は二一世紀の初めに羽毛恐竜を探していて、そのときまさに得たのが羽毛恐竜の化石だったのだ。


人はときに自分の見たいものを見てしまう。しかし、それを入手するということになると、市場側の話になる。完全なかたちの頭骨、ぴかぴかの歯、きれいに処理された標本を重んじる商業的な市場が拡大する中で、化石の買い手たちが望むものは明確になっており、国際的な調達人、特に中国の調達人は、喜んでその要望に応えるだけである。格式高い見事な化石に人々は驚くほどの額を支払うが、破片の寄せ集めにそれほどの額を出すことはなく、結果的に、フランケン化石――人々に真正だと思わせる合成化石――がつくられるようになっている。ここにおいて、化石密輸、立法、法執行、科学、商業的化石市場が絡み合う世界が浮かび上がってくる。

フランケン化石は、実のところ、それほど珍しいものではない。商業的な恐竜化石の市場がさらなる需要を生み出したため、科学界は偽物を摘発する新たな方法を絶えず磨き上げている。最も新しい方法のひとつは、シアトルにあるバーク博物館のトーマス・ケイが生み出したものだ。二〇一五年、ケイと八人の多国籍の同僚たちは、レーザー励起蛍光法（ＬＳＦ）をベースにした方法を発表した。古生物学界のさまざまな技術に応用でき、特に、真正な化石と偽物を分けるのに使える安価な方法になると、彼らは説明した。

その方法はシンプルで、ＣＴスキャンのように時間や器具の膨大な投資を必要としない。装置はレーザーひとつで、光を化石に放散するのだ。石や鉱物、元素はどれも異なる色で蛍光を発するから、その化石の中で異なる物質がレーザー光線で励起されると異なる色で光り、それは裸眼でも容易にわかる。「レーザー蛍光法は、古代の化石のこれまで見られなかった、知られていなかった特徴を発見する扉を開きます」と、ケイはバーク博物館のインタヴューで語った。

化石の部分はひとつの同じ色だ。しかし、樹脂、プラスターなどは異なる色を発する。そしてタイマーレリーズを備えたデジタル一眼レフカメラを使うことで、その蛍光のパターンを記録することができる。装置全体のコストは五〇〇ドルほどで、「わたしが見ているものは実際のところ何なのか」という問いに驚くほど明快な答えを出してくれる。その答えは、基本的に、化石だ。だが、化石「だけ」にとどまらない。化石の溝がどのように埋められているか、無法者はその溝を埋めるのに何を使っているか、ということがすべてわかるのである。バーク博物館の刊行物には、一連の劇的な「ビフォー」と「アフター」の画像が載っている。彼のチームはミクロラプトル（翼と羽毛のある恐竜の種）の標本を蛍光発光させ、撮影した。その結果、接着剤と樹脂が星座のように輝いた。この化石はどう考えても合成物で、保存のためにそういう処理がなされたようだった。本物ではないものが含まれているが、それでもそれは真正な化石だ。

見つかっている密輸化石の多くは、そのようなあいまいなところ、つまり化石の本物でない部分で判断される。これらの「ホンモノの偽物」は「岩石の工芸」「レプリカ」「芸術的解釈」などと言われる。このような表現が暗に示しているのは、問題の化石は、たんなるモノというより、著作権法上の芸術作品と同じように、創造的な取り組みであるということだ。その化石はただの化石「以上」(ほかの化石の一部が加えられた合成物であり、プラスターなどで形成されている)であり、もはや発掘された化石ではなく芸術作品だ。これは二〇一三年に、巨大なタルボサウルス・バタール(ティラノサウルス・バタールと呼ばれることもある)の化石をモンゴルからイギリス経由で密輸し、米国の商業市場で売った罪に問われたエリック・プロコピが主張したことでもある。このとき、裁判所は芸術の自由という主張をいっさい受け入れず、連邦判事はプロコピを密輸の罪で有罪とし、禁錮三ヵ月を宣告した。

このようなフランケン化石は偽物の中でも特に一筋縄ではいかないものだ。いずれの標本にも本物の化石の部分があるが、完成品とでも言うべきものは、分類学上、本物ではないから、科学的に命名することはできない。しかし実際のところは、昔から多くの偽物が名前を得ている。本物の材料でできているが、偽の動物であるピルトダウン人。寄せ集めの合成標本で、売るために制作されたアーケオラプトル。そして、彫刻作品であり、ひとつの目的のためにつくられたベリンガーの「嘘石」。こうしたものは分類を拒む。本質的に、このような化石は買い手の望みにおもねるもので、完全な標本はこうある「べき」ということが意識されている。フランケン化石は、本物の化石に対する市場の期待と、それを所有できる法的可能性につけこむものだ。博物学や博物館の世界で長い伝統を持つ化石の合成物や鋳造物は人々を騙そうとしていないが、フランケン化石はそうしている。

意識的に求めているわけではないもの、あるいはまさに欲しているものとなると、しばしば真正性は問題ではなくなる。商業的な化石市場は、消費者が欲しているものの体現であり、多くの場合、彼らが実際に欲しているのは何らかの偽物――本物と偽れるもの――だ。ピルトダウン人とアーケオラプトルは、二〇世紀の偽化石にまつわる経験を二つの面から完璧に説明しており、見たいものを見てしまうということへの教訓となっている。大衆メディアはアーケオラプトルを「ピルトダウン鳥」と呼んだ。

ここでヨハン・ベリンガー博士とその偽化石のストーリーに戻ろう。早くも一七二六年の裁判の際に、人々はベリンガーの化石をリューゲンシュタイン（嘘石）と呼ぶようになっていて、歴史上もそのように記憶されることになった。しかし、興味深いことに、ベリンガーと偽化石の物語のまわりには奇妙な神話が生まれ、すべてが青臭い悪ふざけ――同僚ではなく、学生によるいたずら――だったのではないかと言われた（一方、ロデリックとフォン・エックハルトを悪役にする説もあった。ベリンガーが笑い者にされるのを見て、意地悪く口ひげとケープをひねくりまわしているのだと）。学生の悪ふざけだという話は世紀を越えて繰り返し語られたが、そのたびに少しずつ真実から離れていった。そして、一九三五年に、ベリンガーの裁判記録がヴュルツブルクの公文書館で再発見された。

彫刻物そのものが真正な本物だとされていた期間は短かった。正直に言って、本物だと考えていた人はベリンガー以外ほとんどいなかった。しかし、ベリンガーの物語の中心としての存在感はまさに本物だ。この興味深い偽物の物語は、偽化石一般の説明に使われるようになり、ベリンガーが感じた恥をもはや覆い隠していると言えるのかもしれない。「あらゆる偉大な伝説と同じように、この［ベリンガーの嘘石の］物語にも標準形があって、よくある道徳的教訓に満ち、世紀を越えて変化なく語られている」と、エッセイストで古生物学者のスティーヴン・ジェイ・グールドは『マラケシュの贋化石』で論じている。「しかもこの基本形は、入手可能な証拠から再現できる実際の出来事の流れとはほとんど無関係である」

今日、ベリンガーの標本は四三三点が現存しており、ドイツ、オランダ、イギリスの一四の博物館のコレクションに含まれている（不思議なことに、六〇点以上のベリンガーの嘘石が近年失われたが、写真が史料の一部としてカウントされている）。一八三五年、ベリンガーのオリジナルの嘘石二点がイングランドの著名な地質学者・古生物学者ウィリアム・バックランドに贈られたが、彼はその贈り物をどうしたらいいかよくわからなかったようだ。オックスフォード大学自然史博物館に現在所蔵されているその標本は、ひとつは泥岩にブーメランのような彫刻が施されたもので、もうひとつには可愛い触覚の生えたナメクジのような生き物が彫られている。博物館のキュレーターにその二点を出してもらうと、たしかにナメクジのまわりにナイフで彫った跡が見えた。正直なところ、しっかり見るために嘘石をひっくり返してみたとき、わたしは噴き出してしまった。

にもかかわらず、嘘石は科学的価値とは無関係なところでホンモノになっている。この嘘石の鋳造物は多くの博物館のコレクションに姿を現している。一九三一年、ロンドン自然史博物館はベリンガーの標本一〇点を借り、古生物学コレクションのために鋳造物をつくった。今日、同博物館にはより現代的なシリコン製のものもある。自然史博物館は、偽化石のリアルな鋳造物を教育用に使い、歴史的珍品を堂々と展示しているのである。

一九七〇年代、オックスフォード大学自然史博物館の地質学コレクションを担当するアシスタントキュレーターだったフィル・パウエルは、ヨークシャーの子ども向けテレビ番組（『エクストローディナリー!』）のためにバックランドの標本の鋳造物を制作した。その後、一九九〇年に「偽物」をテーマにした展覧会を開くことにした大英博物館が、パウエルに手紙を書き、嘘石の使用について問い合わせた。一九八九年一一月二二日のパウエルの手紙にはこう書かれている。「わたしたちは素晴らしい鋳造物を持っています。それでよろしいでしょうか」。しかし、大英博物館はそれ以上を望んでいた。「可能であれば、オリジナルの石をお借りしたいと思っています。これは徹底した『ホンモノの偽物』の展覧会なのです！」（この本物の標本は実際に一九九〇年三月八日〜九月三日の展覧会で展示された）。二〇世紀後半になると、化石ファン、コレクター、博物館は、古生物学に関する教育向け複製物を扱うエセックスの会社から、オックスフォードの鋳造物を買えるようになった。この「化石」は生き続けているのだ。

「ベリンガーの物語は地質学の歴史の中の面白い逸話というだけではないし、不用心な学生に向けて語る単純な軽信性への教訓話として見るべきでもない。生きていた有機体が石化したものだという現代の化石の定義にしたがえば、ベリンガーの模様入りの石は滑稽な、明らかに三流の彫刻家の作品に見える」と、科学史家のスザンナ・ギブソンは論じ、ベリンガーの物語にはコンテクストが必要だという考えを支持している。「しかし、一八世紀の定義では、ベリンガーの化石は容易に本物となりえた……全体として、化石の本質の理解に関わる話だ」

ベリンガーに関しては、もちろん、今日の基準で判断を下さないことが重要だが、一七二五年の基準でも彼は大々的に失敗していた。思い出してほしいが、ベリンガーは科学界に相談をせず、同僚が漏らした大きなヒントを無視していたのだ。とはいえ、彼の犯したあやまちはあくまで科学の社会的手続きに関わるものであり、科学とは何か、化石はそこにどのように含まれるのかという、本質的な理解に関するものではなかった。

少なからず皮肉に思えるのは、犯人の名前は歴史からほとんど消えてしまったのに、ベリンガーに恥をかかせようという彼らの思いは三〇〇年も生き残っていることだ。ベリンガーはたしかにJ・イグナッツ・ロデリックとゲオルク・フォン・エックハルトが望んだように辱められ、あまりにも世間知らずで騙されやすい人――「見たいものを見」て、矛盾する証拠を気にかけない人物の草分け――として記憶されることになった。

今日、ベリンガー博士の物語は歴史の皮肉のひとつとみなされている。偽物だと暴かれてから長い年月が経って、嘘石はそれ自体として価値のある博物館の展示品となったのだから。

第三章
炭素の複製

一七七二年四月二五日、フランスの化学者アントワーヌ・ラヴォアジエがダイヤモンドに火をつけた。いくつかのダイヤモンドに、意図的に。

ラヴォアジエと仲間の化学者ピエール・マケ、薬剤師ルイ・クロード・カデは、るつぼにダイヤモンドを入れ、そのるつぼをカデの仕事場の炉に入れることで、ダイヤモンドを燃やした。この実験は、名目上、ダイヤモンドを燃やすのに空気は必要か、あるいは真空で燃えるのかを確かめるものだった。三人はそれからたくさんの別の宝石を炉に入れ、何気なく見学していた人たちに驚きと畏怖を与えた。たとえば、その午後にカデの店に立ち寄ったパリの高名なクロイ公（フランスの知識人の集まりの常連）もそのひとりだった。

「炉に火がつき、皆がとても忙しくしていた。徴税請負人でアカデミー会員のラヴォアジエ氏と別のだれかがダイヤモンドを蒸留しようとしていた」とクロイ公は書いていて、その驚きぶりは明らかだ。「その実験ではダイヤモンドをたくさん火に入れていた！」

しかし、これらは最初に「火に」入れられたダイヤモンドではない。一六九四年、コジモ三世の時代のフィレンツェで、博物学者のジュゼッペ・アヴェラーニとシプリアーノ・タルジョーニが「燃えるガラス」——大きな両凸ガラスレンズ——を使い、ダイヤモンドに太陽光線を当てると、金属灰に変わった。アイザック・ニュートンはさまざまな実験の一環でダイヤモンドを灰化した。そして一七六〇年、神聖ローマ皇帝フランツ一世は、六〇〇〇フローリン相当のダイヤモンドとルビーを円錐状の炉に入れ、二四時間熱するという、膨大な費用のかかる実験を支援した。「ルビーは変化した」と、宮廷の実験者たちは報告している。「しかし、ダイヤモンドは完全に消えてしまった。まったく跡形もないほどに」

一八世紀中頃には、ヨーロッパ中の化学者が、宝石、鉱物、元素の物理的性質を観察、定義、記録することに興味を持っていた。ダイヤモンドも例外ではなく、過去の実験者の仕事がさらなる好奇心を煽っていた。ラヴォアジエは、ダイヤモンドにおいて燃焼の化学がどのように働くのか、世界で最も硬い鉱物はなぜ輝く宝石から炭に変わり、なぜほかの宝石用原石ではそれが起きないのか、ということを知りたかった。

クロイ公の訪問の五日後、ラヴォアジエは二一個のダイヤモンドの実験結果を科学アカデミーに送り、空気にさらした場合とそうでない場合でダイヤモンドの灰に違いがあると報告した。しかしこの結果は、答え以上に問いを生むものだった。これらのダイヤモンドには何が起きていたのか？　水が熱せられたときのように、蒸発しただけなのか？　あるいは、「わたしたちにはもはや知覚できないほど細かい」素粒子に分解されたのだろうか？　さらなる実験が必要だとラヴォアジエは結論づけた。さらなるダイヤモンドも必要だった。

そして、一七七二年八月八日、新しいダイヤモンドがラヴォアジエの目の前にあった。ラヴォアジエと協力者たち――カデ、自然科学者のマチュラン・ジャック・ブリソン、薬剤師のピエール・フランソワ・ミトゥアール――は、炉を使うのではない、異なる実験のセッティングをした。

ラヴォアジエは、八～九人の科学者が乗って作業できる、大きな六輪の木製の台車を注文した。そして二つの巨大な凸レンズのガラスを台車の片端に置き、複雑な歯車とクランクの装置を使って、太陽の光線を最大限とらえようとした。レンズは直径二・四メートルで、二つを端でつなぎ、七九・五リットルのアルコールで満たすことでレンズをより厚くし、太陽光線を増強できた（「酒のレンズ」とラヴォアジエは言った）。ラヴォアジエは実験の大枠を示し、必要な材料をすべて用意した。

「アシスタントたちが機械の調整と操作を行い、かつらをかぶってサングラスをかけた四人の科学者が実験を進めた。彼らは船尾楼甲板にいるかのように腰かけていた」と、科学史家のジャン＝ピエール・ポワリエはラヴォアジエの伝記の中で説明している。実験は、パレ・ロワイヤルとセーヌ川のあいだにある、〈王女の庭〉の大きな南向きのテラスで行われたため、「エレガントな女性たちや野次馬がふらふらやってきて、その光景を驚きの目で見た」という。

一七七二年八月一四日から一〇月一三日のあいだに、ラヴォアジエはダイヤモンド、金属、そのほかの鉱物を使い、この装置で一九〇回の実験を行った。そして、一七七三年三月一四日から八月一四日のあいだに、ダイヤモンドをガラスの瓶に入れて太陽光線で燃やす実験をさらに一九回行った(残念ながら、ガラスの瓶はものすごい高温のために割れてしまった)。ダイヤモンドを使ったすべての実験でラヴォアジエたちに残されたのは炭の山だった。そして、それは元のダイヤモンドと同じ重さだった。これらの実験、そしてその後の数年間の多くの実験の結果、ラヴォアジエは、炭とダイヤモンドは同じ物質の別のかたちであると結論づけた。一七八九年に化学元素の改訂リストを発表したとき、彼はこの物質を炭素(カーボン)と呼んだ。

一七九〇年代、イングランドの化学者スミソン・テナントがラヴォアジエのダイヤモンド研究を発展させて、自ら実験を行い、この宝石がほぼ純粋な炭素であることを証明した(ロンドン王立協会への報告書に、テナントはこう書いている。「[ラヴォアジエは]炭とダイヤモンドの類似を観察してはいたが、どちらも可燃性物体に属するという以上のことは論理的に推定できないと考えていた」)。テナントは同じ重さの炭とダイヤモンドをまったく同じ量の二酸化炭素ガスに転化させ、炭とダイヤモンドはどちらも固形であるときに化学的に同等だと確証した。「ダイヤモンドの性質は単一的であり、結晶化して通常と違う状態になった炭素以外の何物でもない」と、テナントは一七九七年に王立協会に報告した。

天然のダイヤモンドが何でできているかを理解することは、研究所での再現について考えるうえでの第一歩だった。最初の「人造（マンメイド）ダイヤモンド」が報告されるのは、ラヴォアジエとテナントがダイヤモンドは炭素でできていると証明した一〇〇年ほどあとのことだ。彼らの実験は、炭素を、よくある黒鉛（グラファイト）のようにダイヤモンドに変える可能性の扉を開いた。贋作者や詐欺師たちは一〇〇〇年以上前から偽のダイヤモンドを送り出していたが、ダイヤモンドが複製できる——合成物でありながら「本物」と言えるものができる——という考えは、一九～二〇世紀初めの多くの科学者の心をとらえた。

こうして、天然ではない、しかし本物のダイヤモンドをいかにつくるかという物語がはじまる。

一八八〇年二月一九日、大英博物館の鉱物管理人だったマーヴィン・ハーバート・ネヴィル・ストーリー＝マスケリン教授は、九つの結晶の標本が入った小さな包みを受け取った（このストーリー＝マスケリンは、海上での経度の測定方法を考案したことで有名な、同名の王立天文学者の孫である）。ダイヤモンドを自分でつくったと主張する二五歳のスコットランドの化学者ジェームズ・バランタイン・ハネイが、その結晶を彼に送ったのだった。

ストーリー＝マスケリン教授は、宝石、鉱物学、化学の専門家で、何十年もオックスフォード大学で教鞭をとっていた。厳密な検査を行った末、ストーリー＝マスケリンは、たとえ「人造」でもこれは本物のダイヤモンドであると認証し、ハネイの偉業を『ザ・タイムズ』で報告するとともに、ロンドン王立協会の科学知識人たちに報告書を提出した。

ジェームズ・バランタイン・ハネイは化学者で冶金家だった。数多の実験を行う中で、多くの物質（シリコン、アルミニウム、亜鉛など）が通常の温度の水では溶けないが、高温の水蒸気では大部分が溶けるのを見ていた。ハネイは、炭素に関しても、その構造を別のかたちに転位させる溶媒が見つかるのではないかと考えた。つまり、適切な溶媒で溶ける物質をつくり出し、いかに結晶の成長を特定のパターンで引き起こせるか――氷砂糖のように種結晶を使って成長させるのではなく――を解明したかったのだ。「温度を上げることで、金属中の発生期の炭素を溶解できたら、ダイヤモンドが手に入るかもしれないと思った」と、ハネイは一八八〇年四月の王立協会の会議で報告した。

しかし、ストーリー＝マスケリンに送ったダイヤモンドを手に入れるまでの道のりは平坦ではなかった。必要な高熱と圧力を生み出す実験装置を設計、製作するのが、とにかく難しかったのだ。一八七九年九月までに、ハネイは長さ五〇センチ、厚さ一・五センチで、真ん中に一・二センチの穴をあけた錬鉄の管――バトンほどの大きさ――を使いはじめていた。管は炭素を単離するるつぼとなり、ダイヤモンドへの変換を促す。ハネイはそれぞれ三分の二を「パラフィン液」と骨油の混合物で満たし、四グラムのリチウムと、少量のランプブラックを加えて、炭素ベースの溶媒にした。そして「ぼんやりと赤熱」するまで管を一四時間熱し、それから脇に置いて冷ました。

ちなみに、管をうまく密閉する方法を見つけることも、ハネイの実験の重要な部分だった。熱と圧力にさらされるということは、そのままでは閉じた状態が保たれず、圧着するか溶接しなければならないということだった。しかしハネイが末端プラグ——適切な直径の球——を管に圧着すると、管はミニチュアの大砲に変わってしまった。炉の中で数時間経って内部の圧力が高まると、管の端が飛んでいってしまうのだ。「圧力で密閉が強固になるかと思われたが、熱したことで鉄が曲がり、球は激しい爆発で飛んでいった」と、ハネイは報告書に冷静に書いた。

一〇回中九回、鉄の管は爆発し、炉とその中身を破壊した。ハネイの仕事場はほとんど戦場のような壊滅状態になった。「実験の回数はあまりに少なく、証拠はあまりにも不確かであり、何らかの結論を導き出すことはできない。失敗から何かを学びうる負の実験結果もきわめて少ない。爆発によって結果の大半が失われてしまった」と彼は認めた。

実験を生き延びたわずかな管は、内部の炭素のほとんどが完全に「蒸発」していたか「柔らかく鱗状」に見えたと、ハネイは王立協会に報告している。しかし、貴重な一握りのもの、八〇個のうち三個の管には、内部に硬く透明な結晶があった。顕微鏡で見ると、それはダイヤモンドのように見えた。この硬く透明なダイヤモンドのような標本こそ、ハネイが一八八〇年二月にストーリー＝マスケリンに送ったもの、ストーリー＝マスケリンが本物のダイヤモンドだと認証したものだった。ハネイは本当に世界初の合成ダイヤモンドをつくったようだった。

ハネイの実験結果は、スコットランドの化学者ロバート・ロバートソン――天然ダイヤモンドに二つの種類があることを最初に証明した科学者――などの著名な科学者と共鳴した。しかし科学界は、ロバートソンやストーリー＝マスケリンの支持があったにもかかわらず、丁重ながらもきっぱりと、ハネイと彼の主張、彼のダイヤモンドを無視した（ハネイがストーリー＝マスケリンにダイヤモンドを送った五〇年前、イギリスの『メカニクス・マガジン』がフランス科学アカデミーの会議を要約した手紙を掲載した。そこでは、ガナル氏という人物が「純粋な炭素」を「ダイヤモンドの性質をすべて持つ結晶に変える」ことに成功したと主張していたが、真剣に受け取られることはなかった）。ハネイは一九三一年に亡くなり、後年はダイヤモンド製造のプロジェクトから身を引いていたが、自分が成功したということには確信を持ち続けていた。

科学界も歴史界も、ハネイの結晶が何でできていたのか、はっきりとわかっていない。一〇〇年以上にわたって、ハネイのつくった標本は本当にダイヤモンドなのか、そしてそうだとしたら、ハネイは本当に研究所でダイヤモンドをつくったのか、それとも天然ダイヤモンドを自分でつくったものだと偽っていたのか、ということについては意見が揺れ続けている（一九〇二年、ハネイは、彼のダイヤモンドは炭化ケイ素にすぎないと示唆する『ブリタニカ百科事典』の記述にひっそりと異議を唱えた）。二〇世紀を通して、専門家たちは大英博物館に残る九つの標本を調べ、ストーリー＝マスケリンの時代から大きく発展した洗練された方法で検査にかけた。

しかし、検査の方法が増えても、ハネイの物語は決して一筋縄ではいかなかった。著名な結晶学者であり、自身もダイヤモンド合成の問題に取り組んでいたユニヴァーシティ・カレッジ・ロンドンのキャスリーン・ロンズデール教授は、ハネイのダイヤモンドの調査を何十年ものあいだに何度か行い、最終的に、これは天然ダイヤモンドだと結論づけた。研究所製ダイヤモンドと天然ダイヤモンドを識別する一連の検査にかけられた一九六八年と一九七五年の調査でも、これはたしかにダイヤモンドだが、天然物である——つまり、ハネイがつくったのではない——とする、ロンズデールの評価と一致する結果が出た。

これらの二〇世紀半ばの報告はすべて、天然ダイヤモンドがハネイの研究の「汚染物質」だったと哀れみをもって結論づけている。今日の合成ダイヤモンドの製造方法のように、天然の種ダイヤモンドを使って結晶の成長を促したということだ。もっとも、ハネイはその細かな実験記録に、種ダイヤモンドを使ったとは一度も書いていないが。近年の歴史家の中には、この説を受け入れず、ハネイはまぎれもないペテン師だと主張する人もいれば、ハネイの周囲の人たちが管に天然ダイヤモンドの種をまき、危険な実験を避けようとしたのだと主張する人もいる。

しかし、間違いないのは、合成ダイヤモンドの製造という話が一九世紀の大衆と科学界の心をとらえていたことだ。科学界は、ハネイが最初にその結果を発表したとき、彼の取り組みを多かれ少なかれ無視したかもしれないが、研究所で天然の鉱物を再現できるかという問いは、ダイヤモンドが植民地での採掘や貿易の結果としてよく知られるようになるにつれ、実験者たちのあいだで大きな関心を集めるようになった。これはまた、当時の物質科学への関心ともきれいに交差している。

一八九三年、ハネイの取り組みに続いて、フランスの化学者フェルディナン・フレデリック・アンリ・モアッサンが、新たに開発したアーク炉を使ってグラファイトをダイヤモンドに変えようとした。モアッサンは研究所の炉の炭素のるつぼの中で鉄と糖炭を四〇〇〇度にまで熱し、それから白熱したるつぼを冷たい水に浸し、鉄を硬くすることで、かなりの高圧力を炭素に加えた。この実験でモアッサンは炭化ケイ素の「モアッサナイト」を発見したが、その鉱物の硬さゆえ、彼は当初それをダイヤモンドだと勘違いした。

モアッサンのダイヤモンド製造の試みは広く知られ、一九〇四年には、同業者のアンリ・ルモワンがモアッサンの名声に乗じ、モアッサンの研究所製ダイヤモンドを再現できたと主張して、裕福な投資家から資金提供を受けて研究工場をつくろうと考えた（言い伝えによれば、ルモワンはダイヤモンド製造技術が確かなこと、また、服の中にダイヤモンドを隠していないことを証明するために、製造実験をありのままに見せ、投資主になりそうな人たちを驚かせたという）。その後の三年のあいだに、ルモワンは六万四〇〇〇ポンドという大金を騙し取った。しかし一九〇八年に、ある宝石商が、ルモワンが研究所で「つくった」というものと一致する、小さな、カットしていないダイヤモンドを彼に売ったと告白すると、ルモワンのつくったという宝石は実のところ天然物で、南アフリカのヤーヘルスフォンテーン鉱山で採れたものだとすぐに判明した。ルモワンは逮捕され、詐欺罪で裁判にかけられ、有罪となった。科学と歴史の陪審は、モアッサンのつくったものが本物のダイヤモンドだったのかについて、いまだに評決を下していない。だれも彼の結果を再現できていないからだ。

一九〇〇年代前半のその後の数十年間、何人かの著名な科学者がハネイとモアッサンの実験を再現しようとした。蒸気タービンの発明者、チャールズ・アルジャーノン・パーソンズがそのひとりだ。こうした取り組みの多くで、小さなダイヤモンドのような標本ができた。パーソンズは数十年にわたり、かなりの個人資金を費やして取り組んだが、一九二八年に断念することを宣言した。自分がつくった合成物が、鉱物学的に、ダイヤモンドではないと確信したからだ。ダイヤモンド製造をめぐる熱は、一九世紀に出現しはじめたSFの世界にも広がり、一八九四年には有名な小説家のH・G・ウェルズが、モアッサンの実験をもとにした「ダイヤモンド製造家」という短編を発表した。このような初期の実験はとても興味深いが、再現可能な結果を生むことはなかった。そしてどれも、科学界にあまねく認められる「本物」の合成ダイヤモンドをつくり出すことはなかった。

「宝石の専門家の中には合成宝石に恐れを抱いている人もいる」と、化学者で鉱物学者のカート・ナッソーは一九八〇年の著書『人がつくる宝石』の序文で語っている。宝石学の世界で、非天然ダイヤモンドをどう考えるかということをめぐって緊張が生まれていたころだ。「そういう人々はそれを避けるべき侵入者とみなしている」

非天然の宝石に対する不信感が根強いのは、歴史上長きにわたって、自然から生じたのではない宝石はどれも偽物だったからだ。偽の宝石、偽のダイヤモンドは決して最近生まれたものではない。アートや写本、絵文書（コデックス）、化石の世界の捏造品や贋作のように、偽の宝石はいくつもの方法で本物の世界に入り込み、それは一〇〇〇年以上続いている。偽物は合成ダイヤモンドの引き立て役のようなもので、合成、天然、偽物、本物の関係は溶け合い、歪んでいる。二一世紀においては特にそうだ。合成ダイヤモンドが、一〇〇〇年以上にわたってそれを本物未満とみなしてきた文化的規範に抗って、次々と出現しているのだから。

紀元一世紀、ローマの著述家・自然哲学者の大プリニウスは、有名な『博物誌』で鉱物の偽物の問題を取り上げていた。さまざまな宝石や鉱物に関する記述（彼は石英を、水が超低温で凍った氷だと言っている）の中で、偽の宝石、特に詐欺師が安い類似物を本物と偽っている例が急増していると読者に注意を促している。彼は偽物があふれている原因を人類の貴重な宝石への執着心だとしている。プリニウスの軽蔑の念は明らかで、「これほどに儲けが生じる詐欺行為はほかにない」とも言っている。古代の世界にはびこっていた宝石詐欺と闘うために、彼は本物のダイヤモンドと偽物を識別する硬度試験の方法を初めて示した。それは、本物のダイヤモンドはほかの鉱物を引っかくことができるが、その逆はできない、というものだった。

偽のダイヤモンドの多くは、買い手が騙されやすい人であることを期待して、ガラスや石英をダイヤモンドだと偽るものだった。古代ローマではダイヤモンドが加工されることはほとんどなかったため、そのような代わりの品を使うのはわりと簡単だった。一方、石を染めて高価な宝石に見せるという巧みな方法を用いる詐欺師もいた。たとえば、「ストックホルム・パピルス」は、紀元二〇〇〜三〇〇年にギリシアで書かれた錬金術のレシピ集で、偽の宝石をつくる七一通りの方法が記されている。それを読むと、セレナイト、トパーズ、ムーンストーンを使って、エメラルド、ルビー、緑柱石のように色づけする方法がわかる（わたしはこの「ストックホルム・パピルス」を読んだとき、「カメの胆汁」を使うという記述の多さに驚いた）。

しかしこれらはどれも単純な類似物で、自然の複製ではない。「アートは自然を模倣できるかもしれないが、完全な自然に到達することはできない」と、一三世紀のドミニコ会司教で自然哲学者のアルベルトゥス・マグヌスは『鉱物論』に書いている。マグヌスはガラスについて、それはダイヤモンドのように美しく輝いて見えるかもしれないが、あくまで模造品である、と語っている。それは天然ではない。「本物」の宝石とはなりえないのである。

ここで、偽のダイヤモンドをつくって売り歩くことと、モアッサンやハネイの実験で行われたこととの意図の違いが問題になる。だが、その意図の違い、そして模造品の定義がつねに変化することを考えると、何が「本物」のダイヤモンドとみなされるかの基準があいまいなのは明らかだ。合成宝石は天然物のたんなる模造品ではない。合成レプリカの称号に値する、あるいはその称号を獲得するためには、天然石と同じ外観、化学組成、結晶構造、硬さ、光学特性を持っていなければならない。

これは非天然ダイヤモンドの物語における非常に大きな変化だ。それ以前、人造ダイヤモンドは本来的に捏造品やいたずら、つまり偽物だった。しかし、炭素を別の形態に、グラファイトをダイヤモンドに変えようとする試みによって、非天然ダイヤモンドをつくろうとする意図とそのコンテクストが変わった。科学者たちはこう自問した。自然が何億年も前につくり出したものを、偽ダイヤモンドにつきもののごまかしなく、研究所で製造できるのだろうか？

科学者たちがダイヤモンドの合成に取り組みはじめたとき、その研究は、詐欺師のガラスの模造品ではなく、ラヴォアジエの燃焼の実験を発展させたものだった（ラヴォアジエはつとめて自身をきちんとした化学者——錬金術師ではなく——と位置づけ、自らの研究は正統なものであり、過去の捏造品や詐欺とは隔たりがあるとしていた）。人造ダイヤモンドのストーリーは、スパニッシュ・フォージャーのアート作品が市場価値を得たというような、本物になった偽物の話ではない。合成ダイヤモンドはそもそもが本物のダイヤモンドで、元素レベルで天然ダイヤモンドと同一なのである。それゆえ、このストーリーは、捏造の話から、科学的な創意工夫の話になる。起源だけが二つを分けるのである。

そうした中で、一九五四年一二月、ゼネラルエレクトリック（ＧＥ）の研究所で最初の非天然ダイヤモンドがつくられた。

ラヴォアジエとテナントの実験以来、科学者や工学者は、炭素をダイヤモンドに変えるためには莫大な熱と圧力にさらす必要があるということがわかっていたが、それを実行するには少なからぬ試行錯誤が必要だった。ハネイ、モアッサン、さらにはパーソンズの実験で示されたように、莫大な圧力を生み出すことは、どうしようもなく危険とは言わないまでも、難しいことだった。しかし、彼らの実験計画に必ずしも欠陥があったわけではない。そのような圧力を生み出すには、違ったテクノロジーと製造法が必要だったというだけだ。これに答えを出したのが、ノーベル賞を受賞したアメリカの物理学者パーシー・ブリッジマンで、彼は複雑な鉄床（アンビル）のシステムで四二〇〇気圧の圧力を生み出す高圧装置を開発した。長年、ハーヴァードのブリッジマンの研究所では、容器――愛情を込めて「爆弾」と呼ばれる――が吹き飛んで壁に穴があき、詰め物がされていた。ブリッジマンは、ゲン担ぎのため、決して穴を修復しなかったという。

一九四〇年代までに、ニューヨーク州スケネクタディのGEの研究所は、合成ダイヤモンド研究の中心地となっており、化学、物理、生産工学の研究者を集めていた（スケネクタディは、電気機器の生産に直接関わってはいなくとも、投機的な研究プロジェクトを昔から支援していた）。チームのメンバーは、フランシス・バンド、ハーバート・ストロング、ハワード・トレイシー・ホール、ロバート・ウェントーフ、ジェームズ・チェイニーで、アンソニー・ネラッドが統括者だった。このプロジェクトは〈超圧力プロジェクト〉というコードネームで呼ばれ、皆が秘匿を誓った。

ブリッジマンの研究を参考に、〈超圧力〉は複数の装置を使って実験を行った。何年も、チームは並外れた時間、努力、リソースを捧げ、合成ダイヤモンドの製造、そしてより重要なこととして、いかに再現可能な方法を生み出すかの研究に取り組んだ。しかし年月が経つにつれ、GEの経営陣は、ダイヤモンド製造はせいぜい話題集めくらいにしかならず、最悪の場合にはただの金食い虫になるのではないかと心配しはじめた。一九五四年一二月の時点で、チームは研究を正当化するための具体的な有形の結果、つまりダイヤモンドを求めていた。

一九五四年一二月八日の晩、ハーバート・ストロングは実験151をはじめた。圧力円錐装置を推定五万気圧にセットし、温度を一二五〇度に上げ、炭素と鉄の混合物と二つの小さな天然ダイヤモンドを入れてダイヤモンドの結晶の成長を促した。これはハネイが数十年前に用いたと言われる方法と変わらないが、ストロングははっきりと種結晶を使っていた（ソヴィエト連邦での研究でも、GEが知るかぎり、ダイヤモンドを育てる取り組みの一環として種ダイヤモンドが使われていた）。最初のころのストロングの実験のほとんどは短いもので、長くても数時間だった。しかし今回の実験151では、何億年もかけてダイヤモンドを生み出した自然の真似をし、実験の時間を延して夜通しやってみようと決めていた。

一二月九日の朝、二つの種結晶はるつぼの中で変化なく、転げまわっていた。鉄と炭素の混合物は管の片端に溶け込んでいて、ストロングはその塊を研磨してもらうために社内の冶金部に送った。冶金部は少しむっとし、一二月一五日、器具を壊すことになるためその試料を研磨することはできないと返事した。その塊の中のものが何であれ、それは冶金部の器具を傷つけるほど強く硬いもので、それほど硬いものといったらダイヤモンドしかなかった。ストロングはこう語っている。「グループ全員が集まり、硬度を調べた。最初は唖然としたような沈黙があった。ダイヤモンドだということがありえるのか？　最後にトレイシー・ホールが評決を言い渡した。『これはダイヤモンドに違いない！』」。続いて行われたX線分析で、このダイヤモンドはたしかに研究所製だと確認された。

一九五四年一二月一六日、ホールはやや古いテクノロジー――〈ベルト〉と呼ばれる高圧プレス――を使い、自ら同じような実験を行った。彼は二つのダイヤモンドの種結晶を硫化鉄に加え、すべてを円錐形のグラファイトヒーターの中に入れた。何ヵ月もかけて練り上げた計画に注意深く沿って、タンタル金属の薄いディスクを試料とベルト型アンビルのあいだに置き、試料を熱した。一〇万気圧の圧力のもと、一六〇〇度で熱した。実験全体にかかった時間は三八分だった。

「〈ベルト〉から取り除いたあとに試料セルを割って開けた。それはタンタルのディスクの近くに固着していた」と、ホールはディスクについた八面体の結晶のきらめきを見たときのことについて語っている。「すぐに手が震えはじめた。心臓が激しく鼓動した。膝ががくりとし、もはや体を支えてはくれなかった。表現できない感情に飲み込まれ、座る場所を見つけなければならなかった！」ホールの中で、結果に関する疑念はなかった。「ついにダイヤモンドが人間によってつくられたとわかった」

何年もの研究のあと、わずか一週間のあいだに、突如としてGEはダイヤモンドを製造しうる二つの方法を手にした。その後の数週間、同社にとっての問いは、研究者はダイヤモンドをつくれるかではなかった。ストロングかホールの実験計画にしたがってそれを再びつくれるかだった。どちらの方法がより優れているか？

研究者たちは何週間もストロングの結果を再現しようとしたが、できなかった（ストロングは、実験151の夜は熱が激しく変動していて、それが成功の要因だったと主張した。最高の幸運だったというわけだ）。ホールは、ロバート・ウェントーフとともに、オリジナルの結果をかなり決定的に裏づけた。その後の二週間、二人はホールの四〇〇トンプレスと圧力ベルトのシステムを使い、ダイヤモンドの製造に二〇回成功した。一九五四年一二月三一日、GEは物理学者のヒュー・ウッドベリーにホールのダイヤモンド製造法を外部の目で確証してもらった。

科学史上の多くの発見がそうだが、発見をだれの功績とするべきか、だれが歴史に認められるのかをピンポイントで特定するのは少し厄介で、このダイヤモンド製造の話も例外ではない。ストロングは、一連の出版物の中で、グループで行った作業であることを強調し、問題の複雑さを指摘するとともに、ひとりの人間が自らの功績だと主張できるようなものではないと念を押している。

一方、ホールはチームから排斥されていると感じていた（末日聖徒イエス・キリスト教会の信徒である彼は、GEでの在職期間中に宗教的偏見を持たれていたと主張している）。彼は会社から正当に評価されていないとも感じていた。彼の仕事は莫大な金を生み出したにもかかわらず、GEは一九五三年から五四年のあいだに給料を一万ドルから一万一〇〇〇ドルまでしか上げず、ほかには一〇ドルの貯蓄債券を与えただけだった（これは冷戦期の研究所ではある程度一般的なことで、企業の科学者たちは知的財産権を会社に譲渡し、自らの仕事がもたらした特許に関して、このような少額のボーナスしかもらえないことが多かった）。ホールは一九五五年半ばにGEを離れ、ブリガムヤング大学で研究職につき、合成・研究所製ダイヤモンドの製造に関する特許をいくつか生み出した。また、メガダイヤモンドという会社も興したが、これはやがてダイヤモンド製造ビジネスにおいて、GEの国内最大のライバルになった。ホールもストロングも自分こそがダイヤモンドをつくった「最初の人」だと主張しているが、実験の再現性から、ホールをその人だとすることが多い。

GEは研究所製（ラボグロウン）（二〇世紀半ばの言い方では「人造」や「合成」）ダイヤモンドの結果を一九五五年二月一五日に発表した。記者たちはラボグロウンダイヤモンド粉末を顕微鏡で確認するよう言われたが、研究チームは研究の詳細について無言を貫くことを会社から厳しく求められていた。一九五五年二月から三月にかけて、国中の新聞がGEの成功を盛んに称えたが、技術的な詳細を読者に十分に伝えることはできなかった。記事に引用されたのはほとんどが宝石の専門家の言葉で、それらをダイヤモンド市場の相場への挑戦として否定するものだった。その後の数ヵ月、GEはさらに何度かプレスイベントを開き（たとえば、一九五五年五月には、ニューヨーク州ロチェスターのシェラトンホテルで行った）、そこでは合成ダイヤモンドの工学的な偉業について語られただけでなく、このプロジェクトがいかに「米国の産業にとっての利益」になるかということも喧伝された。

〈超圧力〉のプロジェクトはそれだけで終わりではなかった。ダイヤモンド製造の確実な方法を見つけたとはいえ、合成ダイヤモンドの世界で探究すべきことはまだまだあった。GEは、ほかの人々が同じゴールを目指さないと考えるほど世間知らずでもなかった。実際、一〇年以上前の一九四〇年代前半に、スウェーデンの大手電機企業アセアが、スウェーデンの科学者・発明家バルツァー・フォン・プラテンの指揮のもとで似たような取り組みをはじめていた。アセアは途方もない実験を行い、GEが直面したような一連の問題にぶつかりながらも、一九五三年、〈超圧力〉チームよりも早い時期に、たしかに合成ダイヤモンド（厳密にはダイヤモンドグリットで、GEが最初の記者会見で見せた粉末に近い）をつくり出していた。

しかし、アセアはそのプロジェクトについて何も発表しなかった。「アセアのダイヤモンド製造での勝利における、不可解な、腹立たしいところは、その完全な、不合理なまでの沈黙だ」と、ロバート・ヘイズンは著書『ダイヤモンド・メイカーズ』で嘆いている。「数百年にわたって素晴らしい科学者たちが力を注ぎながらも次々と失敗してきた末に……アセアは勝利を収めていたのだ」。実際のところ、二年後にGEのアメリカ人たちがその成功を発表したあとになってようやく、アセアは実験についての短い声明を出し、一九六〇年に成果を発表した。その後、アセアの科学者たちは、一九五三年に発表するのは時期尚早だと感じた、発表にあたってはより本質的な何かがほしかった、と説明した。また、ほかの科学者たちが同じ問題に取り組んでいるとは思っていなかったとも言った。

一方、アメリカでは、テクノロジーの特許をとり、合成ダイヤモンド市場を独占しようとするレースが行われていた。ニュージャージー州フォートモンマスの米国陸軍電子研究開発所は、この研究の追求に興味を持った。ダイヤモンドに非常に多くの工業的用途があることが大きな理由で、ミシガン大学の研究グループも同様だった。米国陸軍の科学者たちがGEの研究者たちと面会したとき、GEの設備は秘密を守るためにすべて紙で覆われていた。

一九五七年、GEは工業用ダイヤモンドの販売を開始し、一九五九年には『ネイチャー』で発見の詳細を発表して、「人造」ダイヤモンドの国際的に認められる特許を出願した。そのころ、南アフリカとソヴィエトの研究所がもうすぐダイヤモンドを製造できそうだという噂が広まっていた。一九六〇年二月には、ホールもGEのものに似たベルト装置の詳細を発表し、自ら特許を出願した。その後、さらに二人の出願者も続いた。合成ラボグロウンダイヤモンド製造のプロセスは、あっという間に科学と産業が交わる競争に突入し、一年のうちに二〇以上の研究グループが合成ダイヤモンドの製造に成功したと考えられている。

こうして概念実証が完全になされると、どのようにして研究所でのプロセスを、より優れた、速く、安く、確実なものにするかという問いが生まれた。よりよいダイヤモンド合成のカギは、金属の混合物が液体状態であるときに、ダイヤモンドの形成を促す温度と圧力に到達させることだ、と〈超圧力〉チームは気づいていた。液体金属——七〇年前にハネイとモアッサンも用いた——が炭素源を溶かすのに必要で、そうすることで炭素原子を安定して供給し、ダイヤモンドの成長を引き起こすことができる。高圧力・高温の実験は、ダイヤモンドの合成に加え、さまざまな新しい物質を生み出すことでも成功を収めた。チームは新たな段階を求めはじめた。

また、このチームにはユーモアのセンスがあった。一九五五年一二月、ロバート・ウェントーフは近くの食料品店に行って、お気に入りのクランチタイプのピーナッツバターを買い、GEのダイヤモンド研究所に持ち帰った。芝居がかったことが好きな彼は、そのピーナッツバターをスプーン一杯すくい、〈超圧力〉の実験装置に通して、小さなダイヤモンドの結晶に変えた——こうして、炭素ベースのものはいかなるものでも、十分な熱と圧力を与えればダイヤモンドに変えられると証明した。

自然界において、ダイヤモンドは炭素を含む流体として、地表の数百キロ下で、一般的に二酸化炭素やメタンの分解を伴って生まれる。マイクロダイヤモンドやナノダイヤモンドは流星が地球にぶつかったときに形成されるが、大多数のダイヤモンドは地球のマントルの奥深くで莫大な熱と圧力のもとに形成され、やがてダイヤモンドのかたちになって地殻まで運ばれる。

ダイヤモンドの成長パターンを見ると、その成長は遅く、数億年から三〇億年ほどかかっていることがわかる。だが、形成には時間がかかる一方、表面に到達するのはわりと速い——ダイヤモンドの移動期間は数ヵ月、あるいは数時間ということもあるようだ。大半のダイヤモンドは、キンバーライトという溶融岩によって、マントルから地表に垂直に上がってくる。このキンバーライトマグマのパイプラインは、いわゆるダイヤモンド鉱脈というものだ。研究所でのダイヤモンド製造は、こうした地質学的過程を大幅にショートカットしている。

一九六〇年代には、大きさと透明度の両方において宝石品質と言える非天然ダイヤモンドが出現した。GEのチームが、一カラット以上のダイヤモンドを、平均して週に約一カラットのペースで製造しはじめた。一九六〇年代後半~七〇年代前半に撮られた写真を見ると、研究者やGEの幹部が大きなダイヤモンドとともに写っている。これらのダイヤモンドは、写真からそれとなくわかるように、「本物」のダイヤモンドだ。アクセサリーになるのを待っている、カットされた宝石である。彼らは合成ダイヤモンドをこのように紹介することで、懐疑的な人々にその本物性を知らしめることができた。このダイヤモンドは宝石のように見える、ゆえに宝石である。工業用の合成ダイヤモンドグリットが宝石でないのと同じくらい、それは明らかだった。一九六八年、GEはダイヤモンドプロジェクトの拠点をオハイオ州ワージントンに移した（ここは「GE専門物質課」として今日まで続いている）。二〇世紀後半には、日本の住友電気工業、南アフリカのデビアス、米国のGE、そしてノボシビルスクのロシア人研究者たちが、工業用あるいは宝石用のダイヤモンドをつくるようになっていた。

二〇世紀半ばのラボグロウンダイヤモンド研究は新しい目標に向かって進んでいたが、実験と製造はすべて高圧力・高温を利用した手法に頼っていた。いわゆる高温高圧法（ＨＰＨＴ）である（二一世紀に入っても、ＨＰＨＴが合成ダイヤモンド製造の大半に使われている）。しかし、二〇世紀後半の新世代のダイヤモンド製造者たちは、蒸発した熱い炭素原子から低圧力でダイヤモンドの層が形成されるのではないかという仮説を立てた。このような方法が実現できれば、産業としてより大規模に合成ダイヤモンドを製造できる可能性が生まれる。

化学蒸着法（ＣＶＤ）と呼ばれるこの新しい方法は、一九五〇年代の実験の再利用ではあったが、二〇世紀後半の新しいテクノロジーと工学を備えていた。一九五二年、米国のユニオンカーバイド社のウィリアム・エヴァーソールが、炭素を含むガスを使えば低い圧力でダイヤモンドを育てられるということを示した。基本的に、ＣＶＤは炭化水素の混合物から単離した炭素原子の気体を生成し（炭素原子を驚くほど高温に熱する）、それからその原子が冷えて結晶の格子構造になり、薄膜を形成するのを促す。３Ｄプリンターで層を形成するようなものだ。一九八〇年代末から九〇年代初めになると、研究者たちは灰色がかったダイヤモンドをＣＶＤで製造できるようになった。

この方法によって、より多くのダイヤモンドを、さまざまな基質で、低い温度と圧力でつくることが可能になった。ダイヤモンドのＣＶＤは、半導体とウェーハのＣＶＤ研究と重なり合うところが多かった。半導体に使われる最も一般的な物質はシリコン酸化物で、電子チップと集積回路用の半導体の急増によって、産業界はＣＶＤの手法を活用するのに欠かせないテクノロジーに磨きをかけた。ＣＶＤダイヤモンドの発展はいまも続いていて、依然としてＨＰＨＴが大半の製造に使われているとはいえ、ＣＶＤも急速に追い上げている。

天然ダイヤモンドの物語がはじまるのは、もちろん、何億年も前、地球の内部奥深くでのことだ。ダイヤモンドは、地殻まで上がってきても、アクセサリーとして輝く宝石になるまでには、あるいは工業用のダイヤモンドグリットになるまでには長い道のりがある。ダイヤモンドが「ダイヤモンド」になるには大きな文化的働きが必要で、それによって今日わたしたちが知るものができ上がるのである。ダイヤモンドは化学や地質学の産物であるのと同様、歴史の産物でもあるのだ。

古来より、人はダイヤモンドを扱ってきた。宝飾のために、そしてテクノロジーのためにも。たとえば、四五〇〇年ほど前、新石器時代末の中国では、非常に硬いコランタムという鉱物でできた儀式用の斧を研ぐ職人が、特別になめらかに仕上げるためにダイヤモンドを使っていた。何千年も、人々と文明はさまざまなかたち——付刃バイトから工業用グリットまで——でダイヤモンドの物理的特性である硬さを利用してきた。大プリニウスは『博物誌』でダイヤモンドの自然的要素と文化的要素をどちらも（そして偽物の蔓延を）描写したが、厳密に金銭的な評価を超えた文化的意味は、過去二〇〇〇年の人類の歴史の中で大きく変化した。中世〜ルネッサンス初期には、この鉱物にいくつもの意味が与えられた。たとえば、一一世紀の詩人マルボドゥスは、ダイヤモンドは夜の霊を追い払う力を持った魔法の石だと言い、金に埋め込んだダイヤモンドを左腕に身に着けることを勧めていた。一二世紀の聖ヒルデガルトは、ダイヤモンドを身に着ければ悪魔（サタン）を寄せつけず、昼も夜もその力に抵抗できると主張した。

一三六〇年に『東方旅行記』を出版したイギリスの著述家で騎士のジョン・マンデヴィルは、ダイヤモンドは罪に問われた者の有罪無罪を判定できると言った。彼によれば、有罪であればダイヤモンドはかすみ、無罪であればそれまで以上に輝くということだった（マンデヴィルはまた、「金のある丘で、二つの大きなもの――ひとつは男性で、もうひとつは女性――が揃うことでダイヤモンドが合成される。そしてダイヤモンドはある五月の朝の露の中で大きく成長する」という仮説を立てた）。数世紀にわたって、ダイヤモンド粉末はきわめて有害な毒だと考えられていた。たとえば、フィレンツェの彫刻家で金細工師のベンヴェヌート・チェッリーニは、一五三八年に冤罪で収監されたとき、ダイヤモンド粉末に毒されていると信じていた。一六世紀の自然哲学の世界では、イタリア人のジェロラモ・カルダーノが、ダイヤモンドはまぶしい太陽をずっと目にするときのように、身に着ける人の心を苦しめ、不幸せにすると主張した。硬さと透明さゆえ、無敵や純粋などの道徳的特性を持ち、それが身に着ける人に移ると言われることも多かった。

歴史を通じて、天然ダイヤモンドは物質であると同時にメタファーであり、自然と文化という二元性をもって、わたしたちが本物の真正なダイヤモンドとして考えるものを今日もかたちづくっている。しかしながら、ダイヤモンドの文化的威信を過去一三〇年間に急速に高めたのは、デビアス社とそのダイヤモンドの遺産だ。実際、合成であれ天然であれ、ダイヤモンドの文化的価値の発明を、デビアス抜きに語ることはできない。

一九世紀後半まで、ダイヤモンドは主にインドとブラジルで発見されていた。何世紀も、宝石用ダイヤモンドの総生産量は年間数ポンドしかなかったという。一八七〇年代に、南アフリカ北部のオレンジ川近くで巨大なダイヤモンド鉱山が見つかると、ダイヤモンドは「トン単位ですくい出せる」ようになった。南アフリカの鉱山を支援していたイギリスの資本家たちは、この宝石の大量出現が意味することを懸念し——当時の市場は完全にこの宝石の稀少性に依存していた——採掘されたダイヤモンドがすべて市場に出まわったとしたらダイヤモンドはせいぜい準宝石レベルになってしまうと確信した。主要な投資家たちは、ダイヤモンド採掘の投資を集約して、生産をコントロールし、ダイヤモンド市場の要である「稀少性の幻影を永続」させようとした。

そうして一八八八年、デビアス・コンソリデーテッド・マインズが南アフリカで設立された（デビアスの最初の社長は、ごりごりの英国帝国主義者、セシル・ローズだった。ローズは一八九〇年代にローデシア——現在のジンバブエとザンビア——の樹立を取り仕切り、アフリカの英国植民地を鉄道で結ぶ試みに力を注いだ）。南アフリカのダイヤモンドは、そのはじまりから、帝国、権力、植民地主義、資本主義の歴史と否応なく絡み合っていた。ハネイなどの初期の実験者が研究を行っていたのは、ちょうどこの南アフリカなどの植民地からダイヤモンドが流入していたころで、彼らもダイヤモンド市場の存在に気づいていただろう。

かなり短期間のうちに、デビアスはダイヤモンドビジネスを席巻した。ロンドンではダイヤモンド・トラディション・カンパニー、ヨーロッパ大陸ではCSO（セントラル・セリング・オーガナイゼーション。ダイヤモンド・トレーディング・カンパニーの一部門）として知られた。数十年後、イスラエルでは、「ザ・シンジケート」として知られるようになった。二〇世紀中頃の絶頂期、デビアスはアフリカ南部のダイヤモンド鉱山のすべてを所有あるいは管理し（ダイヤモンド・ディヴェロップメント・コーポレーション・アンド・マイニング・サーヴィシズのような子会社の名前を使って、南アフリカ生まれであることを隠していた）、イギリス、ポルトガル、イスラエル、ベルギー、オランダ、スイスでダイヤモンド貿易会社を所有していた。鉱山だけでなく、デビアスはどの宝石がどのディーラーの手にわたるかも管理していた。マリリン・モンローが一九五三年のダイヤモンド狂いの映画『紳士は金髪がお好き』で「ダイヤモンドは女の親友」を歌ったとき、デビアスはダイヤモンド貿易を独占し、ダイヤモンド鉱山とダイヤモンド販売をすべて管理していたうえに、世界中ほぼすべての場所で、新たに見つかるダイヤモンドを先買いできる金銭的および政治的力を持っていた。交渉はいっさいなかった。

しかし、デビアスにはダイヤモンドを買いたがる人々が必要だった。そして一九世紀まで、それを買って身に着けているのはかなり裕福な貴族だけだった。「ダイヤモンドの発明は、ダイヤモンドの価格を統制するための独占というだけではなく、それよりもはるかに大きな話だ」と、ジャーナリストのエドワード・エプスタインは一九八二年に『アトランティック』に寄せた取材記事に書いている。「それは小さな炭素の結晶を、だれもが認める富、力、ロマンスの象徴に変えるメカニズムである」。デビアスは、第二次世界大戦後に出現した野心ある中流階級のロマンスと結婚生活を象徴するものとしてダイヤモンドを売り出すことを思いつき、顧客に「ダイヤモンドは永遠」と約束した。このスローガンが世に出たのは一九四七年のことだ。

わずか二年のうちに、デビアスは世界中の市場で、ダイヤモンドの婚約指輪は富と成功の目に見える象徴であると吹き込み、各地の何百年にも及ぶ婚約の文化習慣を途絶えさせた。たとえば、戦後の日本では、一九五九年までダイヤモンドの輸入が認められていなかった。デビアスが婚約指輪のキャンペーンを開始した一九六八年、結婚する日本の女性でダイヤモンドの婚約指輪をもらう人は五パーセント未満だった。それが一九七二年には二七パーセントに、そして一九八一年には六〇パーセントにまで上がった。わずか一三年で日本の婚約の物質文化を完全に変えたのだ。人々がダイヤモンドを転売したいと思わないように——デビアスがダイヤモンド市場で販売権を握り続けられるように——デビアスはこの宝石に感情的な意味を吹き込むという巧みな方法を見出した。そして、ダイヤモンドの価格は景気に左右されることなく上昇し続けた。

しかし、一九五〇年に、デビアスのダイヤモンド帝国にとって脅威となるものが出現した。デビアスの科学者たちは、GEなどの研究所で米国（とソヴィエト）のエンジニアや科学者が工業用のラボグロウンダイヤモンドの開発に取り組んでいると知り、次は宝石用だろうと考えた。デビアスの研究所はアーネスト・オッペンハイマー（当時のデビアスの社長）にそのことを伝え、独占を妨げられる可能性があるから、ダイヤモンド合成の研究を真剣に追求しなければならないと説いた。オッペンハイマーは科学者たちの意見をはねのけ、研究への資金提供を拒否し、平然とこう言い放ったという。「ダイヤモンドをつくれるのは神だけだ」

四年後、GEがダイヤモンド製造のテクノロジーを見つけ出したことに、神は何も問題を感じなかったようだ。一九五五年二月のGEのプレスリリースのあと、デビアスの株価は急落した。「ダイヤモンドの価格はヨーロッパのカルテルによって厳密にコントロールされている」と、オハイオ州マシロンの『イヴニング・インディペンデント』は一九五五年二月一八日に報じている。「GEがいまや工業用の合成ダイヤモンドを製造できるようになったことで、いまのところは天然ダイヤモンドよりはるかに高価であっても、カルテルの独占が脅かされるときが来るかもしれない」。投資家たちは、まだ生まれたばかりだとはいえ、ラボグロウンダイヤモンドが市場で天然物を追い越すのは時間の問題だと警戒した。いっそう心配なのは、このようなラボグロウンダイヤモンドが、デビアスが注意深くコントロールするエコシステムの外に存在しうることだった。一九五五年三月、オッペンハイマーは態度を翻し、デビアスの研究所にダイヤモンド製造の計画を開始させた。

デビアスのチームは、オランダ生まれの物理学者J・H・カスターズの指揮のもと、ダイヤモンド製造に必要な高圧力プレスと触媒の開発をはじめた。しかし、GEのほうがはるかに先んじており、同社のプレスと触媒のテクノロジーはすでに何年も磨き上げられていた（デビアスの科学者たちは、研究所はよく「爆発で揺れ」、壁は「くすぶる炭素で覆われていた」と報告している）。デビアスは研究所の装置を買うためにスウェーデンのアセアと交渉を開始した。一方、冷戦中の米国政府は、ソヴィエトにダイヤモンド研究で先を越されないように、GEの実験の詳細を発表することを厳しく禁止する措置に出た。GEが特許の申請をするのさえ、認められるまでには何年もかかった。それまでにトレイシー・ホールは、圧力ベルトを「再発明」して自ら特許を出願し、自身の会社メガダイヤモンドはGEの財産の侵害ではないということをはっきりさせようとしていた。

試行錯誤の末、デビアスの科学者たちはGEと同じ円錐プレスのデザインを思いついた。三年後の一九五八年、デビアスの研究所はグラファイトから最初のダイヤモンドを合成した。カスターズは研究所のノートに「わかった（ユリイカ）」と書いた。

だが、この実験の結果は再現できず、GEにとってもお馴染みだっただろう挫折を味わうことになった。その後、一九五九年九月八日になって、デビアスは六〇パーセントの確率で成功できるようになった。あと少し微調整すれば、国際特許の取得に向かっていけそうだと、デビアスは考えた。この時点で、GEの工業用ダイヤモンドはデビアスの天然の工業用ダイヤモンドと同じ一カラット三ドルの価格になっていて、デビアスはすみやかな行動が必要だということがわかっていた。GEもアイゼンハワー政権に（言うなれば）圧力をかけ、禁止令を解いてデビアスより前にラボグロウンダイヤモンドの特許を出願できる状況にするよう求めた。

一九五九年九月中旬、GEは特許を出願し、南アフリカチームより先にダイヤモンド製造を独占した。その後、六年にわたり数百万ドルの費用がかかったきわめて面倒な特許権裁判――デビアスはGEが特許を侵害していると主張した――の結果、南アフリカの裁判所はGEを支持する判決を下し、デビアスはGEの手法とテクノロジーを使ってラボグロウンダイヤモンドを製造するライセンス契約に同意した。

一九六〇年代半ばになると、ラボグロウンダイヤモンドは、南アフリカ、米国、ソ連の外へ流れ出し、一九七〇年には、世界で生産されるダイヤモンドの半数以上が研究所製になっていた。デビアスがしっかりとコントロールし、価格が上がり続けていた宝石用ダイヤモンドの市場とは違い、工業用ダイヤモンドの価格は急激に下がった。それでもなんとか価格が保たれていたのは、ダイヤモンド研磨剤という新しい利用法のために、一九五五年から一九七〇年のあいだに工業用ダイヤモンドの需要が四倍になっていたからである。「合成ダイヤモンドの製造に参入するという一〇年前のデビアスの決断は、明らかに感情的な決断であり、自分の子どもに襲いかかるようなものだった」と、『デトロイト・フリー・プレス』は、一九六九年一〇月二七日に伝えている。「しかしそれはなされなければならず、デビアスは外にいるより内にいるほうがいいと決断した」

一九七〇年にGEが一カラットの宝石用ダイヤモンドの開発を発表したとき、デビアスは冷静に反応した。もっとも、宝石用ダイヤモンドの合成には取り組まないと決めたことを、いまでは後悔していたが。カット、研磨されたGEのダイヤモンドを天然物と見分けることは、たとえ宝石商のルーペを使っても不可能だと思われ、デビアスが念入りに築き上げたダイヤモンドの重要性という文化的発明は粉々にされた。実際のところ、GEのダイヤモンドと天然物の認識できる違いは、ラボグロウンは紫外線のもとで燐光を発しやすいということだけだった。GEは宝石用ダイヤモンドの製造には本腰を入れないことを選択した。それをするとダイヤモンド市場全体が崩壊してしまうと懸念してのことだった。ダイヤモンド産業に関する一九七〇年代の記事の中で、GEの上級幹部はこう述べている。「わたしたちは自らの発明の成功によって滅ぼされてしまうことでしょう。ダイヤモンドをつくればつくるほど、値段は安くなる。すると神秘性が消え、価格はほぼゼロになってしまいます」

しかし、一九九六年の時点で、CVDテクノロジーが発達し、宝石品質のダイヤモンドが増産される中で、合成ダイヤモンドが高級品市場に根づいていることは明らかだった。一方、天然物と合成物の区別をしっかり保ちたいデビアスは、違いを見分けるテクノロジーを開発した。そのうちの二つ――ダイヤモンドシュアとダイヤモンドヴュー――は、天然ダイヤモンドの多くに見られるがラボグロウンにはない吸収線の存在を感知するものだった。

さまざまなテクノロジーによって、ラボグロウンダイヤモンドは「本物」のダイヤモンドであり、どちらも同じ鉱物だという風潮が確立された。しかしそれを受けてデビアスは、天然と非天然を分けることは重要かつ必要なことで、賢明な行為であり、デビアスはテクノロジーの恩恵でその区別を維持できると、いっそう強く打ち出すようになった。ダイヤモンドが永遠のものだとしたら、研究所で科学の意のままに出現させるべきではないということだ。

ダイヤモンドは一九五〇年代から大きく変わった。まず、天然非天然を問わず、デビアスがダイヤモンド市場を独占することはなくなった。数十年にわたる価格協定と合法的トラストの問題を経て、デビアスが現在販売しているのは全世界のダイヤモンドの約三五パーセントにすぎない（GEと共謀して工業用ダイヤモンドの価格を固定させていたとして一九九四年に米国に提訴されたデビアスは、二〇〇四年に罪を認め、一〇〇〇万ドルの罰金を支払った。GEは全面的に無罪になった）。しかし、法律の問題以上に、デビアスは顧客からの反発に直面した。二〇世紀の長きにわたって、ダイヤモンドの婚約指輪は中流階級の成功に欠かせない文化的必需品だと煽り、操り、説きつけてきたデビアスに対して、顧客たちが反発したのだ。

一九九九年、国際NGOグローバル・ウィットネスによるキャンペーンが、国際的な紛争においてダイヤモンドがいかに利用されているかということに焦点を当てた。二〇〇〇年三月には、有名な「ファウラー・レポート」が、ヨーロッパとアフリカの政府と金融会社が国連の協定をいかに破り、発展途上国で違法ダイヤモンド取引と武力衝突の否定しようのない結びつきを生み出しているかを詳細に伝えた。

紛争ダイヤモンド、戦争ダイヤモンド、赤いダイヤモンドとして知られるこれらのダイヤモンドは交戦地帯で採掘され、その収益は、暴動、武器の取引、テロなど、さまざまな好ましくない行為の資金になっている。コンゴ民主共和国、アンゴラ、シエラレオネ、コートジボワールなどの国で、低賃金労働者が持続不可能な採掘作業にあたっている（違法で非倫理的なダイヤモンド採掘が行われているのはアフリカだけではないが）。デビアスは一九九九年に、紛争地帯で採掘されたダイヤモンドを買うのをやめ、二〇〇〇年には、自社のダイヤモンドはすべて紛争フリー（紛争と無関係であること）だと保証した。同じ年、紛争ダイヤモンドがダイヤモンド原石の市場に入るのを防ぐために、キンバリー・プロセス証明書が導入された。その有効性には疑問が投げかけられているが。

紛争ダイヤモンドの代償については、二〇〇六年のレオナルド・ディカプリオ主演の映画『ブラッド・ダイヤモンド』や、さまざまな本、ジャーナリズム、キャンペーンによって世間に注目されるようになった。紛争ダイヤモンドの取引に貢献してしまうとしたら、ダイヤモンドを所有することは倫理的なのだろうか、と多くの顧客が自問するようになった。ラボグロウンダイヤモンドは顧客に倫理的な選択肢を提示していた。そうした中、二〇一五年に、ディカプリオは（ほかの支援者とともに）ダイヤモンドファウンドリーに投資した。このカリフォルニア州サンタクララのスタートアップ企業は、紛争フリーかどうかにかかわらず、天然ダイヤモンドの倫理的な代替物であるとして宝石用ダイヤモンドを育てている。「ダイヤモンドファウンドリーへの投資を誇りに思っています。採掘による人間と環境の犠牲なく、アメリカで本物のダイヤモンドを養殖できるのですから」と、ディカプリオはファウンドリーのウェブサイトで語っている。

デビアスは二〇一六年、ミレニアル世代の購入者をターゲットにした「本物は貴重だ（リアル・イズ・レア）」と謳うキャンペーンで反撃した。実際のところ、反撃とも言えないくらいだったが、それが言わんとしていたのは、ラボグロウンダイヤモンドは研究所のちょっとした魔法で生み出せるのだから本物でも貴重でもないということだった。わたしがこの章を書いているときに婚約した友人は、ラボグロウンダイヤモンドでプロポーズすることを選んだ。わたしは彼に天然ではなくラボグロウンを選んだ理由を訊いた。「ラボグロウンのほうが環境や社会に与える影響が圧倒的に小さくて、それを僕の彼女は重要だと思っているんだ。ダイヤモンドを買うとなったら、人為的に価格がつり上げられたものは買わないと決めていた」と、彼ははっきりと説明した。「それと、物理学者として、ラボグロウンのほうが優れた炭素の結晶格子だっていう考えが好きだった」

顧客やスタートアップ企業は、ラボグロウンダイヤモンドを日常に取り入れるさらにユニークな方法を見出している。GEの〈超圧力〉グループにピーナッツバターをダイヤモンドに変える離れ業をやってのけさせたのと同じ炭素の汎用性を利用して、二一世紀の企業は愛する人の火葬された灰をダイヤモンドに変える「メモリアル宝石」の提供を行っている。テキサス州オースティンのスタートアップ、エターネヴァをはじめとする企業は、メモリアルダイヤモンドは「代々伝わっていく家宝」になると約束している。わたしはエターネヴァの広報担当者に話を聞いたが、同社はそれを弔いの行為のひとつとして、愛する人の人生を称え、懐かしむ前向きな選択肢として考えているようだった。メモリアルダイヤモンドは、非天然ダイヤモンドの婚約指輪と同じように、ダイヤモンドの文化的規範が——たとえ数千年後であれ——どのように書き換えられるかを選択する権利を消費者に与えている。

天然ダイヤモンドは鉱物から宝石に文化的転換を遂げた。その物語によって、価値と意味が吹き込まれた。二一世紀のダイヤモンドの物語は資本主義の物語だ。しかし、二〇世紀のデビアスの資本主義とは違い、現代の消費者はダイヤモンドに異なる文化的価値と倫理を求めている。このような倫理感は非天然ダイヤモンドのまわりでますます大きくなっているようで、二〇一八年五月にデビアスは、花の一六歳（スイートシックスティーン）のネックレス市場をターゲットに、「本物」を買う前のスターターとして非天然ダイヤモンドを売り込む、「ライトボックス」というラボグロウンダイヤモンドのブランドを登場させた。発売週にはこう宣言している。「ダイヤモンドは永遠だ——そしていまや永遠をデビアスで二〇〇ドルで手に入れられる」。ラボグロウンダイヤモンドも独自に、社会的、テクノロジー的転換を遂げている。

GEがダイヤモンドを製造できると証明したとき——そしてその結果が外部機関に裏づけられたとき——ラボグロウンダイヤモンドはダイヤモンド産業に具体的かつ有形の影響を与えうるものになった。そしてその後の数十年のうちに、科学と工業の世界の仮説から、現代のダイヤモンド市場に具体的な影響を持つ有形物になった。今日、ダイヤモンド販売者は、ラボグロウンダイヤモンドの物質的真実を、二一世紀の消費者にふさわしい象徴、文化的規範に変換しようと取り組んでいる。

二〇世紀はラボグロウンダイヤモンドを現実のものに変えた。それが天然物と同等の真正な（オーセンティック）ものになるか、すなわちホンモノになるかどうかは二一世紀次第だ。

第四章

異なる味わいの偽物

一九世紀中頃、天然のバナナを食べたことがあるアメリカ人はほとんどいなかった。この果物が紹介されたのは、一八七六年、独立宣言の署名百周年を祝って六ヵ月間行われたフィラデルフィア万国博覧会でのことだった。フィラデルフィアの広大なフェアモント・パークで行われたこの百年祭には、一〇〇〇万人ほどの来場者が訪れ、三七ヵ国の展示で多くの新しい発明やテクノロジーが披露された。このイベントは、来場者にとって、新奇でエキゾティックな食べ物やフレーバーを試す機会でもあった。ハインツのトマトケチャップ、ハイアーズのルートビア〔ノンアルコールの炭酸飲料の一種〕、そして、そう、バナナなどだ。

百年祭の〈フローラル・ホール〉には、木箱に入れられた、緑色で葉の多い中央アメリカ産のバナナの木があって、バナナ一本一〇セントで買うことができた。ほとんどの来場者にとってバナナを食べるのは初めてだったが、どんな味かは多くの人がすでに知っていた。人工のバナナフレーバーが一〇年以上前から手に入ったからだ。

百年祭の前、バナナは裕福な家庭でしか食べられない高級品だった。しかし、イベント後、わずか数十年のあいだにバナナの需要は急増した。バナナはたちまち、年間を通して購入できる最初の果物になった。一九二九年には、米国の中央アメリカからの輸入物の五〇パーセントがバナナになっていた（一九一七年、巨大複合企業ユナイテッド・フルーツの一部門フルーツ・ディスパッチ・カンパニーが「バナナの栄養価」という消費者向けの冊子を発行し、バナナを食べるべき実利的、栄養的理由を紹介した。「抗菌パッケージで自然に包装」「いつでも旬」「どこでも買える」「貧者の食べ物」「医師のお墨付き」）。しかし、果物の人気が高まっても、人工バナナフレーバーの魅力（と言えるだろうか）は衰えなかった。

一九世紀中頃に人工フレーバーの人気が高まったことで、アメリカ人はバナナ味の食べ物とは甘ったるいものだと考えるようになっていた。化学者、薬剤師、初期のフレーバー製造人は、酢酸イソアミルという化合物をキャンディーやプディングのような食べ物に加えると、大まかに「果物のような」味を引き出せると発見した。今日、酢酸イソアミルは、実際にバナナの味を特徴づける主要な成分のひとつだと認識されている。合成バナナフレーバーの最初の製法が生まれたのは一八六〇年代で、バナナを含むフレーバー製造に使われる「フルーツエッセンス」の広告が出たのは一八五〇年代にまでさかのぼる。

一九世紀中頃までに、アメリカの化学製品業者は、フレーバー製造の幅を広げたいと考える薬剤師や菓子屋に向けて、酢酸イソアミルを「バナナフレーバー」として売り出すようになっていた。その結果、アメリカの消費者のあいだで、酢酸イソアミルとバナナが感覚的に結びつくようになった。そのため、フィラデルフィア百年祭で一〇セントのバナナを買った人たちは、バナナはたしかにバナナの味だと感じた。酢酸イソアミルが高濃度で含まれるこの果物は、人工バナナフレーバーはホンモノの味だということを消費者に確認させた。数十年後、フレーバリスト〔フレーバーの調香師のこと〕たちが特定の化合物と特定の食品のフレーバーを合致させられるようになると、酢酸イソアミルは、人工フレーバーに使われている化合物としてきわめて早いうちに、実際の果物にも存在する成分であると確認された。

今日、ラフィー・タフィー〔キャンディーのブランド〕の異様に甘ったるい合成バナナフレーバーを本物のバナナと結びつけるのは難しい。味がまったく違うのだから。しかし、今日感じるこの味の違いは、二一世紀にわたしたちが食べているバナナの種類に関係するもので、合成バナナフレーバーが果物の味をしっかり再現できていないということではない。

二〇世紀初めにバナナが重要な輸入物となったとき、グロスミシェル種がすぐにバナナ産業を支配するようになった。カリブ海のマルティニーク〔バルバドスの北西〕原産とされるグロスミシェルは世界中の市場に出荷するのに理想的なバナナだった。熟すまでの期間が長いうえ、皮が厚く硬いために傷つきにくいからだ。また、グロスミシェルの房は個々のバナナが密接しており、出荷の際に場所をとらなかった。その結果、二〇世紀初めのころは、バナナといえば基本的にグロスミシェルのことを指した。

世界中に一〇〇〇種以上のバナナがある中で、たったひとつの種が世界市場向けに栽培されていたのである。この戦略は効率的だが、非常にリスキーでもある。ひとつのバナナの種におんぶに抱っこになると、そのひとつのバナナの種は病気にかかりやすくなる。二〇世紀半ばに、グロスミシェルは疫病に太刀打ちできなくなり、ほぼ絶滅した。そこで、明るい黄色の皮が特徴のキャベンディッシュ種が、単一栽培のバナナの種としてグロスミシェルに取って代わり、今日ではこれが世界市場で最も一般的なバナナになっている。しかし、その栽培方法——種がないため、株分けで繁殖させる——のため、遺伝子の多様性がないキャベンディッシュは実質的にクローンであり、きわめて病気にかかりやすい。今日、現に病気の危機にさらされており、科学者たちは、絶滅の問題はもしではなくいつであると考えている。

しかし、これが人工バナナフレーバーのストーリーで重要な点なのだが、すべてのバナナが同じ味であるわけではない。グロスミシェルとキャベンディッシュは実のところかなり味が違う。グロスミシェルはキャベンディッシュよりも酢酸イソアミルを多く含んでおり、そのため、より「バナナらしい」味がする。したがって、グロスミシェルが時代のバナナだったときにつくられた合成バナナフレーバーを味わうということは、前世紀のバナナの名残を味わうということだ。現代のフレーバー研究者は今日のバナナをより正確にコピーすることもできるだろうが、消費者は人工バナナフレーバーにこれまでどおりの味を求めている。

キャベンディッシュ種が絶滅し、ほかの種に取って代わられたとき、バナナの味のイメージは再び変化するだろう。「よくある冷菓、甘ったるいキャンディー、安いソーダの一部で出会う偽の果物の味は、ある意味、わたしたちを合成フレーバーの初期の時代に連れていってくれます」と、フレーバー史家のナディア・バーンスタインは、NPRの番組『サイエンス・フライデー』のオンラインインタヴューで説明した。「過去のフレーバーの世界を垣間見られるようなところがあります」

バーンスタインが言うところの「先祖伝来の合成フレーバー」への消費者の思いからわかるのは、フレーバー、特に合成フレーバーは複雑なもので、その歴史はさらに複雑だということだ。フレーバーの規制の分野では、「天然」と「人工」にはそれぞれ明確な意味があるが、天然／非天然フレーバーの境目を見つけるには、フレーバーは変化、進化しうるということを認識する必要がある。

フレーバーのストーリーは、味（テイスト）について理解するとともに、人々がフレーバーという現象をどう知覚しているかを知ることからはじまる〔ここで言うフレーバーは、食品の香りだけでなく風味や味覚なども含めた複合的な感覚全般を指す〕。どのような味がするかというのは、生化学的な面、神経生理学的な面もあるが、歴史と文化も非常に大きな要素である。

生物学的なレベルで、味覚は人間の伝統的な五感のうちのひとつであり、それが嗅覚や脳神経の刺激と結びつくと、わたしたちはフレーバーを体験する。舌には舌乳頭という出っ張りが数千あり（裸眼では見ることができない）、それぞれの舌乳頭には数百の味蕾が集まっている。味蕾はほかにも口蓋や口の両端、あるいは喉にあり、口に入った食べ物は舌の味覚受容体と化学反応を起こす。平均よりはるかに多い舌乳頭を持つ人は、フレーバー科学の世界で「スーパーテイスター」として知られる。味覚受容体が多いために、平均的な人よりも食べ物のフレーバーのニュアンスに気づきやすいのである。味覚は――嗅覚と同じように――遺伝するものだ（実際、一九三〇年代に、味覚検査を父子鑑定に使うことを提唱した科学者もいた。広まることはなかったが）。舌乳頭での化学反応に加え、味覚は嗅覚や三叉神経（最大の脳神経）の刺激によっても左右され、そうして食べ物の感触や温度が口の中で感覚として識別される。

二三〇〇年以上前、哲学者のアリストテレスは、最も基本的な二つの味覚は甘味と苦味だと考えた。この短いリストはその後の数千年間で拡大し、甘味、酸味、苦味、うま味、塩味、そして――これはまだ議論中だが――脂肪味が含まれるようになった。最近のフレーバー研究者は「うま味」を含めるようになっているが、これは日本の研究者の池田菊苗が二〇世紀初頭に初めて報告したものだ。ほかの味覚の種類には、冷たさ、痺れ、金属味、渋味、辛味、カルシウム味、コク味、でんぷん味などがある。これまでの味覚研究から、温度が味を決めるのに大きな役割を果たしていることも明らかになっている。

長いこと、フレーバー専門家は、甘味は舌の前部、苦味は後部、酸味は側部で味わっていると考えていた。いわゆる「味覚地図」というものである。しかし、最近の研究によって、すべての味蕾が五つの基本的な味覚のすべてに反応していることが明らかになった。味覚地図の問題——思い違い——の起源はドイツ語の誤訳だとされる（それが最初に現れたのは、一九四二年に出版されて評判になったエドウィン・ボーリングの心理学の教科書だ）。現在では、生化学の研究によって、苦味、甘味、うま味はGタンパク質共役受容体に左右されると特定されている。一方、酸味の受容体はいまも判明していない。

すべての人の体で同じ生化学的な作用が起こるが、人が何を味わい、化合物をどのように感じるかは、遺伝的に決まった違いがいくらかある。たとえば、パクチー（コリアンダー）を芳香、柑橘のようだと感じる人もいれば、石鹸のようだと感じる人もいる。苦味をほかの人より敏感に感じる人もいる。およそ二人に一人がアンドロステロンのにおいを感じない一方、世界の人口の三五パーセントがアンドロステロンは「豚の雄臭」のような非常に不快なにおいだとみなしている。世界の人口の約一パーセントがバニラのにおいを感じない。つまるところ、味覚が人間の体でどのように作用するかを決める生化学は、味覚受容体の反応の仕方において、実に多くの遺伝的多様性があるのである。

フレーバー、あるいは味覚が人類の進化史においてどのような役割を果たしているかをめぐっては推測がたくさんある。「人間の味覚能力は、大部分、わたしたちの進化上の祖先たちの生態的地位と、彼らが求めた栄養によって方向づけられてきた」と、遺伝学者のポール・ブレスリンは、『カレント・バイオロジー』に掲載された、食べ物と人間の味覚の進化に関する記事の中で述べている。研究者の中には、フレーバーを分析することが、食べ物が安全かどうかを判断するのに欠かせなかったのではないかと言う人もいる。たとえば、毒素を持つ植物は苦い。人類学者のリチャード・ランガムは、わたしたちの祖先の味覚が腐りかけの肉を有害な味だと判断したために、適切に調理されていない肉を食べることが避けられるようになったのだろうと論じている。

保存状態の悪さは食品衛生の問題の物差しになることが多いが、腐りかけの肉は必ずしも食べ物として駄目になったということではない。発酵して腐った動物性食品（ある種の有蹄動物や鳥の胃内容物）が極北で食糧を探しまわる人々に欠かせない食品になっている――少なくともごく最近までそうだった――例を、現代の人類学者はいくつも見つけている。そのため、考古学者たちは、腐敗した肉や魚が、四万五〇〇〇年から三〇万年前、ヨーロッパの中期旧石器時代の食の歴史において、ネアンデルタール人にとってもホモサピエンスにとっても重要な役割を果たしていたのではないかと推測しはじめている（これは本当に真正な原始人食（パレオダイエット）だ）。とにかく、フレーバー、料理、食餌（ダイエット）という要素が、人は何を食べ、なぜ食べるのかということの、絶えず変わるバランスを形成しているのは明らかだ。

しかし、哺乳類の進化でとりわけ独特なのは、そしてフレーバーの進化の前触れとなるのは、揮発性のにおいを嗅ぎ取れる鼻の存在だ。霊長類の進化史において、嗅覚は視覚ほど重要でなさそうに思えるが、味覚の進化と結びつく最初のものである。植物と動物の分類法を生み出したことで有名な一八世紀の博物学者カール・フォン・リンネは、においの分類法も考案し、すべてのにおいは、芳香、スパイシー、麝香（じゃこう）、ニンニクのよう、ヤギのよう、不快、吐き気を催す、の七つに分けられると主張した。

今日、嗅覚に注目するフレーバリストたちは、においには四つの次元があるのではないかと言っている。芳香、酸臭、焦げ臭、ヤギのよう、の四つである。「においは不随意に遍在する感覚である。起きていようが寝ていようが、目を閉じていようが開けていようが、息を吸ってにおいを嗅がずにいることはできない」と、分子人類学者のカラ・フーヴァーは、二〇一〇年版『形質人類学年鑑』で嗅覚の進化上の重要性について概説した中で述べている。「ほかの感覚は人為的に止められる（目を閉じたり、耳を塞いだりして）が、息をするのを止めることはできない。口呼吸でもかすかににおいの感覚がもたらされる」。「味覚がいまのわたしたち人類をつくり出すのに大きな役割を果たした」ということについて、もっともらしいストーリーを組み立てるのは実に簡単だが、人類の進化にとってのフレーバー――特に、フレーバーの好み、トレンド、歴史――の重要性は、進化とフレーバーの研究において、かなり最近取り上げられるようになったことである。

ここで、哺乳類の進化の歴史を早送りしよう。現在の研究者は、フレーバーの神経科学を研究し、化合物がいかにフレーバー体験に変換されるかを解こうとしている。味覚とは、当然ながら、生物学なのだ。生化学なのだ。口に入ったフレーバーを脳――心と言ってもいい――がいかに解釈するかというのが、フレーバー知覚の最後の要素である。「つまり、何が口の中や皿の上にあるかということと同じくらい、味わっている人の心に何があるかということなのだ」と、フレーバー・知覚研究者のチャールズ・スペンスは指摘する。『「おいしさ」の錯覚――最新科学でわかった、美味の真実』で、スペンスは、スターシェフのヘストン・ブルメンタールの話を紹介している。彼は、一九九〇年代末に、メインディッシュの人気のカニのリゾットとともに、カニ風味のアイスクリームを出したという。このうま味たっぷりのアイスクリームは、ブルメンタールにとっては、奇抜だが真っ当な副菜だった。しかし、甲殻類味のデザートは、正直に言って、客には受けなかった。

問題のひとつは、このアイスクリームがピンクっぽい赤、フルーツのような甘い味を期待させる色だったことだ。ブルメンタールの客は甘いものだと思って食べ、そうしたら正反対の味が口の中に入ってきたのだろう。「つまり、ストロベリーを期待していたのに、凍ったカニのビスクだったのだ！」と、スペンスは皮肉っぽく言っている。心理学者のマーティン・ヨーマンズは、一連の実験を通して、塩っ気のあるものだと最初に伝える、あるいは違ったメニュー名にするだけで、凍ったピンクのデザートを気に入ってもらえるようになると示した。彼の実験によれば、カニ味のアイスクリームが不味く感じられた大きな理由は、考えていた味とあまりにも違う味だったからということだった。考えていたとおりの味であれば、「より美味しく」

感じられるのである。

同様に、フレーバーは食べ物の来歴にも影響を受ける。人は、その食べ物の生まれたストーリーを気に入っていると、それを美味しく感じやすいという。スペンスが紹介している最近の研究では、同じ肉（ビーフジャーキーやハム）のサンプルを与え、一方の人々には工場生産の肉、もう一方の人々には放し飼いのものだと告げた。すると、工場生産と言われた人たちのほうが、「美味しくない、しょっぱい、脂っこい」と評価し、多くを食べず、高い金は払いたくないと言った。このパターンは三回の実験を通して同じであり、そのうちの一回では裏返しの結果も出た。放し飼いのオーガニックの肉だと信じていた人たちのほうが、その肉を美味しいと感じたのである。しかし、目隠しをした実験では、違いを言える人はほとんどいなかった。また、背景に海辺の音が聞こえると牡蠣がより美味しくなるという調査結果もある。「ここからわかるのは、オーガニックの、放し飼いの、人の手で育てられた食材に大枚をはたいたとして、お客さんにその味の違いを感じてほしいなら、来歴について伝えるべきだということだ」と、スペンスは皮肉を言っている。

そう、生物学、生化学なのだ、もちろん。神経科学でもある、間違いなく。しかし、味覚、そしてフレーバーは、それを食べる人々の文化にも大きく左右される。フレーバーをどう予測するか、どう知覚するかは個人レベルの話だが、どんな味がする「べき」かというわたしたちの認識には、文化が大きく影響している。典型的な例は、温度の味わいだろう。米国では、季節などにかかわらず、ソフトドリンクは冷たくある「べき」とされる。そして、食料品の生産と消費の文化は変化するから、フレーバーも次第に変化すると結論づけるのは無理のあることではない。

食べ物のフレーバーがつねに進化する中で、味覚も時とともに変化しているから、食べ物がどのような味がするかと、人々がどのような味を期待するかのあいだにはギャップがあることが多い。特に現代の消費者の場合はそうだ。フレーバリストや食物史家の多くは、この現象を食のノスタルジアと表現している。人々は由緒正しい食べ物を懐かしんでいるのである。そしてオーセンティックな味を求めるのだ、たとえ「本物」あるいは「オリジナル」のフレーバーを味わったことがなくても。

昔の味と違うと嘆くとき、「基本的にその意味するところは、果物、野菜、パン、ビール、肉がかつてと違う――かつてほど美味しくない、しかるべき味でないということです」と、科学史家のスティーヴン・シェイピンは、二〇一一年にスウェーデンのウプサラ大学で行った、「変化する味」と題する講演で述べた。シェイピンはフレーバーが変化してきた歴史的な理由をいくつか紹介した。たとえば、新しい種類の食品は前世紀とまったく同じ味を目指してはいないかもしれないし、特定のフレーバーを強める食べ物のつくり方が文化的に失われたこともあるだろう。ある種のリンゴや豚肉など、現代の食品供給からほぼ消えてしまったものもある。また、わたしたちがこうあるべきと考える味が変わった食べ物もある。しかし、こうした要因があっても、人々は失われたものを嘆くことをやめない。あるいは、失われたと思うものを嘆く、と言ったほうがより適切だろうか。フレーバーや味覚の大部分は、何よりノスタルジアと関係しているのだ。「味覚のノスタルジアは近代後期のメニューに集中している」とシェイピンは指摘している。

文化によって、味をめぐる風潮、そして味がどのようにつくられ、育まれ、考えられるかが定められる。すなわち、文化とは、味が伝播すること、フレーバーが日常的なものとして形式化されることだ。

フレーバーは昔から管理・設計され、味とステータスに関するメッセージを伝えてきた。中世後期から近代前期（一四〜一六世紀）のヨーロッパでは、スパイスが食べ物の味をつくるのに最も重要な要素だった。当時、スパイスはヨーロッパの市場で価値のある商品で、海上貿易の拡大の推進力になっていた（フランク・ハーバートのSF小説『デューン』のファンは、わたしと一緒に「スパイスは豊富になければならない」（『デューン』に出てくる言葉）と言ってほしい）。二〇世紀のフランスの哲学者・社会学者のピエール・ブルデューはこの現象をハビトゥス——身体化された文化資本——と呼んでいる。スパイスを通して、フレーバーはある種の文化的威信をもたらすものになった。

しかしこのような調味料はいかにして、ヨーロッパの料理と経済をこれほど決定的に方向づけることになったのだろうか？　古くからよく言われるのは、ヨーロッパが中世から脱却しようともがいていた時代に、スパイスは腐りかけの食材の味を隠すのに加え、肉の保存にも使われたということだ。一方、ヨーロッパのスパイスへの興味は社会的な区別をすることにあったと主張する食物史家もいる。つまり、社会経済的に上にいる貴族は、ただの農民には手に入らないスパイスを買って使えるというわけだ。また別の専門家は、西洋は十字軍の時代にアラブ文化からスパイスについて学んだのであり、十字軍がスパイスをヨーロッパに持ち帰り、やがて料理にも使うようになったのではないかと言っている。正確な事情はさておき、スパイスは当時のヨーロッパの食べ物の味を方向づける重要な要素になった。フレーバーはつくり変えられ、管理されうるという証拠である。

スパイスは、フレーバーの調整に加え、医療やセラピーにも使われたため、ある種の食品は、食べるものであると同時に、薬のようなものだとされた（たとえば、一六〇七年にフランスで出版された、健康と医療に関する覚書集『健康宝典』によれば、クローヴは「目、肝臓、心臓、胃」によいとされ、コショウは「排尿を促進し……間欠熱による冷えを治し、ヘビ咬傷を癒す」とされている）。中世の台所のスパイスはどれも元々は医療用に輸入されたもので、調味料として使われるようになったのは後年のことだった。薬効があることから、スパイスやスパイスで味つけした食べ物の使用法には、健康に関する教訓が吹き込まれていた。健康とフレーバーという二元性はいまも、食べ物はどのような味であるべきかという人々の考え、そして食べ物がそもそもそのフレーバーになる経緯を方向づけている。味には教訓としての意味合いが強い場合もあるのである。

しかし、農業やスパイスのような伝統的な方法以外でフレーバーをつくれるとしたら？　自然界でしか見つかっていないフレーバーを、研究所で合成できるとしたら？

一九世紀以降、フレーバーは「管理」されるものから、はっきりと操作、コピー、複製、発明されるものになった。一九世紀のフレーバー工学は、化学的な操作によって、自然を真似し、馴染みのあるフレーバーや味を引き出した。

二〇世紀に入ったころには、フレーバーは自然——人に手なずけられた自然かもしれないが——をコピーあるいは複製したものになっていた。フレーバーは化学成分として抽出され、それが標準フレーバーとして体系化されると、翻って食べ物に添加された。大規模に生産、消費される食品、たとえば野菜の缶詰などが登場すると、いかに食べ物からフレーバーを抽出し、それを効果的に別の食べ物に移すかという課題が、フレーバー科学の重要性を高めた。そして二〇世紀後半、自然のフレーバーを複製するだけでは飽き足らなくなった。フレーバリストたちは、自然のものよりも優れたフレーバー、まったく新しいフレーバーを設計したいと考えるようになった。

合成フレーバー（より一般的には、人工フレーバー）は一九世紀後半に発明されたもので、香水産業や人工的な香りの化学的研究と密接な関係にある。「においがフレーバーとともに経験されると、その二つは結びつく」と、『サイエンティフィック・アメリカン』は、関係の深いこの二つの感覚について説明している。「そうして嗅覚は味覚に影響し、味覚は嗅覚に影響する」。人工フレーバーをつくりたかったら、人工的なにおいの研究に便乗するのが賢明だった。

このような新しい合成フレーバーは、既存の需要を満たすために発明されたわけではなかったし、「本物」のたんなる安価な代替品でもなかった。化学の進歩の結果、ブルジョワジーの食品のフレーバーが抽出、製造され、加工食品に取り入れられるようになった。それは消費期限が長く、アメリカで急増していた中流階級に幅広く届くものだった。合成フレーバーの物語は、産業科学、化学、大量消費経済の物語であり、変化する味の物語である。

初期のフレーバーデザイナーは、一九世紀後半の香水化学者や製造者による知覚の研究に頼っていた。香水の世界の科学者たちが興味を持っていたのは、現実世界のにおいを真似た人工的なにおいの製造だったが、フレーバーの世界の科学者たちは、その化学的知識を応用し、フレーバーを改変、改良して、さまざまな食品に加えることを探究しはじめた。フレーバーと香水の業界では、「精油（エッセンシャルオイル）」――植物から抽出し、食べ物や香水などに注入できる――が長く使われていた。考古学の記録を見ると、紀元前三〇〇〇年には古代ペルシア人が精油を蒸留しており、その二〇〇〇年後にはアラブ文明がそのプロセスを再発見し、磨きをかけていたようだ。つまり、油を抽出して別の何かに注入するという考えはいまにはじまったものではないのだ。最初期の人工フレーバーの中には「エーテル」――業界では「フルーツオイル」とも言われる――を使っていたものもあり、これも精油を蒸留、利用する伝統から生まれたものだった。

化学と菓子製造を結びつけるのは一九世紀において珍しいことではなかった。たとえば、一八五五年に、フィラデルフィアの菓子製造人サミュエル・サイムズは、チェスナット通りと一二番通りの交差点の北西の一角を占める四階建ての自分の店で、人工的にフルーツの味をつけた商品を製造し、その広告を出した。彼の店は化学製品の製造も行っており、菓子とともにフレーバーも「自社」で生産されていた。広告では、「菓子製造人のために」開発されたこのフルーツエッセンスを使えば、「豊かで甘美なフレーバーを、フルーツそのものよりもはっきりと」もたらすことができると謳われていた。

サイムズが売り出した合成フレーバーには、パイナップル、ストロベリー、ラズベリー、ジャゴネル梨、そしてバニラがあった。サミュエル・サイムズの合成フレーバーの物語は、一八五〇年代の薬学的なフレーバー開発と並行していて、そのころ、化学製品のカタログには「合成エーテル」が載るようになっていた。そこでは、吉草酸アミルのような化学名と並んで、わかりやすく「アップルオイル」などと書かれることもあった。フレーバーと結びつく果物の香りが、化合物を科学的に、商業的に定義するようになったのだ。

さて、サイムズのソーダ店から早送りすること六〇年、偽ブドウフレーバーが発明された。ナディア・バーンスタインは、今日の偽ブドウフレーバーの起源を突き止めている。一九一〇年か一一年のこと、フレーバリング抽出物の製造業者がインディアナポリスの路面電車に乗っていたところ、隣に座る女性の香水からコンコード種のブドウの香りが漂ってきたのである。

バーンスタインの参照した文献によれば、そのフレーバー抽出の専門家は、ブドウの香水の香りはブドウフレーバーに変えられるとすぐにわかったという。「彼にとってこれは重要なことでした。彼は瓶のソーダやソーダファウンテン向けのフレーバリング抽出物を製造していたので」と、バーンスタインは『サイエンス・フライデー』のラジオインタヴューで説明した。「そこで彼は化学のカタログを調べ、問題の化学物質、アントラニル酸メチルを見つけました」

アントラニル酸メチルは、ドイツとオーストリアで、ブドウではなくオレンジの花の香りとして売り出されていた。この文化史の奇妙なねじれから、嗅覚と味覚の文化、認識の問題が再び問われる。ある文化のコンテクストではオレンジの花の香りとして売り出されていたものが、別の文化ではブドウ（コンコード種）になるとはどういうことなのか。「その理由は、アントラニル酸メチルが、アメリカで栽培されている、コンコード種を含むラブルスカ種のブドウのフレーバー化合物だからだと思います」とバーンスタインは説明する。「これはヨーロッパブドウのヴィニフェラ種には見つかりません。だから、ドイツやヨーロッパでこの合成化合物を製造した人は、ブドウに似ているとは思わなかったのでしょう。違う種類のブドウを食べていたのですから」。今日の偽ブドウフレーバー——アメリカのジョリー・ランチャー〔キャンディーのブランド〕と子ども用咳止めシロップの永遠の定番——は、この二〇世紀初頭の化合物と同じものだ。そのため、コンコード種のブドウは偽ブドウのような味がし、偽ブドウはコンコード種のような味がする。ここでも、味覚とフレーバーは過去の味によって形成されていることがわかる。

二〇世紀初頭まで、酢酸アミル、吉草酸アミル、酪酸エチル――ペアオイル、アップルオイル、パイナップルオイル――のような、消費者に「本物」の果物の味を想起させる、立派な代替品と言える化合物はかぎられていた。そのようなエーテルはようするに果物などの食品のエッセンスであり、製薬業界誌は人工フレーバーの製造に興味を持つ薬剤師に向けたレシピ集やハウツーガイドをどんどん出版した。たとえば、オーストリアの化学者ヴィンチェンツ・クレツィンスキーは、「人工フルーツエッセンス」の製法集を一八六五年にドイツ語圏で出版し、一八六七年にはアメリカの化学者向けに翻訳版を出した。この製法集は、蒸留とフレーバーの複製に関するクレツィンスキーの最新の純正・応用化学研究だった。

最初期の人工フレーバーの製法はほとんど偶然に発見されたものだが、有効性が実証されると、体系的に研究され、コピーされるようになった。一九世紀後半から二〇世紀初めまでのあいだ何十年も、化学者たちは形式化された方法を示し、それにしたがえばだれでも同じ人工フレーバーをつくることができた。

人工フレーバーの製法の手引きがいくつも編まれ、売られていた。一八九二年にJ・U・ロイド（エクレクティック医学研究所の化学教授で、シンシナティ大学薬学部の元教授）が出版した『霊薬(エリクサー)とフレーバリング抽出物――その歴史、公式、調合法』などが、フレーバー業界が製造法をまとめた初期の書物である。この本には、たとえば「牛肉のエリクサー」や「クロイチゴのエリクサー」の製法が載っている。どちらの製法も本物の食べ物——牛肉であれクロイチゴであれ——の抽出物を必要としており、「単一のエリクサー」と炭酸マグネシウムのようなほかの化合物を加えるよう指示していた。つくられたフレーバーの多く——コカ・コーラなど——は、当初は消化不良から頭痛まであらゆる不調を治すものとして考案され、レモン、ライム、オレンジ、シナモン、ナツメグ、そしてコカインなどのさまざまな精油が含まれていた。これは、一五世紀前後の健康とフレーバーの混じり合いを思い起こさせる。

フレーバーの変化は、米国と西欧での食品の大量生産と重なっている。二〇世紀のあいだに、人工フレーバーは、大量生産の食品をより自然な味に、より消費者の口に合うものにするための重要な要素になった。最初のころは、フレーバー工学が自然のフレーバーに完全に取って代わるとはだれも思っていなかった。ひとつには、そのようなテクノロジーがなかったからだ。やがて、人工フレーバーを解析、言語化、製造するプロセスは、形式的になるとともにますます専門的なものになった。するとフレーバーはたちまち、味と味に対する人々の期待を大規模に生産できる産業になった。合成フレーバーをつくるには、液体ガスクロマトグラフィーなど、新しいツール、方法、器具が必要で、それによって、フレーバーの産業化や食品の大量生産と歩調を合わせることができた。こうして、合成フレーバーの物語は、一九世紀のエリクサーを超え、二〇世紀の化学産業の世界に入っていく。

一九四九年、アーサー・D・リトル・食品フレーバー研究所のフレーバリスト、S・E・ケアンクロスとL・B・ショーストレムが、食品技術者協会の第一〇回年次会合で「フレーバープロファイル」の概念を紹介した。出席していたフレーバリストたちは、人工フレーバーをどのように言語化するべきかについて、二〇年以上頭を悩ませていた。フレーバープロファイルのアイデアは、フレーバーを共通言語で記述的に分析できるようにするものだった。「一九四〇年代末に初めて紹介されたフレーバープロファイルは、フレーバーを評価するテクノロジーであるとともに、フレーバーデザインのための強力なツールだった。消費者受けのいいフレーバーを生み出す性質を発見、予測する独自の力を持っていたのだ」と、ナディア・バーンスタインは博士論文に書いている。「特別に選ばれ、高度な訓練を積んだ、感覚評価チームが開発したフレーバープロファイルは、物質の主観的性質を正確かつ包括的に記録したものだと理解された」

フレーバープロファイルは、いまではグルメの世界でよく使われる言葉になっているが、元々は二〇世紀中頃の重要なツールだった。アーサー・D・リトルの研究所は、フレーバープロファイルはフレーバーの概念化であるとともに、その製法でもあるということにすぐに気づいた。フレーバープロファイルは定性的〔数値では表せないこと〕だろうが、それでも一貫性があると思われた。ケアンクロスとショーストレムは、スペクトルのような図を使ってフレーバーの位置づけを表すべきだと考えた。たとえば、麦芽飲料のプロファイルに使われた一九五七年のワークシートには、口に入れたときの香りとフレーバー、そして後味に関する欄があった。回答者は、苦味（金属的）と炭酸のひりひり感に対するフルーティーな（リンゴの）香りの強さと豊かさを評価するよう求められた。別のワークシートには、硫化物や有機硫黄化合物によってフレーバーから自然に発せられるにおいを表して、「卵のよう」「ゴムのよう」「キャベツのよう」「スカンクのよう」という項目があった。ビールのワークシートでも、香りとフレーバーの両方について、スカンクのような悪臭の評価を求められた。プロファイルを形式化するためには、正式な訓練を積んだ鑑定チームのひとりがモデレーター、記録係となり、チームの反応のコンセンサスを形成するのがいいのではないかと、ケアンクロスとショーストレムは考えた。訓練を積んだフレーバリスト（六～一〇人のチーム）全員の反応をまとめるということは、食品――イチゴ、ラズベリー、ビール、そのほか何でも――の味の一致した型をつくるということだ。

一部のフレーバリストたちがフレーバーを言語化する方法に磨きをかける一方、食品に添加するフレーバーの実際の製造で忙しくしているフレーバリストたちもいた。今日でも、人間の嗅覚は一万種類ほどの臭気物質を感知できるという理論がよく引用されるが、この数字はアーサー・D・リトルの化学工学者による一九五四年時点での不完全な想定にもとづいている。フレーバー合成初期の時代に行われたアーサー・D・リトルの研究の長きにわたる影響は、いくら強調してもしすぎることはないだろう。

フレーバープロファイルはフレーバーの体系化の重要なステップだったが、一九五〇年代にガスクロマトグラフィー（GC）も登場したことで、新世代の専門的なフレーバリストたち、フレーバー化学者たちは、フレーバーと香りを描写、操作する能力をさらに高めた。ガスクロマトグラフィーは、錯化合物（フレーバーなど）の各部分をそれぞれの分子成分に分離する方法である。しかし、フレーバーの物語にとって何より重要なのは、従来のクロマトグラフィーと異なり、ガスクロマトグラフィーでは担体としてガスが使われたということだ。ガスを使って物質を分析できるということは、気相にしか存在しない化合物――においなど――をフレーバリストが手に入れられるようになったということだった。

つまり、ガスクロマトグラフィーはフレーバープロファイルの定性的な部分を翻訳し、成分を体系化して分子のレシピにしたのである。これはフレーバリストたちのあいだで「フレーバーノート」〔音楽で言う音符（ノート）のように、フレーバーを構成する要素を分解し、体系化したもの〕と呼ばれた。一九二〇年代には、家族経営の精油と香料の会社が米国内に七〇社ほど、ロウアーマンハッタンだけでも五〇社以上あったが、一九七〇年代になると、四分の三以上が廃業した。フレーバープロファイリングのような方法が導入されたことや、ガスクロマトグラフィーの利用による産業化が大きな要因だった。

ガスクロマトグラフィーをフレーバー研究に使った影響は、あっという間に広範囲に及んだ。ついに、自然界のものと化学的に同一のフレーバーをつくる方法が生まれたのだ！「研究者たちはガスクロマトグラフィーを、自然の秘密を解き明かすセンセーショナルな技術だと考え、装置が利用しやすくなると、ますますそう考えられるようになった」と、フードスタディーズの専門家であるクリスティー・スパックマンは述べている。ついに味の基本的な化学成分がすべて揃い、フレーバリストたちはそれを複製、操作できるようになったのだ。

フレーバーの複雑な要素（ノート）を解析した二〇世紀中頃のフレーバリストたちは、いくつか予期せぬ発見をした。食べ物のフレーバーには、味蕾（みらい）で感じている以上のものがあったのである。ガスクロマトグラフィーを使いはじめると、フレーバリストたちはどこに予期せぬノートを加える必要があるかがわかった。また、人工フレーバーの中には食欲をそそらないノートが必要なものもあった。たとえば、ラムやバタースコッチの模倣をするには、「汗のようなノート」を加える必要があった。「糞便のようなノート」は、チーズとナッツのフレーバーに芳醇さを与えた。果物加工品の味を真似るには「焦げ」がうっすらあるとよく、トマト缶のフレーバーは「缶のような」味を含まないと消費者が求めるトマトの「しかるべき」味にはならなかった。

ガスクロマトグラフィーがフレーバープロファイリングの手法と結びついたことで、フレーバーの製造は単純な機械的作業になった、と考えるのは容易だ。たしかに、ガスクロマトグラフィーはフレーバーの再現に必要な分子化合物の作成を導くかもしれないが、しかし、それは決して楽にできることではない。どのフレーバーノートが味のシンフォニーをつくり出しているかを知るだけでは、そのフレーバーを量産することはできなかった。

フレーバリストの大半は、馴染み深いフレーバーを再現しよう、少なくとも消費者にとって馴染み深く感じられる味にしようとしていて、新しいフレーバーをつくろうとする人はほとんどいなかった。「しかし一九六〇年代に、フレーバリストたちは、果物や野菜から肉まで、食べ物のフレーバーのスペクトルほぼ全域を再現しようと乗り出した」と、歴史家のコンスタンス・クラッセン、デヴィッド・ハウズ、アンソニー・シノットは指摘している。「完全な成功とはなっていない。チョコレート、コーヒー、パンなど、いくつかのフレーバーは正確に真似ることができていない」

ガスクロマトグラフィーは研究者にフレーバーの情報をもたらしたが、それによると、フレーバーの化学組成には「不必要な」ノートが数多くある。たとえば、コーヒーには八〇〇種類以上のフレーバー化合物が含まれているが、そのうちコーヒーを特徴づけるフレーバーに絶対欠かせないと考えられるのはごくわずかだ。一方、ガスクロマトグラフィーの情報だけに頼ってつくられたフレーバーでは、何らかのノートが欠けていたり、化合物の割合が間違っていたりすることもある。たとえば、フレーバーを合成しているときにフレーバリストが使っていた合成分子に不純物が含まれていて、それは鼻では感じられるが、機械には感じられないものだったのかもしれない。このように、装置の情報だけでつくったフレーバーは、食べ物に加えたときに期待に応えられないことがある。また、自然界のフレーバーには、非常に不安定だったり、酸化や劣化がしやすかったり、揮発性が高かったりする分子が含まれていることもある。つまり、フレーバーの科学を左右するものは実に多くあり、それは遠い昔からそうだったのである。

一九五〇～六〇年代の人工フレーバー開発の多くで、フレーバリストたちは、自然界のフレーバーを複製するだけでなく、改良することもできるという考えを打ち出した。一九五〇年代のあるアメリカのフレーバー企業の広報にはこう書かれている。「改良された新しいチェリーフレーバーを発表できることを誇りに思います。もちろんまだ母なる自然にはかないませんが」。しかし、フレーバーを最初から設計できるとしたら？　庭で育てるイチゴよりもイチゴらしいイチゴフレーバーをつくれるとしたら？　あるいは、いままで味わったことのないフレーバーを？　自然のフレーバーをコピーするのではなく、科学者がそれを改良できるとしたら？

これは人工フレーバーの物語における重要なターニングポイントだった。自然をつつましく真似るだけでは飽き足らなくなった二〇世紀中頃のフレーバリストたちは、自然界に真っ向から立ち向かった。数十年来の成功で勢いづいていた彼らは、一九六〇年代に、積極的に新しいフレーバーをつくり、消費者が期待する味を変える実験をはじめた。母なる自然はわたしたちにイチゴを与えてくれたが、わたしたちがよりイチゴらしいイチゴフレーバーをつくれない理由はないだろう、というのが彼らの考えだった。

二〇世紀の数十年で消費者の味についての考え方が変わってくると、フレーバリストたちは、わたしたちが期待する味を方向づけるべく動きはじめた。フレーバー業界は、まるでウィリー・ウォンカ〔ロアルド・ダールの小説および映画『チャーリーとチョコレート工場』に出てくる不思議な菓子製造人〕の空想的なフレーバー製造を参考にしているかのようだったが、彼らには空想的すぎるものなどないように思われた。フレーバーを想像できれば、創造できるのだ。

フレーバーの成分を抽出する――そうしてフレーバーを化学成分あるいは分子成分で表現する――のと、その化合物を最も基本的なところまで削ぎ落とせるかというのは別の話だ。フレーバリストのチャールズ・ウィーナーが一九八〇年代に言ったように、「自然界では、不必要な成分によってその秘密がもたらされる」。ウィーナーは、当時の多くのフレーバリストと同じように、食べ物のどの部分がどのフレーバーを生み出し、それを再現するにはどうしたらいいのかを分析していた（「これがいままでつくられた中で最高のブルーベリーフレーバーだと思います」と、ウィーナーはインターナショナル・フレーバー&フレグランス社の彼の研究所を訪れたジャーナリストのエレン・ラペル・シェルに言い、彼女はそのことを一九八六年五月に『スミソニアン・マガジン』に書いている。「そしてこれにはブルーベリーはひとかけらも含まれていません」）。消費者にとって、自然の食べ物に存在する正確な化学組成としてフレーバーを再現するだけでは十分でない。消費者が期待するとおりの味にしなければならない。これには、フレーバーを作成、言語化する、新たな、特別な、形式的な方法が必要だった。

消費者のフレーバーへの期待が変化することからわかるように、フレーバーは決して一定のものではない。フレーバーは、カタログに入ることで、そのフレーバーとされるものの業界標準になる。たとえば、「D&O 5210 ストロベリー」もそうだ（一九三九年、フレーバー研究者が初めてイチゴフレーバーの化学を解き明かしたとき、彼らはまず実際のイチゴから四四五キロの果汁を搾り取り、イチゴに欠かせない化学成分を特定した）。しかし、フレーバーが化学式によって表されたからといって、フレーバリストたちがもう何も手を加えなくていいということではなかった。ほかの多くの複雑なフレーバーと同じように、イチゴも作成するのが驚くほど難しかった。主要なノートが一つや二つではなかったし、新しいフレーバーノートがまだ発見されている最中だったからである。

一九九二年、著名なフレーバリストのジェームズ・ブロデリックは、一九五〇年代の「D&O5210ストロベリー」が業界標準ではあるが、自分たちは少し異なるイチゴのシンフォニーを表現しようとしていると発表した。イチゴの「新たな」業界標準をつくるということは、フレーバー化合物に「青い」ノートを加えるということだった。「『天然』のフレーバーが求められるようになり、『天然』の成分（酪酸エチルや2－メチル酪酸エチル、ジアセチルなど）が手に入るようになったことで、フレーバリストは最低限の果汁あるいは果実エキスで『天然の』イチゴを製造できるようになった」とブロデリックは書いている。そして、イチゴフレーバーの製造に欠かせないと思われていたアルデヒドC16はもはや必要だとは思われないと結論づけた。つまり、ブロデリックによれば、アルデヒドC16を取り除き、何らかの青いノートを加えれば、ほらご覧、新たな――しかしやはり天然の――イチゴフレーバーができ上がるのだ。イチゴフレーバーはこのとき、果物感、バルサムの香り、ローズハニー、青さ、ローズ、バター、藁、酸の混合だと考えられた。合成イチゴは最初からイチゴだったが、こうしてますますイチゴになった。

二〇〇九年に『ニューヨーカー』に掲載された、二一世紀のフレーバービジネスに関する記事で、ジャーナリストのラフィ・カチャドリアンは、フレーバリストたちはいまもイチゴフレーバーに手を加えていると指摘している。「熟しすぎた感じを加えられるノートがあります」と、フレーバリストのミシェル・ヘイガンはカチャドリアンに言った。彼女の研究室の備品の「2-オクテン-4-オン」とラベルが貼られたフレーバーノートは、実際のイチゴに「発見」されたばかりの化合物で、これまで知られていなかったが重要なイチゴの味の要素なのだということだった。

天然と人工のフレーバーの境界線は、そのフレーバーの味という点で、ますますぼやけてきている。一〇年ほど前まで、この「2-オクテン-4-オン」は人工物だと考えられていたが、自然界でその存在が突き止められ、ステータスが変わった。「2-オクテン-4-オン」はいまでは自然物である。これは、人工と天然の境界は流動的かつ恣意的だということを、わたしたちに強く思い出させてくれる。

進化し続けるフレーバー工学の世界で、ジェリー・ベリーのジェリービーンズのように踊りまわっている食品はそうそうない。

一八六六年、グスタフ・ゴーリッツはドイツから米国に移住した。そして三年後、兄弟二人の助けを借り、イリノイ州ベルヴィルでグスタフ・ゴーリッツ・キャンディー・カンパニーを設立した。今日のジェリー・ベリーである。グスタフ・ゴーリッツ・キャンディー・カンパニーは「メロウクリーム」キャンディーを製造する会社としてはじまり、二〇世紀初めにはキャンディーコーンの発明で名をあげた。一九六〇年代前半、会社（この頃には、グスタフの四代目の子孫の名をとって、ハーマン・ゴーリッツ・カンパニーとなっていた）は、製品ラインナップにグミやジェリービーンズを加え、「天然」のフレーバーの小さなジェリービーンズを開発し、二〇〇一年には社名もはっきりとジェリー・ベリー・キャンディー・カンパニーに改めた。一八六九年に会社を設立したグスタフは、一五〇年後に、この会社が一〇〇種類以上のフレーバーのジェリービーンズをつくり、「鼻くそ」や「へど」の味のジェリービーンズを売っている——しかも売れている——世界が訪れようとは思ってもいなかっただろう。

ジェリー・ベリーのビーンズは昔ながらのジェリービーンズとは違う。そのジェリービーンズが誕生したのは一九六五年で、ゴーリッツは「ミニジェリービーン」として製造をはじめた。これは「天然のフレーバー」が真ん中に注入されたものであり、外側だけに人工的な味をつけたほかの菓子とは一線を画していた。一九七六年には、デヴィッド・クラインという菓子製造人が、ゴーリッツのハーマン・ローランドと組んで、「天然のピューレ」を詰めたジェリービーンズをつくりはじめた。この最初のジェリー・ベリーのフレーバーは、タンジェリン、グリーンアップル、グレープ、ヴェリーチェリー、レモン、リコリス、ルートビア、クリームソーダだった（ヴェリーチェリーは長きにわたる人気商品で、二〇年以上いちばん人気の座にある）。クラインは自分がつくり出した菓子をジェリー・ベリーのビーンズと呼び、自らはミスター・ジェリー・

ベリーと称した。

一九八〇年までに、クラインはジェリー・ベリーの商標をハーマン・ゴーリッツ・カンパニーに四八〇万ドルで売り、会社の収益は八〇〇万ドルから一六〇〇万ドルに倍増した。このビーンズは一九八〇年代前半に瞬く間に菓子界の頂点に上り詰めた。当時はちょうど、ロナルド・レーガン大統領の甘い物好きが話題になっていたころだ（レーガンは、乱気流対策としてエアフォースワンにジェリービーンズ入れを特別に取りつけていたし、一九八三年のNASAのSTS-7ミッションの際には、ジェリービーンズをシャトルに載せて、宇宙飛行士たちを驚かせた）。カリフォルニア州シミヴァレーのレーガン大統領図書館には、一万個のジェリー・ベリーのビーンズでつくられた彼の肖像画が飾られている。

今日、ジェリー・ベリーは毎年地球五周分のビーンズを生産している。国内向けに年間一三〇億個、国外向けに二億個という具合だ。ジェリー・ベリーの公式データによれば、一日に生産できる量は一三万六〇〇〇キロで、一時間あたり一二五万個、一秒あたり一六八〇個だという。しかし、このビーンズを特別に興味深いものにし、菓子界における名声を成層圏にまで上らせているのは、そのフレーバーだ。

同社は、ジェリー・ベリーのビーンズは「果物、ピーナッツバター、ココナッツ」などの本物の材料でできていて、ふつうのジェリービーンズのように「基本的に人工の、往々にして正体不明の、六つか七つのフレーバー」を使っているのではないと誇り、二〇〇八年の『ニューヨーク・タイムズ』の記事でもそう強調している。このような本物の材料がジェリー・ベリーのビーンズに天然のフレーバーをもたらし、天然のフレーバーはつねに人工フレーバーに勝る、と言わんとしているようだ。CandyAddict.com のレヴュワーのサラ・ジェンカレリは、『タイムズ』の記事で、人工フレーバーをあまり使っていないタイプのジェリービーンズを、「おばあちゃんのキャンディー皿に詰まっているようなもの」と表現している。

しかしジェリー・ベリーはおばあちゃんの味ではない。

ジェリー・ベリーのジェリービーンズは、たしかにクラインのオリジナルのフレーバーも売られているが、タバスコ、ベーコン、マルガリータ、エッグノッグのようなフレーバーも登場している。ジェリー・ベリーは「塩っ気のある」キャンディーを売り出した最初の会社であり、バターポップコーン味は同社の代表作になっている。ライチ味のビーンズは国際注文（あるいはオーストラリアと中国の店舗）でのみ購入できる。グリーンティーなどの味は、ギリシアやドイツなど、米国以外で見つかる。生産中止になっているバーベキューバナナ味は、「人工着色料・香料不使用！」と謳う箱に入れられていた。

二一世紀初め、ジェリー・ベリー・キャンディー・カンパニーは再びフレーバーのゲームを盛り上げた。「ハリー・ポッター」シリーズのビーンズや、「へど」「耳あか」「ミミズ」「石鹸」のような「ふつうでない味」の販売を開始したのである。「ハリー・ポッター」シリーズにも変わり種があったが、それらは少なくとも実際の食品にもとづいてはいた。イワシ、黒コショウ、草、ホースラディッシュ、スパゲッティ、ホウレン草、ソーセージ、ピクルス、ベーコンなどである（チャールズ・スペンスは、味を認識するうえで、フレーバーの名前が大きな影響を及ぼすと指摘している。たとえば、「においの強いチーズ」と「汗くさい靴下」は共通する化学的特徴を持っている。しかし一方は比較的好ましく思われ、もう一方はジェリー・ベリーのゲテモノシリーズに含まれる）。ウィリー・ウォンカのガムのフルコースが、ロアルド・ダールが想像したよりもシュールなかたちで実現したかのようだ。

二〇〇八年、ジェリー・ベリー・キャンディー・カンパニーは、「ビーンブーズル」という商品を発売した。「ワイルドで危険な冒険」だというこのジェリービーンズは、外側は「ふつう」に見えるが、内側に「ヘンテコなゲテモノ」のフレーバーが入っている。つまり、口に入れるまでどんな味かがわからず、色だけを見ても判断できないのだ。たとえば、白いビーンズは、「くさい靴下」かもしれないし「バターポップコーン」かもしれない。斑点模様のものは、「バースデーケーキ」かもしれないし「汚れ水」かもしれない。最初のラインナップは、「バナナ」VS「鉛筆の削りかす」、「洋ナシ」VS「鼻くそ」、「リコリス」VS「スカンクのおなら」、「ココナッツ」VS「赤ちゃんのお尻ふき」だった。ほかにも、「カメムシ」「死んだ魚」「腐ったミルク」「歯磨き粉」「缶詰のドッグフード」「かびくさいチーズ」などがあり、この不快なフレーバーのリストは増え続けている。菓子屋による運試しのゲームだ。

ビーンブーズルで遊ぶのは、やはりYouTubeのおふざけ動画の一ジャンルとなった。いまごろグスタフ・ゴーリッツは、イリノイ州ベルヴィルの昔懐かしいキャンディーショップの前で困惑気味にカイゼル髭を撫でながら、キャンディーコーンの発明をした会社と、ウェブサイトで「JellyBelly.comはゲテモノジェリービーンズを買うのに最適な場所で、冒険好きな皆さんのためにラインナップをどんどん増やしています」と謳う会社をどうにかうまくまとめようとしていることだろう。

今日のジェリー・ベリーの物語は、フレーバーと化学、生物学、歴史、そして文化——フレーバーを想像、創造して、期待どおりの味の菓子を製造する文化——の物語だ。ジェリー・ベリーはいくぶん職人的なグルメ路線を打ち出しており、フレーバーをどのように売り出すかということが、その物語の中で小さくない部分を占めている。「わたしたちはいつも本物を調査するところからはじめます。ビーンブーズルの場合は、そこが面白いチャレンジになりました」と、同社はEメールでの取材で説明してくれた。「ジムで履いたあとの靴下を数週間ビニール袋に入れてみたり、ミルクを腐らせてみたりしました。フレーバー開発の工程はフレーバーによって大きく異なります。最大限そっくりになっているだろうかと、絶えず自分たちに問いかけています」

しかしフレーバーは複雑だ。そしてその歴史はいっそう複雑である。「キャビアやホロホロ鳥など、高級食材はいまもありますが、高級フレーバーはもはやありません」と、ある食品製造業者はルーシー・カヴァラーの一九六三年の著作『わたしたちのまわりの人工世界』の中で言っている。このヤングアダルト向けの本では、第二次世界大戦以後に世界が合成化学によっていかにつくり直されたかが説明されている。二一世紀には、ブルーラズベリーやアサイーのような新しい流行のフレーバーとともに、自然界のものに取って代わる新しい高級フレーバーが製造されていきそうだ。新しい化学フレーバーをめぐる興奮は、合成ダイヤモンドの話とよく似ている。

何がフレーバーを天然にするのか？　あるいは、本物に、真正にするのか？　その答えは、生物学、生化学、神経生理学、歴史、文化と多岐にわたる。

フレーバーは「天然」と「人工」のどちらかに分かれると考えるのは簡単だ。実際、現代の細かな食品表示、成分リスト、法規制はその二つの違いを強調しており、個々のフレーバーの歴史にかかわらず、「天然」と「人工」はとりわけ法的な面で厳密に定義されている。そしてこの二分法は、はっきりと、あるいはひそかに、消費者のあいだの風潮――フレーバーは本物か偽物に分けられ、「天然」は「よい」、「人工」は「悪い」――に変換されている。とどのつまり、フレーバーとは判断であり、人間としての経験を通じて味覚がどのように反応するかということなのだ。

しかし、そのような厳格な分類はフレーバーを進化させない。多くのものと同様、フレーバーも二つのはっきり異なるカテゴリに簡単に分けられるものではなく、まして「偽物かそうでないか」という話ではない。歴史が何かを示唆しているとしたら、わたしたちがどのフレーバーを本物、偽物と思うかは、これからも繰り返し変わるだろうということだ。

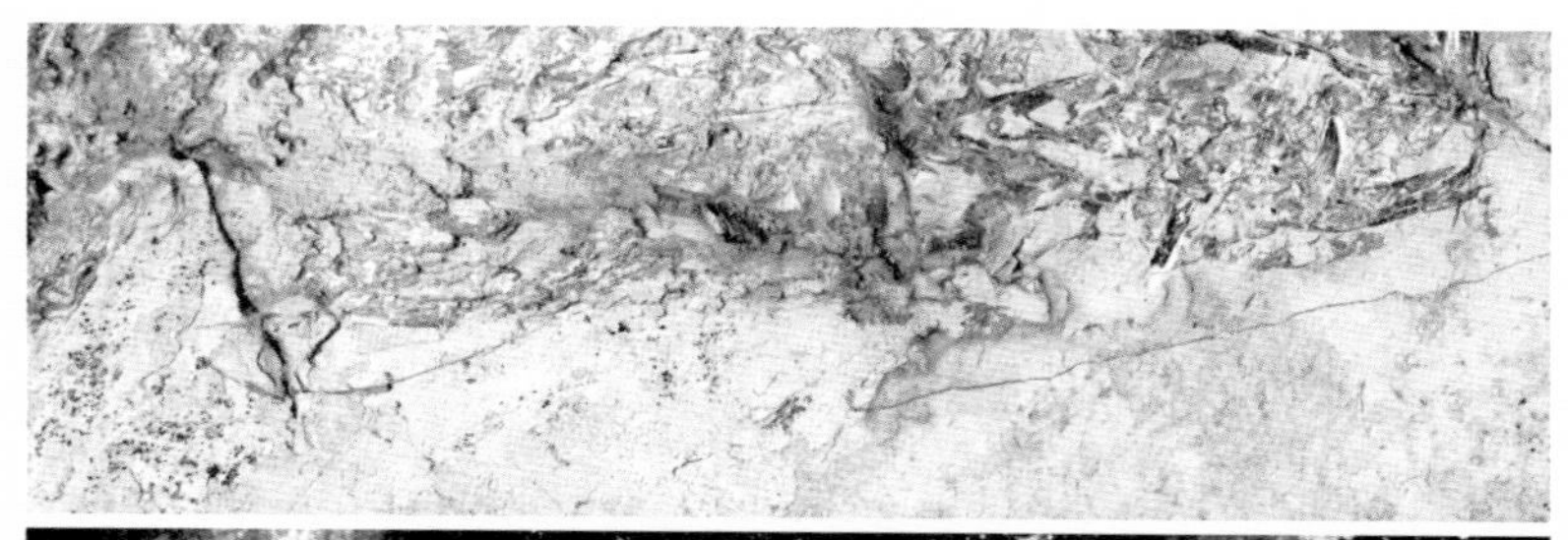

白色光のもとで見るミクロラプトルの頭骨（上）とレーザー励起蛍光法にかけたもの（下）。色の違いは物質の違いを表しており、つまりこれは合成標本だということだ［第二章］

ヨハン・ベリンガーの「嘘石」の2つの例。OUMNH T.23（左下）にはナメクジのような生き物が、OUMNH T.22（右下）には矢とブーメランのようなものが描かれている［第二章］

ウィリアム・ヘンリー・アイアランドによる、ウィリアム・シェイクスピアからアン・ハサウェイへの手紙とされるものは、彼の贋作の中でも特に人気がある［第一章］

The Letter runs line by line:—

Deareste Anna,

As thou haste alwaye founde mee toe mye Worde moste trewe, soe thou shalle see I have stryctlye kepte mye promyse. I praye you perfume thys mye poore Locke withe thye balmye Kysses, forre thenne indeede shalle Kinges themmeselves bowe ande paye homage toe itte. I doe assure thee no rude hande hathe knottedde itte; thye Willys alone hathe done the worke. Neytherre the gyldedde bawble that envyronnes the heade of Majestye, noe, norre honoures moaste weyghtye, wulde give mee halfe the joye as dydde thysse mye lyttle worke forre thee. The feelinge thatte didde neareste approache untoe itte was thatte whiche commethe nygheste untoe God, meeke and gentle Charytye; forre thatte virrtue, O Anna, doe I love, doe I cheryshe thee inne mye hearte; forre thou arte as a talle cedarre stretchynge forthe its branches ande succourynge smalle Plants fromme nyppinge Winterre orre the boysterouse Wyndes. ffarewelle, toe Morrowe bye tymes I wille see thee; tille thenne, Adewe, sweete Love.

Thyne everre,

W[M]. SHAKSPEARE.

A LETTER, FORGED BY IRELAND, PURPORTING TO BE WRITTEN BY SHAKESPEARE TO ANNE HATHAWAY.

イチジクの樹皮の紙でできたマヤのグロリア・コデックスは、紀元1021年～1154年に制作されたもので、金星暦が記されている。現在、この絵文書はメキシコシティの国立人類学博物館に収められている［第七章］

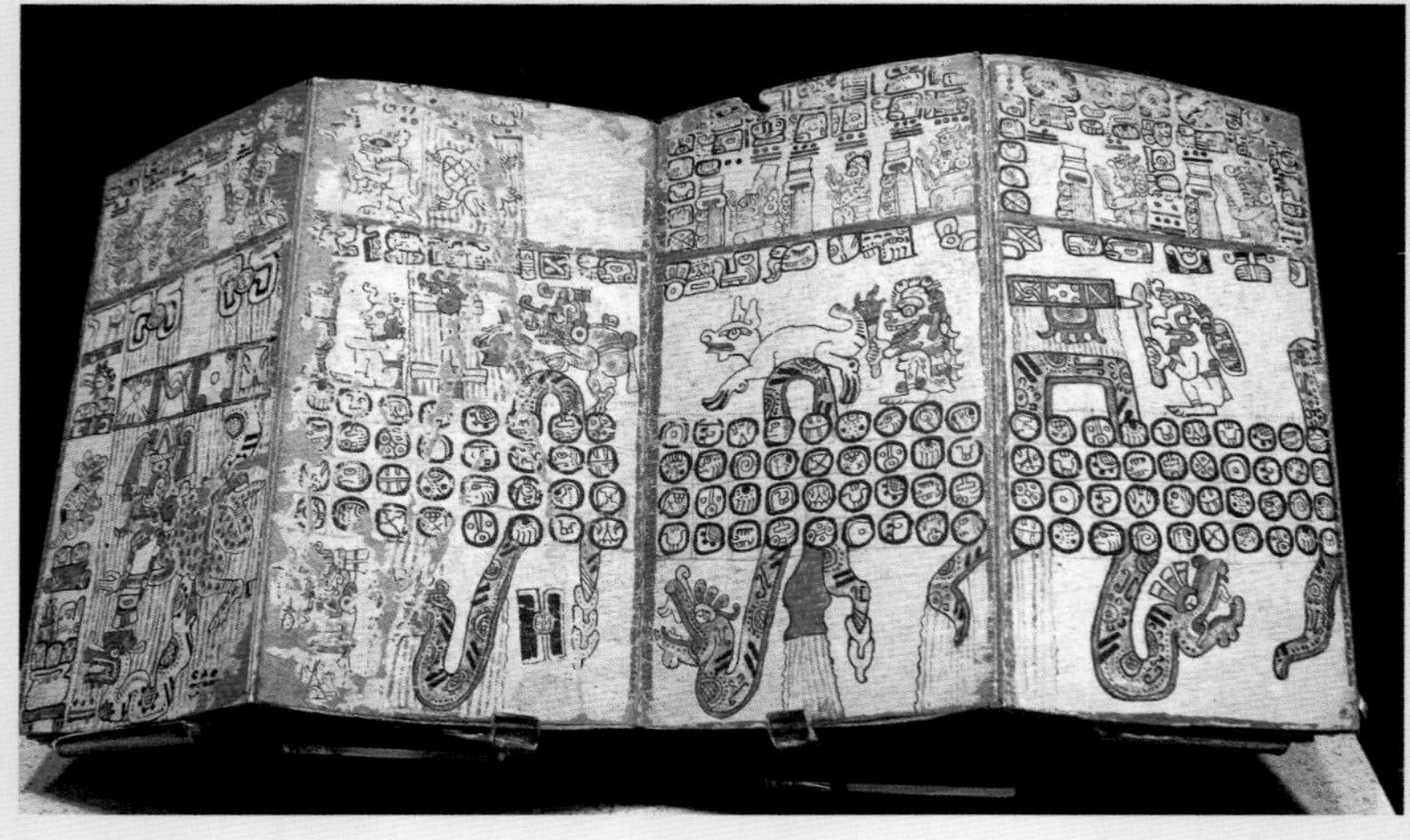

木に油絵の具で描いた、19世紀のスパニッシュ・フォージャーによる絵画。「年代物」らしく見せているひび割れと、スパニッシュ・フォージャーの特徴的な「手がかり」に注目してほしい。曲がった口、外向きの足、大胆なデコルテなどだ［第一章］

スパニッシュ・フォージャーが羊皮紙に描いた写本のページ。ページ全体に及ぶ「聖母マリアの訪問」の絵で、真正な15世紀の交唱集のページ（右下）の裏面に描かれている。これ見よがしな城とペロペロキャンディーのような木に注目してほしい。どちらもスパニッシュ・フォージャーの「手がかり」だ［第一章］

Œuvres de Lavoisier _ Tom. III _ Pl. IX.
A Grande Lentille à liqueur.
B Petite Lentille pour rassembler les raïons plus près.
C Centre de mouvement horisontal de toute la Machine.
D Manivelle servant à imprimer le mouvement horisontal.
E Manivelle servant à imprimer le mouvement vertical par le moïen des Vis 1 et 2.
F Vis de rappel pour éloigner de la grande Loupe la petite Lentille ou la rapprocher.
G Porte objet aïant le mouvement de haut en bas et de bas en haut celui d'avancer et reculer parallellement à la plate-forme et de s'incliner au degré du Soleil et de s'avancer parallellement aux raïons.
H Chariot ou Plate-forme portant toute la Machine et les Opérateurs.
I Roues du Chariot tendantes au Centre de mouvement par leurs Axes et roulantes sur des bandes de fer incrustées circulairement sur une plate-forme de pierre.
K Escalier pour parvenir sur le Chariot, il est soutenu de deux rouleaux excentriques.
DESSEIN en Perspective d'une Grande Loupe formée par 2 Glaces de 52 po. de diam. chacune coulés à la Manufacture Royale de St. Gobin, courbées et travaillées sur une portion de Sphere de 16 pieds de diam. par Mr. de Berniere, Controlleur des Ponts et Chaussées, et ensuite opposées l'une à l'autre par la concavité. L'espace lenticulaire qu'elles laissent entr'elles a été rempli d'esprit de vin il a quatre pieds de diam. et plus de 6 pouc. d'epaisseur au centre. Cette Loupe a été construite d'après le désir de L'ACADÉMIE Roïale des Sciences, aux frais et par les soins de Monsieur DE TRUDAINE, Honoraire de cette Académie, sous les yeux de Messieurs de Montigny, Macquer, Briffon, Cadet et Lavoisier, nommés Commissaires par l'Académie.
La Monture a été construite d'apres les idées de Mr. de Berniere, perfectionnée et exécutée par Mr. Charpentier, Mécanicien au Vieux Louvre.
A Monsieur De Trudaine.
Par son très humble et très obéissant Serviteur, Charpentier.

太陽炉で作業するアントワーヌ・ラヴォアジエ（ゴーグルをかけている）。ラヴォアジエはこの装置を使ってガラスの瓶の中のダイヤモンドを燃やした。その燃焼生成物を分析した結果、ダイヤモンドは炭素のみからなるとわかった［第三章］

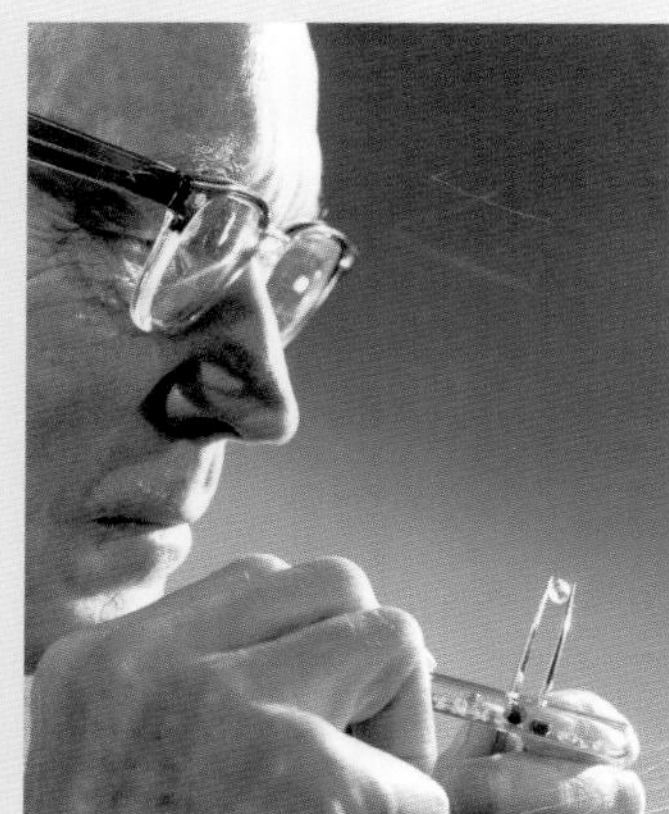

ラボグロウンダイヤモンドを調べるハーバート・ストロング（1970年）［第三章］

ラボグロウンダイヤモンドの開発にあたったゼネラル・エレクトリックのチーム（1955年）［第三章］

フィラデルフィア万国博覧会(1876年)の〈フローラル・ホール〉で展示された葉の多いバナナの木の立体写真［第四章］

農務省化学局・植物化学研究所の職員が、蒸留装置を使ってリンゴと桃の香気成分を濃縮している［第四章］

ブリティッシュコロンビア大学・ビーティ生物多様性博物館に展示されているビッグ・ブルー［第六章］

HE IS COMING! HE IS COMING!

THE MONSTER WHALE!

The Monarch Supreme of the Ocean!

The Giant of the Gigantic Creations of the Universe!

LENGTH, 60 FEET. ORIGINAL WEIGHT, 80,000 POUNDS!

Monday, August 29th, 1881,

FOR ONE WEEK ONLY (FAIR WEEK),

On High Street, at Entrance to Tunnel, 100 Feet South of Union Depot.

Open from 7 A. M. until 10 P. M.

Admission, : : : : 25 Cents. Children, : : : : 15 Cents.

DON'T FAIL TO BRING THE CHILDREN.

アメリカ自然史博物館の〈ミルスタイン海洋生物ホール〉でシロナガスクジラの模型を吊るしているところ。新聞の切り抜きは、1881年3月8日の『コロンバス・ディスパッチ』の一面より［第六章］

ウォルラス・カムで見るアラスカ・ラウンド島のセイウチ（2018年）［第五章］

ディズニーの映画『白い荒野』（1958年）は、レミングが崖から飛び降りて「集団自殺」する様子を見せたが、これは自然な行動ではない。のちの調査で、この場面は完全な演出だとわかった［第五章］

トゥールーズのジル・トセロの作業場。キャヴェルヌ・デュ・ポンダルクの一部を制作している［第八章］

ショーヴェ洞窟で発見された壁画をキャヴェルヌ・デュ・ポンダルクの壁に模写しているところ。ドキュメンタリー映画『Les génies de la grotte Chauvet』(2015年)より［第八章］

バンクシーの《ペッカム・ロック》。2005年、大英博物館にこっそり無断で展示された。その後、2018年の『わたしは抗議する!』展で、同博物館に貸与（返却）された［結］

第五章 セイウチカメラを通して見ると

アラスカのブリストルベイ北部では、毎夏、何千頭ものタイヘイヨウセイウチが、岩の多い七つの島々のどんよりとした灰色の浜辺に集まってくる。五月から八月にかけて、この牙の生えた哺乳動物は、何トン分も寄り集まり、大きな体を水中から持ち上げて、日光浴をし、グルーミングをし（背中を掻くのがお気に入りだ）、絶え間ない餌漁りの合間の休みをとる。このようなセイウチの行動を、生物学者は「ホールアウト」と呼んでいる。そして毎夏、Explore.org の〈ウォルラス・カム〉〔セイウチカメラの意〕のおかげで、何万人もの人がその様子を見ることができる。

一九六〇年、このアラスカの小さな群島は「セイウチ禁猟区」に指定され、ホールアウトのための場所を守るために、地上および海上の人の行き交いをしっかり管理するようになった。ブリストルベイ郡には法人化された町はなく、二〇一〇年の国勢調査によれば、二三三〇平方キロメートルほどの土地にわずか九九七人しか住んでいない。そのため、水と荒野に囲まれたこの禁猟区は、フィールド生物学者や熱心な野生生物写真家以外には非常にアクセスしにくい。しかし、人の数は少ないとはいえ、ラウンド島は世界最大の陸地のホールアウト場であり、ベーリング海峡に沿ってロシアとアラスカのあいだを移動するセイウチたちに、夏の休息のための海辺の土地を提供している。数ヵ月間、何千頭ものセイウチの群れがポイントレイの海岸線沿いで日なたぼっこをし、来る日も来る日も、髭の生えた顎に牙があたるほどぎっしり寄り集まって、何トンものイワシのようになっている。

セイウチの学名のオドベヌス・ロスマルスは、スカンディナヴィアの言葉で「歯を使って歩く海の馬」というような意味で、これは必ずしもこのひれ足動物の不正確な描写ではない。セイウチは、冬のあいだ、陸地から離れているときは、巨大な牙を梃子のように使って、水中から浮氷に出たり入ったりしている。古生物学者によれば、現代のセイウチの起源は一〇〇〇万年前にさかのぼるといい、牙のない祖先の化石が日本の沿岸で見つかっている。ほかの更新世の化石を見ると、セイウチやセイウチに似た祖先は過去数百万年にわたって寒冷な地域に住んでいて、地球規模の気候変動を受けて氷河地帯にとどまるようになったようだ。現存のセイウチは何千年も前から生態的に北極地方の氷河の環境と結びついているが、その行動には一年周期の季節性の動きがある。

この季節性の移動サイクルによって、セイウチは毎年ラウンド島の浜辺にホールアウトにやってくる。浜に上がるセイウチの数は、日によっても年によっても変わるが、アラスカ州漁業狩猟局は、ラウンド島で一日に見られた数として、一万四〇〇〇頭、一万頭、三万頭といった数を報告している。CNNは、アメリカ海洋大気庁の航空写真にもとづいて、二〇一四年九月二七日には三万五〇〇〇頭以上が見られたとも報告している。二〇一五年の夏も、ポイントレイの浜辺で膨大な数のセイウチが見られたが、この夏はウォルラス・カムが戻ってきた夏でもあった。

野生生物の研究者や保護論者のあいだで、セイウチ禁猟区は北方の繊細な生態系を学ぶ場であるとともに、気候変動とその環境への影響に関する教育・啓蒙活動の素材にもなっている。一〇年前、アラスカ州漁業狩猟局は、浜辺のセイウチのホールアウトにカメラを向けたライヴ配信をはじめた。これはネット上の野生生物ファンのあいだで大人気になったが、漁業狩猟局にはライヴ配信を続けるための技術的インフラと資金がなく、この配信を行っていたウェブサイトは頻繁にクラッシュした（二〇〇五年の時点で、YouTubeはインターネットの世界に生まれたばかりで、ライヴ動画配信の主要な場になるのは一〇年先だった。そのため、漁業狩猟局は自力で配信しようとしていた）。しかし、何万人もの人が何万頭ものセイウチを視聴するようになると、ウォルラス・カムのライヴ配信の能力は局のITチームが維持できる範囲を超え、ウォルラス・カムはその後一〇年にわたって深い冬眠に入った。

ウォルラス・カムが最終的に復活できたのは、Explore.orgの慈善事業のおかげだった。このマルチメディア組織は、野生生物や自然を紹介するプロジェクトなどの企画、資金提供を行っている（Explore.orgの最もよく知られたプロジェクトのひとつは〈ベア・カム〉だ。これは、カナダのブルックス・フォールズの小さな滝を映すライヴストリーミングで、アラスカヒグマがサケを捕まえるところが見られる）。Explore.orgの支援のおかげで、アマチュアの野生生物ファンは、二〇一五年以降毎夏、随意のインターネット環境から太平洋のセイウチのホールアウトを見られるようになった。アラスカ州漁業狩猟局は夏のあいだ、島に二台のカメラを設置して配信を行っている。ウォルラス・カムの人気ぶりは議論の余地がない。二〇一六年には、各種の動画ストリーミング・共有サイトで一三〇万人以上の視聴者を集めた。

今日、人々は、ウォルラス・カムの映し出す世界で、ピンクと茶色のまだらのセイウチが、ひれ足でお互いを叩き、牙で突き、固定カメラのフレームにふらふらと出入りするのを見ている。セイウチたちは浜辺をずるずると動きまわっていて、休んでいるセイウチでさえドラマを提供してくれる――ひれ足を別のだれかの目にぶつけたり、体がかゆくて掻いたり、別のだれかに近づきすぎて、パーソナルスペースを守るために牙が光ったり。背景で波が打ち寄せ、潮が満ちると、セイウチたちはよたよたと海へ戻っていき、注意深く耳を傾けてみると、鳥のガーガー鳴く声や、セイウチのブーブー鳴く声が、インターネット越しに聞こえてくる。何ともカジュアルな感じだ。

つまるところ、ウォルラス・カムが見せているのは、ふつうのセイウチが日々のことをする、セイウチのふつうの暮らしだ。ウォルラス・カムに台本はない。視聴者にストーリーを伝えるナレーターもいない。素人には気づきにくい細かな点や動きについて解説する科学者もいない(「ここに、群れのボスになろうと争っている二頭のセイウチがいます」「このセイウチは食糧探しで疲れているため、浜辺のほかの仲間たちに加わっていません」「これはセイウチではありません、鳥が上に止まった岩です」)。最高の映像を撮ろうと動物たちのあいだを進んでいくカメラクルーもいない。まったく台本なしで、自然界の動物を見るのである。

ウォルラス・カムは、見たことがある人ならわかるように、セイウチとのつながりの感覚をもたらしてくれる(わたしはある午後、ポイントレイビーチの映像を見ていて、三頭のセイウチにブラッド、サド、チャドという名前をつけた)。従来の野生生物・自然ドキュメンタリーのようなナレーションがないため、ウォルラス・カムの視聴者は、セイウチについてすでに知っていること、そしてウォルラス・カム、ウィキペディア、Explore.orgの掲示板で見つけた情報などにもとづいて、セイウチが何をしているのか想像する。

ウォルラス・カムは、その場にいなければ見られないホンモノの自然を見せると視聴者に約束している。

ウォルラス・カムのようなライヴストリーミングは、二一世紀独自のセイウチの観察法であり、これには、自分が目にしている自然の本物性、現実性、真正性への二一世紀独自の期待が伴っている。それは、過去数十年の野生生物ドキュメンタリーと、そういったものへの視聴者の期待に対する、ひとつの反応であるとともに答えである。野生生物ドキュメンタリーは、撮影された自然を見る絶対的な方法になっていて、その真正性には高い文化的威信、そして価格がついている。過去六〇年、野生生物ドキュメンタリーは専門知識・経験にもとづいて制作されてきたが、ライヴストリーミングは台本なしの方向に向かっている。前者はブロックバスター〔超大作を表す映像業界の用語〕の売り上げで勢いづいているが、後者はカメラを維持するのに必死だ。しかし、そのどちらにとっても要となるのは、視聴者が自分の見ているものは真正だと考えていることである。

ウォルラス・カムは、何万人もの視聴者を野生生物にあふれた浜辺へ連れていくが、セイウチが浜辺でホールアウトしている夏の数ヵ月しか動いていない。ほかの時期は、カメラは切られ、Explore.orgのサイトではウォルラス・カムの「ベスト版」が繰り返されているだけだ。一方、野生生物ドキュメンタリーは、このような季節性やロジスティクスに制限されない。お金さえ払えば、いつでも好きなように観られるようになっている。

このオンデマンド方式は、制作コストと視聴者の期待を反映している。自然を視聴者に届けるのはそもそも安価にできることではないし、野生生物ドキュメンタリーへの視聴者の期待が高まるにつれ、制作費が上昇している。Explore.orgは北極地方の生態系を比較的低コストで配信できているかもしれないが、そのような無干渉主義は、競争激しく、儲けの大きい、有名人を起用したブロックバスターのビジネスでは通用しない。

野生生物ドキュメンタリーを視聴者に届けるコストには、時間、手間、経費という要素があるが、二一世紀のブロックバスターはそのすべてに大々的な投資をしている。二〇一七年一〇月に『ブループラネットⅡ』が放送されたとき、BBCの自然史班が撮影、制作、配給にかけた費用は二五〇〇万ドルほどだと言われた。このジャンルを確立した二〇〇六年の画期的な作品『プラネットアース』は、一話あたり二〇〇万〜二二〇万ドル、全体で一一〇〇万ドル強だったとされている。ナショナルジオグラフィックとディスカバリーチャンネルは、一話あたり少なくとも四〇万ドルを計上している。『皇帝ペンギン』(ワーナー・ブラザーズ配給、二〇〇五年)は、予算八〇〇万ドルと謳っていた。くらくらするような額だ。

しかし、作品を残すための撮影には、金銭だけでなく、かなりの時間、手間、専門知識・技術が注ぎ込まれている。たとえば『ブループラネットⅡ』は、四年間の制作期間の中で、一二五回ほどの遠征を行い、水中に潜っての撮影を六〇〇〇時間以上、潜水艇での撮影を一〇〇〇時間以上行ったという。『プラネットアースⅡ』(二〇一六年)の鮮明で壮大な映像は、最初の『プラネットアース』からの一〇年のあいだに発展したカメラ技術の結果である。視聴者はスタジオが圧倒的な時間と手間をかけて作品を生み出していることを知っている。なぜなら、作品自身がそう教えているからだ。二一世紀の代表的な野生生物ドキュメンタリーはどれも「舞台裏」を公開し、制作にどれほどの時間と創造性が必要だったかを視聴者に見せている。このような手間と専門知識・技術のコストは、壮大な映像そのものと同じくらいこのジャンルを定義するものになっている。

そういったものの報酬として、スタジオは、映像を視聴、観賞し、お金を払う、膨大な数の視聴者を獲得する。たとえば『プラネットアース』は、空前のDVDセールスを記録し、最終的に一三〇ヵ国で放送され、延べ一億人が視聴した。五年後、イギリス人の四八パーセントが、『フローズンプラネット』（二〇一一年）を少なくとも一五分は見た。二〇一七年秋に『ブループラネットII』が放送されると、その第一話は一四〇〇万人が視聴し、すぐにその年イギリスで最も多くの人が見た番組になったうえ、『プラネットアースII』――視聴者数は最大でたった一三一〇万人だった――を超えて、過去一五年で最も人気の自然史番組になった。『プラネットアースII』の数字も、実のところ、有名人が出演するダンス番組『ストリクトリー・カム・ダンシング』よりも一七〇万人多い。この視聴者数だけでも驚くべきものだ。

人々が伝統的な野生生物ドキュメンタリーに期待するのは、卓越したフィルムメイキングと感情を揺さぶるストーリーテリングによってまとめ上げられた、観終わったあとも長く心に残る見事な映像作品である。「野生生物好きはどの世代も、自分が数十年前に見た映像作品に影響を受けている」と、野生生物ドキュメンタリーのプロデューサーであるクリス・パーマーは自叙伝『野生を撮る――当事者が語る動物界の映像制作』で説明している。『『伝説の死』であれ、ジャック＝イヴ・クストーの『沈黙の世界』であれ、マーリン・パーキンスの『野生の王国』であれ、ディズニーの『トゥルーライフ・アドヴェンチャーズ』シリーズであれ、画面に映っていたものが自然への興味を湧き立たせた」

最も基本的なレベルで、野生生物ドキュメンタリーがジャンル全体として主眼を置いているのは、自然の生息地に生きる動物や植物の姿を人々に伝えること、そしてストーリー、壮大な映像（スペクタクル）、科学を通して、興味をかき立てることである。一九四八年にディズニーが『トゥルーライフ・アドヴェンチャーズ』の第一作を公開して以来、人々はストーリーの要素を期待するようになり、二一世紀のドキュメンタリーはそのような歴史的前提にもとづいて制作されている。

皮肉屋は、二一世紀の野生生物ドキュメンタリーのコストが急騰しているのは、資本家が自然を搾取していることの表れにすぎないと言うかもしれない。視聴者はすごい映像を見たがるように調教されているため、制作者はつねにそれに合わせて次の大物を探し、動物や環境を実質的に商品化している。「そのような放送界の土壌では」と、科学技術研究家のエリナー・ルーソンは、『サイエンス・イン・コンテクスト』に寄せた野生生物ドキュメンタリーに関する記事の中で論じている。「プロデューサーは、最初に出費をし、壮大な映像を獲得しないかぎり、儲けるのは難しい」。どんな動物をどんなふうに見られるのだろうか、と期待感を抱かせることは、制作者が視聴者を満足させるうえで必須になっている。そしてわたしたち視聴者はひとまず疑念を持つのを差し控え、制作者による野生生物のドラマ化の真正性を、自分が見ているものは正真正銘の本物だと信じることにしている。

面白いことに、何が映像を「本物の自然」にするか、そしてその本物性を視聴者に伝える最善の方法は何か、ということは時代とともに変化する。つまり、一九四八年のディズニーの野生生物ドキュメンタリーで本物だったものは、二〇一八年のBBCでは本物ではないかもしれないのである。そしてドキュメンタリーの歴史から考えると、二〇一八年において本物であるものも、次の五〇年のうちにはそうではなくなっているだろう。このような変動性から、重要なのは何なのか、なぜそれが重要なのか、という問いが生じる。制作者、視聴者、スタジオのだれもが、リアリティ、真実、本物性こそが野生生物ドキュメンタリーの価値を強調、正当化すると考えているかもしれないが、何が真正性を担保するのかを特定するのは少し難しい。

一九五七〜八七年にBBC自然史班のプロデューサーを務めたメディア理論家のジェフリー・ボズウォールによれば、まず何より二つの要素が真正な野生生物ドキュメンタリーを定義する。それは、視聴者が騙されていない、制作の過程で動物が傷つけられていない、ということだ（実際、評価の高い野生生物ドキュメンタリーのプロデューサーの中で、視聴者を騙したり動物を傷つけたりしていいと考えている人を探すのは難しいだろう）。ボズウォールはのちにこの基準を広げ、どの部分が脚色かについて画面上で断りを入れることを勧めた。ボズウォールの前提は納得しやすいが、ぶれることなく実践するのは難しいことが多い。協力的ではないかもしれない動物たちのストーリーを語ること、必要な映像が容易に得られない状況でドキュメンタリーを撮ること、動物に苦痛を与えるかもしれないものを撮ることはとても大変なのだ。一つ目のルールを守ることで、二つ目を破ってしまうこともあるだろう。

ここで制作者は、芸術と細工を巧みに混ぜ合わせ、ストーリーテリングの世界に入っていく。その二つのバランスはつねに折衝中で、変化、進化し続ける期待に応えようとしている。

視聴者は、野生生物ドキュメンタリーに、真正性、倫理性、壮大な映像を期待するのと同じように、引きつけられるストーリーも期待している。そしてそのようなストーリーがどのように語られてきたかということにも、それ自体の物語、歴史がある。

一九四〇年代後半、ウォルト・ディズニー・カンパニーは、革新的な映画シリーズ『トゥルーライフ・アドヴェンチャーズ』をスタートさせた。第一作は『あざらしの島』(一九四八年)だった。ウォルト・ディズニー自身が、第二次世界大戦中にアラスカに駐在していた軍人たちから話を聞き、アラスカ紀行映画というアイデアに惹かれていた。彼はこのアイデアをお気に入りの部下のひとりに伝えた。いわく、アラスカは「われわれの最後のフロンティア、米国最後の未開発地域だ。そこに写真家を送るべきだ。調べておいてくれ」

ディズニーは撮影技師のエルマとアルフレッドのミロッテ夫妻を雇ってアラスカに行かせ、一九四七年の一年間、どんなものが撮れるか試させた。ミロッテ夫妻は三万四八〇〇メートルのフィルムを持ち帰り、コスト面でディズニーの会計チームを慌てさせた。彼らの映像は、人々、動物、環境にフォーカスしたものだった(ウォルトの兄ロイは、『ピノキオ』の監督のベン・シャープスティーンに、「ウォルトはアラスカで何をしようとしているんだ?」と訊いた。「ていのいい紀行映画でもつくるんじゃないですか」というのがシャープスティーンの答えだった。実のところ、シャープスティーン自身がのちに「ていのいい紀行映画」を監督することになる)。

ウォルトがミロッテの映像にそそられるようになったのは、一〇歳の娘をアラスカに連れていき、息をのむ壮大な光景からどのようなストーリーを生み出せるかを知ったときだった。その旅のあいだに、ウォルトはアザラシを見つけた。それは可愛く、感じがよく、興味深く、ディズニーの観客にとってまったく馴染みのないものだった。十分なバックストーリーがあれば、『バンビ』のようなディズニーの動物映画のノンフィクション版ができるのではないかと、構想が膨らんでいった。

「われわれが持っているものを使って、アザラシの生活のストーリーをつくってみないか。アザラシにフォーカスするんだ——人間を見せてはいけない」とウォルトは提案した。「劇場公開に向けて準備するが、長さは気にしなくていい。必要なだけの長さにして、アザラシのストーリーを語ってほしい」

この短編映画はわずか二七分のものになった。ウォルトは仕上がりに興奮し、『あざらしの島』を自然映画シリーズの第一作にすると宣言した(第二作以降のアイデアはなかったが)。スタジオの幹部の中にはアザラシの群れを題材にした映画をつくるという考えそのものに尻込みする人もいたが、ディズニーは観客の興味を実証するためにこの映画を観客に直接届けることにした。

一九四八年一二月、ウォルトはパサデナのクラウン・シアターを運営していたアルバート・リーヴォイを説得し、『あざらしの島』を長編と併映してもらった。五〇〇〇枚のアンケートが観客に配られ、その結果は見事なものだった。観客は本編よりも『あざらしの島』のほうを気に入ったのである。それだけでなく、このような作品をもっと観たいということだった。

『あざらしの島』は一九四九年にアカデミー短編映画賞（短編二巻）を受賞した。この映画は、オープニングクレジットで、「リハーサルも演出もない」と謳い、アニメーションの絵筆でアニメーションの海霧が払われると、そこから実写のパノラマが現れる。ナレーターは、〈あざらしの島〉では「自然が最高のドラマを演じる……」と言い、これからご覧いただく映像は「壮大な劇」だと告げる。つまり、『あざらしの島』はエンターテインメントだが、「真正（オーセンティック）」でもあるのだ。

一九四八〜六〇年に一〇本の短編と四本の長編が公開された『トゥルーライフ・アドヴェンチャーズ』シリーズは、メディア史家のモーガン・リチャーズいわく、野生生物映画というジャンルを定義した。このシリーズは、当時の観客にとって馴染みのあったサファリ、科学教育、動物行動学映画の語り口を合成し、すでに人気だったディズニーのアニメ、コメディ、西部劇の要素をブレンドしていた。「ディズニーのブレイクスルーは、自然界をドラマ化し、フルカラーの映像と豪華な音楽で野生動物と自然に生命を吹き込んだことにあった」と、リチャーズは『環境紛争とメディア』に寄せた文章の中で述べている。「何より、つやつやした仕上がりとドラマ性が、ディズニーの映画をほかの野生生物映画とは違うものにし、商業的な強みを与えた。そしてその強みは、ディズニーが配給を独占したことでますます磨かれていった」

『トゥルーライフ・アドヴェンチャーズ』は、あらゆるタイプのアメリカの荒野を舞台にしている。『あざらしの島』の極北アラスカからフロリダのエヴァーグレーズ湿地まで、アリゾナの砂漠からオレゴンの大草原まで、動物たちとその生息地は観客を魅了した。あらゆる種類の魅力的な動物を取り上げ、一九五三年に『熊の楽園』が公開されたときは『ニューヨーク・タイムズ』で激賞された。「『熊の楽園』は、ディズニー・スタジオが制作してきた素晴らしい自然映画シリーズの一作で……」と、ボズレー・クラウザーはレヴュー記事に書いている。「本作はアメリカの野生のクマの環境と習性を研究し、この愛らしい動物のたくましさと狡猾さを明らかにしている。この映画で最も愉快な場面は、クマたちがテンポのいいボレロのリズムに合わせて体を掻いているモンタージュである。編集のトリックではあるが、楽しいものだ」（一四年後、観客はこの背中を掻くクマに再び出会う。ディズニーのアニメ映画『ジャングル・ブック』で、クマのバルーが「ベア・ネセシティ」を歌いながらそのような動きをするのである）。これはディズニーを通して発見され、説明され、パッケージ化され、擬人化されたアメリカの荒野だった。

『トゥルーライフ・アドヴェンチャーズ』の成功のカギは、殺菌された感傷的な自然を観客に届けたことだった。自然は調和のとれたものではないかもしれないが、うまく道徳性を盛り込んで、飲み込みやすいストーリーにすることはできた。『あざらしの島』では、オスのアザラシは「ビーチマスター」と呼ばれ、メスは「花嫁」と呼ばれる。ある場面では、陽気なアレンジの「婚礼の合唱」が流れる。

哲学者のデレク・ブーゼは著書『野生生物映画』でこう言っている。「動物の家族や社会的関係を描いた野生生物映画は、巨大なロールシャッハの模様のようなものを見せていて、そこには、男らしさ、女らしさ、恋愛、一夫一婦婚、責任ある子育て、公共精神……という文化的に好まれている概念がすべて読み取れる」。『トゥルーライフ・アドヴェンチャーズ』以後の数十年、成功した自然映画はディズニーの手法にのっとっていた――名高い巨大動物（大型ネコ科動物、霊長類、ゾウ、捕食者）を取り上げる、動物たちを「原始の荒野」に置く、ドラマティックでサスペンス感のあるストーリーラインを持たせる、そして、科学や政治などの論争を起こしそうな要素は基本的に入れない。

自然を人間の暮らしの寓話に変えたのは、決してディズニーが最初ではない。「ゆっくり着実な者がレースに勝つ」と助言するイソップの「ウサギとカメ」から、純粋な自然の化身を二〇世紀に描いたジャック・ロンドンの『白い牙』まで、人間は昔から自分たちのイメージで動物をつくってきた。しかし、『トゥルーライフ・アドヴェンチャーズ』がほかと違うのは、その後のあらゆる野生生物ドキュメンタリーの土台をつくったことだ。

このように道徳性を持たされた巨大動物は、ストーリーテリングを成功させる確実な素材だったが、二〇世紀後半にはディズニーの王道的な手法に巧みに戦いを挑むスタジオも出てきた。ディスカバリーやナショナルジオグラフィックのようなスタジオはディズニー風の作品（業界では「優良株」と呼ばれる）を制作し続けたが、いくつかのスタジオ、特にBBCは別の方法を模索し、娯楽作品が見せる人間と環境の境界を乗り越えようとしはじめた。書物と剝製標本に囲まれた部屋で、ツイードの服を着た博物学者がさまざまな動物の暮らしを解説する、講義形式の番組をつくるスタジオも出てきた。この時代の象徴は、一九七九年にスタートしたBBCの『ライフ・オン・アース』シリーズで聞かれた、デヴィッド・アッテンボローの心地良いナレーションだ。

一九九六年一〇月、BBC1は、東アフリカの大型ネコ科動物の暮らしを取り上げた新しいシリーズ、『ビッグ・キャット・ダイアリー』をスタートさせた。このシリーズで使われた映像は、揺れがあって不完全で、ディズニーが制作してきたものと比べて洗練されていなかった。『ビッグ・キャット・ダイアリー』のアイデアは、ケニアの禁猟区で大型ネコ科動物（ライオンの群れ、チーターの家族、ヒョウの家族）の日常を撮影するクルーの姿を視聴者に見せるというものだった。「ここはケニアのマサイマラ。野生生物を見るのに地球上で最高の場所のひとつです」と、『ビッグ・キャット・ダイアリー』のプレゼンターのサイモン・キングは言う。「しかしこのシリーズではそれをまったく新しい方法で見ることになります。これから六週間、わたしたちはアフリカの大型ネコ科動物の暮らしを細部まで追いかけ、動物たちの苦難や幸運をそのままのかたちで毎週報告します」

これは自然版のリアリティショーだった。生々しく、エッジがあり、リアルだった。全七六話のそれぞれのタイトルバックにもこの新しい美学が見られた。前足で引っかき合うライオン、獲物を追うチーター、フレームに出入りする象徴的な動物たち、でこぼこした草原の道をさまよう撮影クルー。その背景にはマサイの歌とドラムビートが流れている。最後には、泥まみれのジープのフロントドアに描かれた『ビッグ・キャット・ダイアリー』のロゴが映る。クルーがまさにサバンナの冒険から出てきて、大型ネコ科動物の驚くべき行動の一部始終を見せてくれているようだ。これは、映像業界の用語で言うところの、ドキュソープ〔ドキュメンタリー形式のリアリティーショー〕だった。

『ビッグ・キャット・ダイアリー』を、カーダシアン家〔人気番組『カーダシアン家のお騒がせセレブライフ』に出てくるセレブ一家〕がライオンになったリアリティショーだと片づけるのは簡単だが、このBBC1のシリーズは、自然を観る意味についての新たな美学を視聴者に否応なく受け入れさせた。視聴者は、意識的にせよ、そうでないにせよ、それ以前の王道的な『トゥルーライフ』式の作品とは違うかたちで、自分が見ているものが本物なのかを判断することになった。それまでの野生生物ドキュメンタリーが本物だったのは、ストーリーとナレーターが観る人にこれは本物だと考えさせたからだ。一方、『ビッグ・キャット・ダイアリー』が本物なのは、映像が撮影され編集されているところを見られるからだった。動物たちが何日も「面白くない」ことをしていたとしても、それが動物のしていることなのであり、それを視聴者は見るのだ。

そのため、『ビッグ・キャット・ダイアリー』のナレーターは第三者の立場から超然と解説をする全知の存在ではなかった（レックス・アレンやウィンストン・ヒブラーのようなディズニーの初期のナレーターは、二〇世紀中頃のアメリカ文化を象徴する存在になっており、その声は彼らが話す荒野のイメージと結びついて記憶されていた）。『ビッグ・キャット・ダイアリー』は、有名人のプレゼンターがナレーションを務める自然番組の先駆けになった。そのような有名人を起用した野生生物ドキュメンタリーは、二〇世紀末〜二一世紀初頭の多くのシリーズ（スティーヴ・アーウィンの『クロコダイル・ハンター』など）で大人気になる。しかしこのタイプの手法は両刃の剣である。つまるところ、これは動物が題材ではない。プレゼンターが題材なのだ。動物に台本はないのだから、プレゼンターがストーリーを語らなければいけない。批評家は彼らの多くを「目立ちたがり」と嘲笑った。そしてこれらのリアリティ重視の作品は、それまでの作品とは違うかたちで、本物とそうでないものの境界をあいまいにした。

『ビッグ・キャット・ダイアリー』は視聴者に作品の制作の過程を見せることで、真正性――あるいは、少なくとも真正性と認識されるもの――を示した。視聴者は、映像を撮ることの難しさを知り、野生生物ドキュメンタリーを制作するには長い待ち時間が必要であることを見てとる。リアリティ・ドキュソープは、これは自然が意図したとおりの本物の自然であり、BBC1のおかげでその真実をその場で見ることができる、と約束していた。以前の野生生物ドキュメンタリーは意図的に人間を画面から排除していたが、リアリティ・ドキュソープでは、人間はそこに、最前線にいる。見る人が見られる人になり、クルーと制作者は野生生物ドキュメンタリーのストーリーの一部として堂々と認められたのである。

『『ビッグ・キャット・ダイアリー』では、野生動物の暮らしが新しい方法で撮られ、編集されていた」と、モーガン・リチャーズはドキュソープに関する学術的な評論の中で述べている。「視聴者に提示されたのは、詳細で、個人的で、あからさまにラフな野生生物の映像だった」

成功している野生生物ドキュメンタリーは、技巧とテクノロジーを進化させ続けており、ディズニーの歴史的遺産と視聴者の力を合わせて活用している。今日当たっているのは、ブロックバスターの一大エンターテインメント作品で、喝采と期待のもとに大ヒットを記録している。『プラネットアース』二作、『ブループラネット』二作、『フローズンプラネット』など、二一世紀のドキュメンタリーは、莫大な予算、大物出演者、劇的なストーリー、舞台裏の映像、賞レースを制する音楽、続編、さらにはネタバレを売り物にするようにもなっている。

メディアの世界では、ブロックバスターは商業的に成功した一作品以上のものだ。その裏には大規模なマーケティングがある。動物のぬいぐるみ、サウンドトラック、そして多くの舞台裏映像が売られる（複数のわたしの同僚が、『ブループラネット』のサウンドトラックがお気に入りのサウンドトラックだと言っている）。スタジオはとんでもない大金を、撮影、執筆、制作、配給に費やしている。ならば、観客からより多くの金を搾り取る方法をできるかぎり見つけようとするのは当然ではないか？

そのため、ブロックバスター作品は、視聴者のスペクタクルへの期待の上に、スペクタクルの力を利用することで成り立っている。YouTubeが支配する世界で、無料で見られる動物の映像に金を払うのはなぜか。金を払う視聴者は、粗い映像や退屈な語りには我慢できない。ブロックバスターの視聴者は、ほかでは見られないものを見たい、これまで聞いたことのない話を聞きたいのだ。ブロックバスターの自然ドキュメンタリーはその望みを叶えてくれる。

野生生物ドキュメンタリーのブロックバスターモデルを生み出したのは、BBCで自然史班のディレクターを務めていたアラステア・フォザーギルと、二〇〇一年に放送された最初の『ブループラネット』シリーズだ。フォザーギルがスタジオを説得し、六七〇万ポンド（一〇〇〇万ドル）の費用と七年の年月がかかった同シリーズの制作がはじまった。このような時間と金の投資は野生生物ドキュメンタリーの世界では前代未聞だったが、フォザーギルの賭けは成功した。結果として一二〇〇万人以上がこのシリーズを視聴し、五〇ヵ国以上で売れ、たびたび三〇パーセントの視聴率を獲得し、エミー賞と英国アカデミー賞を受賞した。二〇〇三年には、九〇分の独立した映画として再編集され、二〇〇六〜〇八年には劇場公演（『ブルー・プラネット・ライヴ！』）も行われた。これは本当にスペクタクルだった。

しかし、スペクタクルは複雑なものだ。自然は何世紀も観賞、観察されてきた。ディズニーがアザラシを撮影するよりも、あるいは『プラネットアースⅡ』がヘビの集団との競走に勝つイグアナの壮大なサーガを見せるよりもずっと前、アマチュアやプロの愛好家たちは、自然史のジオラマ、さまざまな珍品、鮮やかに彩られた風景と標本を通じて畏怖と驚きの気持ちを育みながら、自然界とつながっていた。画家は力強い色を使い、製本屋は通常の本よりも大きな判の書物をつくり、剝製術師は死んだ動物の中でも特に堂々たるものだけを剝製にし、コレクターは特に注目度の高い標本をめぐって競い合った。

自然は威厳と驚きをもたらすものであり、それを伝える媒体もそれに匹敵するものでなければならないというわけだ。現代の野生生物ドキュメンタリーも、畏怖を抱かせる驚異的なものとして自然を見せる、何世紀も前からの風潮にしたがっている。そして、スペクタクルの力となるスペクタクルな映像は、自然史の視覚文化の伝統的な形式とつながっている。積極的な参加者──となって、やはりスペクタクルを見ている。「現代の野生生物ドキュメンタリーに見られる魅力も続いている。視聴者は観察者──自然を見るというプロセスの中にいる積極的な参加者ルーソンは現代の野生生物ドキュメンタリーに関する研究の中で述べている。「驚きと畏怖を引き起こすようにつくられていて、イメージ形成、収集、公開という昔からの流れを繰り返している」

『プラネットアース』はブロックバスターとしての野生生物ドキュメンタリーを体系化したが、この画期的なシリーズを「良作」にするには痛みを伴った。このシリーズの視覚的なスペクタクルに異を唱える人はほとんどいないが、スペクタクル、科学、ストーリーテリングのバランスは、最近のドキュメンタリーでは劇的なものを好むほうに少しずつ傾いてきている。視覚イメージに影響を受けた視聴者の期待と反応が、含みのある洗練されたストーリーを追いやってしまったようだ。「自然ドキュメンタリーは、テクノロジーのおかげで人を引きつけるものになっているが、それによって幅を狭められてもいる。美しい、高解像度の、スローモーションの、間近で撮った動物の映像があったとしても、それをただ見せて語るだけでは足りない。盛り上がりが必要なのだ」と、科学ジャーナリストのエド・ヤングは『アトランティック』で述べている。「野生生物ドキュメンタリーのストーリーテリングの言語はより映画的になり、ひとつひとつの場面が長くなっている。それゆえ必然的に、同じ時間の中で見られる素材の量は減る」

スペクタクルな映像に加え、現代の視聴者は、野生生物ドキュメンタリーが科学と環境の問題を広く理解させる重要な役割を持つものであること、環境保護の言説を正当化する大きな文化的威信を持つものであることを期待している。

しかし、野生生物ドキュメンタリーは初めから科学界のお墨つきだったわけではなく、二〇世紀の最初期の作品の多くは、娯楽ビジネスとそれに伴う儲けにはっきりと重きを置いていた。BBCの『フローズンプラネット』の最終話が気候変動の環境への影響と現実について論じたとき、ディスカバリーチャンネルはこの「環境的」なエピソードをアメリカの視聴者向けには放送しないほうがいいと考えた。イギリスの視聴者よりもこういった話に気乗りしないだろうからだ。ディスカバリーは、ホッキョクグマの生態系の変化や、その変化における人間の影響を理解しようとする不愉快な科学の議論はせずに、ただホッキョクグマを取り上げたかったのだろう。結局、国際的な反発を受けたディスカバリーは軟化し、「気候変動」のエピソードをアメリカの視聴者に向けて放送した。結果はどうだったか？　ディスカバリーは儲け、北極は溶け続けている——従来どおりということだ。

環境科学を紹介するのは、実のところ、自然についての物語り方としてはわりと新しいもので、まだどこか危うさがある。いまのわたしたちは、親しみやすい博物学者が動物の暮らしについて説明していた時代、さらには、『トゥルーライフ・アドヴェンチャーズ』が建前上の教育的価値を持っていた時代からずいぶん遠いところへきたのだ。現在、ブロックバスターのドキュメンタリーはそれぞれの先行作品を超えようとしているが、映像はスペクタクルなままでも、ストーリー、そして科学についてはおぼろげになりやすくなっている。ほとんど、スペクタクルのためのスペクタクルになっているかのようだ。野生生物ドキュメンタリーのファンの多くは、BBC自然史班による直近のシリーズ『ブループラネットⅡ』はメッセージとスペクタクルのバランスがよくなったと言っている。「前シリーズはテクニカルな妙技とエモーショナルな効果のためにストーリーテリングの巧みさと教育的な深みを犠牲にしていた感があったが、『ブループラネットⅡ』はついにそれらをすべて結びつけた」と、ヤングは『アトランティック』に寄せた『ブループラネットⅡ』のレヴューで述べた。

野生生物ドキュメンタリーはいま、もはやスペクタクルがそれ自体としてはすべての視聴者の期待に応えられないところに向かっているのかもしれない。

ここで、わたしたちは自分が見ているものをいかに信じるのか、なぜ信じるのかという問いに戻る。野生生物ドキュメンタリーの成功は、自然の壮大な現実——つまり真正な自然とそれを彩る野生生物たち——を視聴者に見せられるかどうかにかかっている。わたしたちは、野生生物ドキュメンタリーは真実だと考えている。ビッグフット〔未確認動物〕の粗い映像よりも少しばかり文化的に信頼できるものだと考えている。わたしたちが野生生物ドキュメンタリーを真実だと思うのは、そう明言されているからだ。あるいは、その映像にまつわるストーリーを信じているからだ。わたしたちは自分が見ているものは本物だと考える。そして本物であれば、それは真正に違いない。思い出してほしい、ディズニーははっきりと、『トゥルーライフ・アドヴェンチャーズ』は「完全に真正で、演出もリハーサルもない」と言っていた。

野生生物ドキュメンタリーの真正性の問いは、巡り巡って倫理と最善慣行(ベストプラクティス)の議論に戻り、再びジェフリー・ボズウォールの、真正な野生生物ドキュメンタリーは視聴者を騙さず、動物を傷つけない、という主張に戻る。このベストプラクティスの二つのルールにしたがえば自動的に真正なドキュメンタリーになる、と考えるのは簡単だ。しかし、制作者と視聴者の関係は基本的に信頼のもとに成り立っている。したがって、視聴者が、操られている、騙されていると感じたら、そのドキュメンタリーは真正性を主張できなくなる。「野生生物ドキュメンタリーの歴史は、自然史という学問そのものの歴史のようだ。自然界に映し出された、真正性と細工のあいだの緊張関係の歴史だ」とエリナー・ルーソンは言っている。しかし、そのベストプラクティスの二つの柱のあいだに、脚色とストーリーテリングのトリックに満ちたグレーな空間がある。それは細工と真正性の線上を行き来しながら、野生生物ドキュメンタリーを本物の荒野の本物の動物を見るための興味深い方法にしている。

細工という面では、制作者が視聴者を騙す方法はたくさんある。たとえば、通常は触れ合うことのない動物（セイウチやヌーなど）を見せたら、それは自然ではない。あるいは、動物に何らかの行動をするように促したとしたら（捕食者同士の対決をけしかけたり、鳥を脅かして巣から追い払ったり）、本物ではあるが、不自然だ。ひどいフェイクだとも考えられるだろうか？　動物を感傷的に描き、誇張し、過剰に劇的にする。制作者はそうして本物をもとに不自然なストーリーを組み立てている。一方、ある種の細工は倫理的な野生生物ドキュメンタリーをつくるのに欠かせない。ある種の映像を得るために、制作者はしばしば飼育場や動物園の飼いならされた動物の映像を組み入れ、ストーリーの一部を伝える。また、撮影後に映像をデジタル処理することは、不完全な素材をカバーするのに役立つ。最近では、ＣＧＩによって映像制作のコストの削減が実現しようとしていて、コンピュータを利用した離れ業がこれからのドキュメンタリーでは見られるかもしれない。

野生生物ドキュメンタリーで演出をすることは、制作者にとって、自分たちと動物への危険を軽減することになる。そのような多くの例で、「ふつう」の状況では撮影できない行動がとらえられている。飼育場の飼いならされた動物を使うことも、映像をデジタル改変することも、制作者が荒野に出ることを減らすための交換条件である。これには少しばかり皮肉がある。一級のドキュメンタリーとは、科学的な真正性を持つ本物の物語だ。しかし、そのためには細工やフェイクを用いる場合もあるのである。

「この複雑な問題に対して、わたしは実際的な面と倫理的な面からアプローチしようとしている」と、野生生物ドキュメンタリー制作者のクリス・パーマーは回想録で自らの作品について言っている。「たとえば、ロブスターの産卵など、動物のその場かぎりの行動の詳細を撮ろうとしているとしよう。捕獲されていないロブスターを水中で追って、適切な瞬間と光を待つのは実際的ではないから、水槽に入れたロブスターの産卵を撮る。クマなどの大きな動物の場合は、倫理と安全性の問題が何より重要になる。近づきすぎるのは危険だし、野生のクマを人間に慣れさせようとするのは無謀だから、飼いならされたクマを使うのが賢明だ。パラドックスだが、捕獲された動物を使うことで、信頼できる野生生物ドキュメンタリーができるのである。あくまでいくつかの原則が守られているかぎりは」

「制作者は、映像のリアリティ、教育的価値、科学的真実を引き合いに出して、演出を正当化することが多い」と、エリナー・ルーソンはパーマーの言う原則について説明している。「その正当化の主な拠りどころは、適切な『自然史学的細工』をすることで、視聴者は現地で見るよりも『リアル』な体験ができる、あるいは、コスト、実利、効率などの理由で通常では得られない映像を生み出せる、という主張だ」

しかしこれは、ストーリーの語り方、映像作品のつくり方として、危うさがある。細工をして物語の展開をつくっているのだから。視聴者は、騙されている、欺かれている、と感じやすくなってしまう。ドキュメンタリーは一線を越えた細工によって真正性を犠牲にすると、人々の反発が激しくなる。野生生物ドキュメンタリーの倫理にもとるフェイクとして最もよく挙げられる例のひとつは、『トゥルーライフ・アドヴェンチャーズ』の一作、ウォルト・ディズニーの『白い荒野』(一九五八年)の「レミングの場面」だ。『白い荒野』は、セイウチからホッキョクグマ、イッカクまで、さまざまなものを撮影した映画である。しかし、数千匹の小さなレミングが崖の先端から北極海に飛び込む映像――集団移住の途中で自殺したのだとほのめかしていた――こそが、ドキュメンタリーの世界に、そして大衆文化に大きな影響を残した。レミングは崖から海に飛び込んだように見えた。それは、一九五〇年代において、服従と集団思考の危険性を伝えるちょうどいい寓話だった。

否定されてから長く経っているが、「レミングの自殺」は大衆文化に浸透しており、アラスカ州漁業狩猟局はこのレミング神話を否定するウェブページを設けているほどだ。「カナダ放送協会プロデューサーのブライアン・ヴァリーによる一九八三年の調査によれば、レミングの場面は偽造だった」と、ライリー・ウッドフォードは漁業狩猟局のページにはっきりと書いている。「海に飛び込んで集団自殺したとされていたレミングは、実際にはディズニーの制作者たちによって崖から投げられたのである。壮大な『レミングの移住』も、入念な編集と隙のないカメラアングル、雪で覆われた回転盆の上を走る数十匹のレミングで演出されたものだった」生物学者が昔から指摘しているように、これは決してレミングがすることではない。「レミングの場面」は、動物を残酷に使い、そもそも本物でもない映像を生み出したということで、悪名高いものになっている。

演出の細工で近年反発を呼んだのは、BBCの『フローズンプラネット』である。二〇一一年に初めて放送されたとき、視聴者は、妊娠したホッキョクグマが北極の荒野を歩きまわり、出産のための巣穴を見つける様子を見た。しかし、視聴者が北極の巣穴——そこで母グマが生後二日の子グマに寄り添う——だと思ったものは、実際にはドイツの動物園に人の手で掘られた巣穴で、ホッキョクグマの誕生と生後まもないころの様子を最高のかたちで映像に収めるためにつくられたものだった。視聴者は出産が演出だと知って憤慨した。北極を題材にしたアッテンボローの作品の真正性がやり玉に挙げられるのは二度目だった。一九九七年のドキュメンタリーでも、動物園でのホッキョクグマの誕生を見せながら、アッテンボローと制作者たちは荒野での出来事だと思わせていた。こうして『フローズンプラネット』の真正性への視聴者の信頼は失われた。騙されたと感じたからだ。視聴者は本物を見ていると思っていたのである。

多くの制作者が、正確性と真正性を担保するには、制作過程を透明にするのがいちばんだと語っている。何が演出で何がそうでないか、そして、その映像がどのように撮られたのかを伝えるのである。ジェフリー・ボズウォールは、何が演出で何がそうでないかを視聴者に説明するには、画面上で断りを入れるのが最も倫理的な方法だろうと述べている。そうすることで視聴者は、どのようにストーリーが組み立てられたのかを理解することになるだろう。そして視聴者は、あとから話がひっくり返されることを望んではいないのである。

視聴者は動物園にいるホッキョクグマの子どもが嫌なわけではない。汚れのない北極の荒野にいるホッキョクグマの子どもだと思って見ていたものが演出だったと明かされる(制作者自身によってではなく調査報道によって)のが嫌なのだ。そして二一世紀の野生生物ドキュメンタリー制作者の大半は、この正直さ——制作過程の透明性——が、ベストプラクティスの根幹となり、作品の信頼性と、何より真正性を担保するのだと言っている。そういうわけだから、野生生物映像のライヴ配信では、透明性と正直さが魅力のひとつになっているのである。

セイウチについてのドキュメンタリーの脚本を書く厄介さとは対照的に、ポイントレイの浜辺は、自然な、簡単に見られるスペクタクルをインターネット上のファンに提供している。そして視聴者は、その脂肪の多いひれ足動物が海から出てきてアラスカの浜辺でまどろむ夏の日を待ってカウントダウンしている。しかしこれには、画面上の動物をどのように理解すればいいのかという問いがやはり残る。何しろ、人の日常と経験の遠い外にいる動物なのだから。セイウチに関しては、この問いが頻繁に投げかけられ、答えられると同時に、また投げかけられてきた、一〇〇〇年以上にわたって。

ホールアウトは昔からヨーロッパの猟師たちが見ていたセイウチの姿で、この生き物はヨーロッパ人にとって興味深く、神話的で、未知だった。言うまでもなく、ヨーロッパ人にとって未知だったからといって、北極地方に元から住む人々にとって未知だったということではない。少なくとも六〇〇〇年にわたり、現地の人たちはセイウチ猟をしてきた。セイウチの肉は日常の食事の六〇～八〇パーセントほどを占め、牙と骨は道具や武器に使われ、皮は船や家の覆いになった。

セイウチは神話や物語で大きな役割を果たしていただけでなく、北極地方の地名にも影響していた。今日、科学者たちは現地の猟師と協力して、セイウチの行動をよりよく理解しようとしている。現地の猟師には数千年の知識があるからだ。当初はrosmarusやwalrusch——毛深いクジラという意味の古ノルド語のhvalrossが由来だと思われる——として知られていたこの動物は、ヨーロッパ人にとって何世紀もほとんど未知のものだった。

一五五五年、ローマの聖ビルギッタ修道院で生活していたスウェーデンの著述家、ウプサラ大司教のオラウス・マグヌスは『北方民族文化誌』を出版した。この本はスウェーデンの民間伝承と自然史について愛国的に書かれたもので、のちに四つの言語に翻訳され、リプリントと縮約版が六度出て、何世紀もヨーロッパの知識人にとってスカンディナヴィアを定義するテキストになった。マグヌスの本に出てくる数多くの不思議なもの（たくさんある！）の中でも、モース（毛深い、肉食の、セイウチのような動物で、歯を引っかけて崖で眠るとされていた）についての記述はとりわけ壮大だ。

「極北、ノルウェイの沿岸に、巨大な生き物が住んでいて、ゾウほどの大きさであり、セイウチあるいはモース（morse）と呼ばれるが、鋭い噛みつきのためにそう名づけられたのだろう〔ラテン語のmorsusは「噛むこと」の意〕。この生き物は、海岸に人を見かけると、その人を捕まえる。素早く飛びつき、歯で引き裂き、即座に殺してしまう」とオラウス・マグヌスは描写している。「牙を使い、この動物は崖の頂上へよじ登る、まるで梯子を上るように。そして、露で湿った甘い草を食いちぎると、再び海へ戻っていく。その合間に眠気に襲われ、岩にしがみついたまま眠ってしまわないかぎりは」

　オラウス・マグヌスによれば、そして『北方民族文化誌』の木版画の挿絵に見られるように、猟師はセイウチのうしろを這って進み、尾に縄をかけた。離れた安全なところから岩を次々に落とし、海に追い込んだ。価値のある皮を剥ぐと、セイウチは死んだ。

　しかしオラウス・マグヌスはその狩猟を自ら見たことはなく、さらに本物のモースを見たこともなかった（彼はスウェーデン南部の内陸部出身で、セイウチが実際に住んでいる場所には行ったことがなかった）。それどころか、一六世紀のヨーロッパの知識人はだれひとり自然の生息地でセイウチを見たことがなく、自然史の目録の動物学的記述はどれも著者自身の観察（のちの自然史で重視される実地検証）にもとづいてはいなかった。実際、セイウチについての記述は民間伝承と神話のあいだで揺れていて、ヨーロッパの知識人たちはこの動物――彼らが知る世界の端の、氷に覆われた地に住む動物――の興味深い奇妙さをますます信じるようになっていった。

科学史家のナタリー・ローレンスによると、歴史上最初のセイウチへの言及のひとつは一二五〇年のもので、ドイツカトリックの司教アルベルトゥス・マグヌスが『動物について』の中で、「最長の牙」を持ち、それを「眠るときに岩に引っかけて」使う「毛で覆われたクジラ」と描写したという。同時代のポーランドの外交官で学者のマチェイ・ミェホヴィータは、この動物は長い歯で崖を登れると書いた。有名な一六世紀のスイスの博物学者コンラート・ゲスナーは、一五五八年に出版された『動物誌』（第四巻）にセイウチに関する記述を入れた。ゲスナーは、先人たちが書いていたセンセーショナルな話には懐疑的だったが、彼のセイウチの描写も、ストラスブールの町役場に展示されていた頭の剥製からの推測など、多くの二次資料をまとめたもので、自身の経験にもとづいたものではなかった。猟師の中にはセイウチとの遭遇の直に得た情報を発表している人もいたが、学者の世界に伝わることはほとんどなく、信用されるものはなおさら少なかった。

ここには少しばかりの皮肉がある。ヨーロッパはセイウチを利用してはいたが、動物としてのセイウチのことは知らなかったのである。何世紀も、北欧の人々はセイウチの牙をチェスの駒や盾の装飾に使っていた。また、ヨーロッパの薬局でも見られたほか、櫛やブラシの象嵌に使われることもあった。脂肪は焼かれて石鹼になり、牙は一角獣の角として売られ、伝統的な万能解毒剤として使われた。元から北極に住む猟師だけが、ヨーロッパの商品用に切断される前のセイウチを知っていた。セイウチの自然史——読者が本物だと考える歴史——は、セイウチの神話をつくった歴史によって定められたのである。

ヨーロッパ本土が初めて本物の生きたセイウチを見たのは一六一二年のことで、一頭のセイウチの子が、母の皮膚の剝製とともにアムステルダムに運ばれてきた。ライデン大学のエーヴェルハルト・ヴォルスティウス博士は、そのセイウチの子は「イノシシのように暴れ」たが、たっぷりの水の中に入れると落ち着き、つぶしたオーツ麦を食べたと記している（彼はそれから、セイウチの脂はなかなか「美味しい」と書いている。自然界の珍しい不思議なものに遭遇したルネッサンス期のヨーロッパ人は、その理解できないものを突き、食べたようだ。想像しうるかぎり最も繊細さに欠ける飲み込み方かもしれない）。

セイウチ禁猟区の撮影について言えば、ウォルラス・カムを視聴する人は、オラウス・マグヌスやコンラート・ゲスナー、ルネッサンス期のヨーロッパとさほど変わらないかもしれない難問を突きつけられる。視聴者のほとんどは本物の生きたセイウチを見たことがなく、自然の生息地でそれを見たことがある人はなおさら少ない。視聴者は自分自身の観察力でセイウチのホールアウトを理解しようとするが、セイウチが何をしているかを完全に知ることはできない。

視聴者はその欠けたストーリーを埋め、自分が見ているのはどのようなストーリーなのか推測する。これは、かつてのセイウチの神話づくりに似ているかもしれない。ウォルラス・カムのホンモノのセイウチにも、その本物性を真正な自然と荒野のコンテクストに翻訳する導きの語りが必要なのだ。

そして荒野こそが、名目上ウォルラス・カムがインターネット上で視聴者に流しているもの、BBCからウォルト・ディズニーまでの野生生物ドキュメンタリーが人々に届けたいと考えてきたものである。二一世紀の視聴者のほとんどは、台本のある自然やライヴ配信の自然を観ているが、それはそのような手つかずの未開の荒野はエキゾティックで、日常ではアクセスできないからだ。自然というものと結びつきたいという欲望は、野生生物ドキュメンタリー、そしてベア・カムやウォルラス・カムのような配信動画の人気の原動力をはっきりと示している。「真正なものを求め、無垢な過去にノスタルジーを感じるわたしたちは、人間の介入や思惑に汚されていない野生生物のスペクタクルに惹きつけられる」と、科学史家のグレッグ・ミットマンは著書『リールの自然』で述べている。「とはいえ、わたしたちはそのような介入なしにこの自然界を観察することはできない。カメラレンズは出しゃばり、対象を選び、光景を枠に収めなければならない」。したがって、人が自然を見るには——自ら野外に出ていくのであれ、ドキュメンタリーを通してであれ——自然や荒野の真正性をめぐって何らかの交換条件を伴う。「文化的価値、テクノロジー、自然そのものが素材を提供し、そこから人工物としての荒野がつくり出されてきた」とミットマンは論じている。

では、このように荒野と自然を観ているわたしたちはどこに置かれているのだろう？　そして、このような視聴体験をたしかに本物だと考えていいのだろうか？

ドキュメンタリーの核心が、ウォルラス・カムよりもしっかりした台本のもとに自然を紹介することだとしたら、それをするにあたって許容される方法とは何だろうか？　そこにビジネス、つまり動物と自然の荒野の商品化の話も加わると、何が本当に偽物の自然なのかという問いは非常に複雑になる。どちらも最終的な目標は同じに思えるが、真正とされる視聴の手段と方法が驚くほど異なっているからだ。

話をラウンド島の浜辺に戻すと、セイウチたちは視聴者が『フローズンプラネット』スタイルで観ていようが、Explore.orgのウォルラス・カムで観ていようが気にしていないようだ。移住するこのひれ足動物は、夏の数ヵ月、ホールアウト場をよたよたと歩きまわり、冬の餌漁りのためにまた海に戻っていく。しかし、わたしたち視聴者が自然界のこのセイウチたちをどのように観て、考え、理解するかは、それを観るときに使うレンズ次第だろう。

第六章
大いなるシロナガスクジラ

彼女をビッグ・ブルーと呼ぼう。まさにそうなのだ。彼女は体長二六メートルの巨大なシロナガスクジラ（ブルー・ホエール）で、カナダ・バンクーバーのビーティ生物多様性博物館に住んでいる。

大きさこそ、シロナガスクジラの何よりの特徴だ。ビッグ・ブルーとその仲間のシロナガスクジラ（Balaenoptera musculus）は、これまで地球上に存在した生物で最大のものである。アルゼンチノサウルスのような中生代の巨大な竜脚類の草食恐竜よりも大きい。『ナショナルジオグラフィック』とロイヤルオンタリオ博物館によれば、シロナガスクジラの一般的な大きさは体長約三〇メートルで、一日あたり三六〇〇キロほどのオキアミを食べるという。シロナガスクジラがオキアミを口いっぱい飲み込めば、それはこの世で最大の一口になる。シロナガスクジラの妊娠期間は一年で、生まれた子の重さは三トン、そして最初の一年間は一日に九〇キロずつ増えていく。この生物はあまりにも巨大なため、このような圧倒的な数字が実際のところ何を意味するのかは実感しにくい。

ビッグ・ブルーは、その大きさとトリビアだけの存在ではないが、彼女とその種は必然的にスケールの大きな喩えを使って語られる（「シロナガスクジラは二台並べたトロリーバスよりも長い」「心臓は車ほどの大きさで、その心臓につながる動脈は人間の赤ちゃんがハイハイできるほど大きい」「シロナガスクジラの舌はゾウほどの重さだ」）。ビッグ・ブルーの大きさは人間が日常で経験するものを超えているため、このような比較物を出してその大きさを実感できるものにしようとしているのだ。何しろ人間は、一五人ほどが肩の上に立っていかないかぎり、ビッグ・ブルーの目を見ることもできないのだから。

シロナガスクジラは世界中——大西洋、インド洋、太平洋——で見つかる。二〇世紀初め、この巨大なクジラはあり余るほどいて、生物学者の見積もりによれば、一八〇〇年代中頃の個体数は二五万〜三五万頭だったという。しかし、一九世紀末から二〇世紀初めの飽くことのない産業捕鯨によって、油と脂肪を求めてクジラを捕まえた人々が儲かる一方で、シロナガスクジラをはじめとする多くのクジラが大幅に減少した。一九〇四〜六七年に、計三五万頭のシロナガスクジラが南極海で捕獲された。一九三一年の一年だけでも、捕鯨船は南極地方で二万九四〇〇頭ほどを捕まえた。

科学者たちの見積もりによれば、一九二〇〜七〇年の五〇年間に、商業捕鯨が原因となって、シロナガスクジラは年平均で二〇パーセント減少したという。捕鯨の影響に驚愕した保護論者や科学者からの圧力を受け、一九七二年になると、シロナガスクジラは大規模な捕獲から法的に守られることになった。しかし、そのような保護を受けても、シロナガスクジラの数はなかなか回復せず、現在の個体数は捕鯨前の一パーセントにすぎない。クジラの記録の大半は捕鯨者や捕鯨産業との関わりを通して語られたもので、よくも悪くも、クジラに関する科学的知識のほとんどは屠殺された動物から得られている。

二一世紀になると、シロナガスクジラはもはや、肉と脂肪、油が重宝される捕鯨産業のたんなる商品ではなくなった。二〇世紀末〜二一世紀初めの捕鯨後の世界では、シロナガスクジラは保護活動のアイコン――カリスマ的な海の巨大生物――になった。サバンナにゾウがいて、山林にパンダやゴリラがいるように、シロナガスクジラは海の文化大使であり、ホモサピエンスに対してこう言い聞かせている。シロナガスクジラの運命はあなたたちの環境政策と実践にかかっている、一世紀以上もそうだったのだ、と。

ビッグ・ブルーは一九八七年にカナダのプリンスエドワード島（PEI）の海岸近くで死に、ティグニッシュ村の近くの浜辺に打ち上げられた。八〇トンの腐りかけのクジラの悪臭に襲われると、島の住民たちはすぐにこの死骸を重機で埋めることに決め、赤い砂質粘土の浜辺に悪臭が消えてなくなることを願った。この動物を完全に覆い隠すには二日間かかり、本格的な土工機械が必要だった。それから二〇年間、死骸は浅い墓の中にあった。何のしるしもなく、地図にも記されず、ほとんど忘れられていた。

しかし二〇〇七年、ブリティッシュコロンビア大学（UBC）でクジラを研究する生物学者のアンドリュー・トライツ博士が、このシロナガスクジラの骨格を掘り出して、UBCに新しくオープンするビーティ生物多様性博物館の目玉にすることにした。メディアによるインタヴューで、トライツ博士は、シロナガスクジラの骨格を手に入れ、クリーニングし、展示物にすることは、自分の長年の夢の実現だと語った。シロナガスクジラの展示は博物館の名声と科学的威信を高めるし、来館者を必ず感動させる。

ビーティの展示を成功させるには、本物のシロナガスクジラの骨格を用意しなければいけないと、トライツは主張した。アメリカ自然史博物館やスミソニアン博物館に昔から飾られている実物大の模型をつくるのとは別の話だ。模型もたしかに教育にはいいが、本物の骨格はそれに加えて真正性がある。それはホンモノ――ビッグ・ブルーのような――にしかないものだ。

世界的に見て、これまで博物館に展示されたシロナガスクジラの骨格は二一点しかない。シロナガスクジラの骨格は、カリフォルニア州サンタクルーズのマリン・ディスカバリー・センター、ケープタウンの南アフリカ博物館などの自然史博物館に、勲章のように飾られている。ニュージーランド・クライストチャーチのカンタベリー博物館では、一九七六年から九四年までシロナガスクジラが中庭に置かれていたが、その後いったん倉庫で保管され、ホールが改装されるとそこで再び展示されることになった。ロンドン自然史博物館には、最も古いシロナガスクジラの骨格のひとつがある。一八九一年にアイルランド南東部のウェックスフォード湾で採集されたもので、一九三四年に公開された（二一世紀に「希望（ホープ）」と名づけられたこのクジラは、自然界の美と驚異を伝える標本をあらためて見せようという博物館の取り組みの一環として、二〇一七年にヒンツェ・ホールに移された）。トロントのロイヤルオンタリオ博物館は、二〇一四年にニューファンドランド島の浜辺に打ち上げられた二体のシロナガスクジラを所有している。

シロナガスクジラが、博物館が採集できるようなかたちで打ち上がることは珍しい。そして博物館にその骨格を採集、クリーニング、展示するリソースがあることはさらに珍しい。本物のシロナガスクジラの骨格を展示することで、新設のビーティ博物館の科学的正統性と権威は間違いなく確固たるものになる。「ブリティッシュコロンビアの海岸でいまも生きているのはおそらく一〇頭もいません」と、トライツは二〇一一年のドキュメンタリー『レイジング・ビッグ・ブルー』で指摘し、珍しい動物であることを強調した。「カナダ東部で数百頭です。それほど珍しい動物なのです。そして、この動物が死んだところを見つけられるのはさらに珍しいことです」

『レイジング・ビッグ・ブルー』で、トライツはブルーが見つかることを期待していくつかの場所を探しまわるが、やがて「昔話を小耳に挟み」、そこからこのPEIのクジラと格闘することになった。二〇〇七年一二月中旬、ビーティ博物館は四人の科学者からなる調査チームを

PEIに派遣し、埋められた骨格を見つけたうえで、修復が可能かどうかを確かめるよう言った。六ヵ月後の二〇〇八年五月、トライツと彼のチーム、そして勇敢なボランティアたちは、埋められていたPEIのクジラの死骸を掘り起こした。トライツはプロジェクト全体にかかるのは二週間くらいだろうと考えていた。PEIに行き、クジラの骨を見つけ、掘り出し、船に載せてバンクーバーに戻る――まあ、ちょろいものだ。

しかし、浜辺からクジラを取り出すのは、トライツが考えていたよりもはるかに複雑で難しいことだった。粘土質の砂はクジラの分解を促していなかった。そのような土壌は酸素が少ないため、バクテリアが繁殖しにくく、クジラの分解が進まないのである（トライツは、埋められてから十分な時間が経ち、肉が分解されていることを期待していた。そうであれば、ひとつなぎのきれいな骨格を砂中から取り出し、博物館に展示することができただろう）。したがって、調査チームは、骨を掘り起こすだけではなく、PEIの住民が嫌がっていたものも掘り起こすことになった。いまだ腐り続けているクジラの死骸のにおいである。

「クジラの腐敗臭は、刺身級の新鮮さから、服が焼けるんじゃないかと思うほどの不快さに変わるものだと、わたしはよく考えています。初めは、ワックスエステルや炭化水素のような、脂肪に閉じ込められた揮発性有機物の何かが訴えかけてきます。わたしの中で、解剖や実地での発見と結びつく新鮮なにおいです」と、スミソニアン博物館の海獣化石のキュレーターであるニック・パイエンソンは、死んだクジラの悪臭について尋ねるとそう語ってくれた。「そしてそれは、骨が集まったところでは強烈なことが多いです。クジラの骨から脂質を完全に取り除くことは難しいので」

レインコートを着てガロッシュを履いたチームの面々は、悪臭を放つ八〇トン近い哺乳動物と向き合っていた。二週間かけて砂質粘土から死骸を取り出したトライツは、それをまるごと冷蔵トラックでビーティに送る手はずを整えた。再び外の空気にさらされた腐敗した死骸は畜舎に入れられ、PEIから六〇〇〇キロ離れたバンクーバーの博物館に運ばれることになった。

バンクーバーに到着すると、ビーティに展示する前に、肉、筋肉、油脂を、骨から取り除かなければならなかった（ある意味で芸術が自然を模倣し、PEIのクジラを掘り出して展示するプロジェクトは、まもなくそれ自体がスケールの大きな形容をされるようになった――「自然界の最大の悪臭」から「地球上最大の動物」を蘇らせる「不可能な浄化」プロジェクトというように。企画全体を端的に表せば、「ヘラクレスのよう」だった）。骨格のクリーニングは簡単ではないが、わりと単純ではある。しかしこのクジラの脱脂はまったく別物だった。

クジラの骨格のクリーニングの難しさ、複雑さを理解するには、クジラの骨には極端に小穴が多い――ほかの哺乳動物の骨よりもはるかに多い――ということを心に留める必要がある。生きているあいだ、その海綿質の骨は油脂でいっぱいだ。しかし、打ち上げられたクジラのすべてがそのような脂ぎった骨格になるわけではない。PEIのシロナガスクジラは、打ち上がった場所の土の性質のためにとりわけ厄介だった（自然な分解を促す土壌に打ち上がった場合、キュレーターや科学者はこのクリーニングのステップを飛ばすことができる）。二〇年にわたって、このシロナガスクジラの油脂はＰＥＩの粘土質の砂の中で悪臭を増していて、骨の組み立てを担当するマイク・デルースがバンクーバーでコンテナを開けたとき、そのにおいはまさに大惨事だった。

デルースと彼のチームは、特別な脱脂用タンクを使って骨のクリーニングに取りかかり、酵素の噴霧ですべてを落として油脂を分解しようとした。「わたしたちは、ノボザイムズという会社が製造している産業用のクリーニング・脱脂酵素溶液を使いました」と、デルースはメールで説明してくれた。「その多くは溶剤が混ざったリパーゼで、レストランの床やグリーストラップ、そのほか油が染み込んだ場所のクリーニングに使われることが多いものです。酵素反応の産物をさらに分解、消化するためのバクテリアも使って、可溶性の老廃物に水をかけ、骨から流れ落ちるようにしました。試行錯誤して方法を磨き上げていったのです」

しかし骨からまだ油脂の漏れがあった。そこで酵素を噴霧した。しかしまだ漏れていた。そこで二五〇〇ガロン（一一三五六リットル）の浴槽をつくって、油を消化する海のバクテリアで満たした。それでも、一部の骨からは油脂が漏れていた。骨が浴槽の中で砕けてどろどろにならないよう、そして博物館のオープニングに間に合うよう、数ヵ月にわたって苦闘した末、二〇〇八年一一月、クリーニングチームが大学の微生物学者たちに相談すると、彼らは浴槽内の温度を上げることを勧めた。それでもやはり、一部の骨からそれは漏れ続けていた。

最終的に、デルースはまさに油溜めとなっていた大きな骨を蒸気脱脂システムに入れ、それがうまくいったようだ。クリーニングの過程で、破壊されたり、強い酵素で溶かされたりしたことで、骨の一部はなくなっていた。それでも、このシロナガスクジラがビーティに飾られるのをこの目で見ると心に決めていたトライツは、頭骨などの破壊された骨の複製をプラスターでつくった（頭骨のレプリカを制作するには、六〇種類のパーツをつくって組み合わせる必要があった）。「頭骨に着色をすれば、だれもレプリカと本物を見分けられないでしょう」と、『レイジング・ビッグ・ブルー』では説明されている。

二〇一〇年の一月から四月にかけて、デルースは骨を並べ、博物館の中でクジラをどのように組み立てるか構想しはじめた。四月から五月にかけてチームは骨格の設置をしたが、最後の悪夢は、クジラの骨を正面入口から博物館に入れる、いちかばちかのジェンガのゲームだった。骨はつり上げられて館内に入れられ、ついに全長二六メートル、カナダで最大のシロナガスクジラの展示ができ上がった。エイハブ船長〔メルヴィルの小説『白鯨』の登場人物〕は喜望峰から地獄の炎へ白鯨を追いかけたかもしれないが、少なくとも、トライツたちを悩ませたクジラの腐敗、酵素の浴槽、骨の融解、オープニングの期限という頭痛の種に向き合う必要はなかった。ビーティのオープニングの夜、天井からクジラの骨格が神々しく吊るされている中、トライツはプロジェクトの成功を受けて皆に挨拶することができた。このクジラはビッグ・ブルーと命名された。

現在、全長二六メートルのビッグ・ブルーはビーティ生物多様性博物館の天井から吊るされ、同館の二〇〇万種類の標本の最上位に堂々と君臨している。彼女は本物のシロナガスクジラの骨格であり、館内ではその発見とクリーニングの様子を映したドキュメンタリーが繰り返し流され、それを証明している。しかし、ほかの多くのものと同じように、何がビッグ・ブルーを真正にしているのかを特定するのは実に難しい。ビッグ・ブルーを——そしてほかの博物館の展示品を——ホンモノにしているのは、その背景にある科学的・文化的真正性への取り組みであり、それは一世紀以上前からそうなのだ。

本物のクジラを見せたい、本物のクジラのストーリーを届けたいという意欲は、二一世紀のいま、ビーティのような博物館において顕著になっている。しかし、本物のクジラを見せることには長い歴史があり、一九世紀後半から二〇世紀前半にかけて、クジラを売りにするサーカスやショーが北米各地のハイウェイや脇道で行われていた。早くも一八七三年には、たとえばグレート・インターナショナル・メナジェリー・アクアリウム・アンド・サーカスが、「巨大な海獣（リバイアサン）、クジラ。堂々たる壮大な標本。大海原の王様」の展示を、『クジラ』を公開する世界で唯一のショー」として売り出していた。実際の死んだクジラを剝製風にしたものだということで、メナジェリーはそれをアメリカ中の町から町へと荷車で運んでいった。それに負けじと、バー・ロビンズ・サーカスは数年後に巨大な張り子のクジラを公開した。二体のクジラは一〇年ほどにわたって米国中で客の取り合いを繰り広げ、相手の宣伝活動に乗じることもしばしばだった。

訪れる先々の町で、グレート・インターナショナル・メナジェリーはクジラを見せるための舞台をつくり、地元の大工がショーの到来を告げる役目を果たした（グレート・インターナショナル・メナジェリーは「建てれば来る」というビジネス戦略を早くから採用していたようだ）。このにぎやかなショーは、「クジラ」を特別にすごいものだと期待させ、いつも大観衆を集めた。集客力は桁外れで、しかも、お客さんは一人ひとりがこのショーを体験できた。はい皆さん、そこに上がって、ご自身の目でこの大海原の生き物をご覧ください。自分自身がその目で見ることで、本物のクジラがどんなものかを自ら人に伝えることができる。メナジェリーの大海原の王様は一八八一年三月八日にオハイオ州コロンバスに到着した。『コロンバス・ディスパッチ』の見出しはこう書き立てた。「来るぞ！　来るぞ！　怪物クジラが！　海の絶対王者が！　巨大生物界きっての巨人が！　必ず子どもを連れてこよう！」

メナジェリーのクジラが現れると、大騒ぎになった（「かなりの空間が必要だ、このクジラは一八メートルもあるのだから」と、『ディスパッチ』は伝えた）。このショーは、クジラを安全に展示することに重きを置いていたが、クジラの生態については特に伝えようとしていなかった。しかし面白いことに、一九世紀の客を引きつけたのは、いかにしてこのクジラは海の生きた哺乳動物から死んだ展示物になってコロンバスをまわるようになったのか、という物語だった。客たちは決まって、どうしてこんなショーができるのかを知りたがった。クジラの内臓はどのように取り除かれ、最初は氷に、それから薬品に取り換えられるのか。クジラの死骸の下のおがくずはどのようにクジラの油脂などの漏れを抑えているのか。外側の薬品はいかに皮膚の分解を抑え、体内の帯鉄はいかにかたちの崩れを抑えているのか。『コロンバス・ディスパッチ』は、この展示には「不快なにおいはない」と言って読者を安心させた。

つまり、クジラそのものがどうこうというよりも、クジラの管理者と興行主がいかにうまく死骸の腐敗をごまかし、客にそのクジラをホンモノとして見せているかという話だった。メナジェリーのクジラは、各地の鉄道駅で午前九時から午後九時まで公開された。

二〇世紀初めになると、より「教養ある」人に向けた、科学的な意味で「立派な」クジラの展示も、アメリカ自然史博物館などの博物館に登場しはじめたが、興行的なクジラのショーの時代は決して終わらなかった。一九二〇年代に、経験豊富でいつも情熱的な興行主ヒュー・ファウザーは、死んだクジラの剝製を鉄道の客車に載せれば、珍しい海の生き物を見ようと客が飛んでくるだろうと考えた（ちなみに、レーサーのカール・テレルという人物が、一九二一年にオマハの演芸船（ショーボート）で見たものをもとにクジラのショーのアイデアをファウザーに話したと主張したが、その主張が真剣に受け取られることはなかった）。グレート・インターナショナル・メナジェリーのクジラの巡業があれほど成功しているのだから、自分の事業でもそれをやってみたら儲かるはずだと、ファウザーは判断した。

ファウザーは、カリフォルニア州ヴェニスのウィンギー・カウンツ――「片腕のウィンギー」

と新聞で呼ばれていた――と組んだ。海洋ショーの表も裏も知る、業界の黒幕であるカウンツは、西海岸でいくつかの海洋ショーを成功させていて、適任者と言えそうだった（ちなみにカウンツは、ライヴショーでタコと取っ組み合い、芸人としても喝采を浴びていた）。一九二一年から二二年のあいだに、ファウザーはカウンツにクジラのショーのとりまとめを託し、カウンツは多少の防腐処置が施されたクジラをどうにかして手に入れた。ファウザーとカウンツはクジラを連れて巡業をはじめると、数年のうちに大成功を収め、アメリカの鉄道網を縦横に動く移動型ショーを二つ運営することになった。

ファウザーとカウンツがショーを続ける一方、別の興行主も死んだクジラを使って巡業をはじめた。このM・C・ハットンとハロルド・L・アンフェンジャー（蠟人形館の経営者で、たたき上げの興行主）の物語は、いかにクジラを保存するかという問いを投げかける。一九二八年において、クジラの防腐処置の見積もり費用は一万ドルほどとかなり高額で、ハットンとしては、寛大に見てもギャンブルと言うしかないものにそれほどの額を払うことはためらわれた。しかし、興行主である彼は、四人の投資家に、クジラのショーをわずか二五〇〇ドルで買う「チャンス」を提示した。こうして資金を得たハットンは、捕鯨船からクジラを買い、すぐに湾へ運んでもらった。捕鯨船のディートリヒ船長はそのクジラの運搬に先払いで一五〇〇ドルを徴収し、ほかのことにはいっさい関わらなかった。

ここからこのクジラの物語は少し複雑になってくる。クジラの巡業をはじめる前、アンフェンジャーはカリフォルニア州ロングビーチでクジラを使ったそれなりに儲かるビジネスをしていたことがあった。彼はボート屋たちと契約を結び、死んだクジラを浜の近くにつなぎ留めてもらった。ボート屋はビーチに来ている人たちを船に乗せ、ひとり二五セントでその死骸を見せた。沖合すぐのところにつなぎ留められ、悪天候にさらされたクジラたちはすぐに腐敗し、その悪臭はかなりのものだった。そのため、ロングビーチの住人たちは、クジラが海に戻されてアンフェンジャーの事業が終わるとほっとした。ハットンとアンフェンジャーは、ショーのためのクジラが届くと、どのように保存すべきか話し合い、結局、防腐処置を施してくれる業者を雇った。業者は大量のホルムアルデヒドと塩をクジラにかけた。それが間違いない保存法だということだった。しかしそのクジラはすぐに爆発してしまった。

それでもくじけなかったハットンとアンフェンジャーは、これまで以上に精を出し、本物の死んだクジラとともに巡業ができる道を探った。彼らは、神秘的なもの見たさに客は列をつくるはずだと確信していた。そして本当に、多少なりとも保存されたなかなかのクジラの群れを集めた。防腐業者のグリフィスがホルムアルデヒドと塩の最適な割合を見つけ、クジラが腐敗、爆発することはなくなった。だが、依然として死んだクジラを好奇心の強い人々に向けて公開するのは大変な仕事で、注意を絶やしてはいけなかった。毎日の仕事のひとつは、決まった量のホルムアルデヒドと塩の溶液を、三〇センチほどの皮下注射器でクジラの肉の部分に注入することだった。「巨大な舌は最悪の悪臭の発生源だった」と、サーカス史家のフレッド・フェニング・ジュニアはサーカスの動物の歴史について論じた中で述べている。「しかし、舌は取り除いてはいけない大切なものだと考えられていた」

ファウザーの海洋ショー事業への進出はものすごい成功を収めた。彼のギャンブルはうまくいったどころではなかった、そしてハットンとアンフェンジャーも。ファウザーはクジラチームを二つ有し、パシフィック・ホエーリング・カンパニーは九つ有した。一九世紀の二つの興行団と同じように、この二つのショーも相手の宣伝に乗ずることがよくあった。どちらも二〇世紀前半に米国中を巡業し、信じられないほど儲けた。パシフィック・ホエーリング・カンパニーは、一九二八年の最初のショーの六ヵ月で一〇万ドル以上の収入を記録した。最終的に、パシフィックはカウンツを買収して宣伝活動の盗用をやめさせた。一九三〇年代になると、ハットンとアンフェンジャーの事業は多角化し、米国中のさまざまな巡業チームを支援するようになった。元余興芸人たちは、船乗りの衣装を着て、サーカスのパフォーマーのアーサー・ホフマンから、きちんと潮の香りがするような海のボキャブラリーを叩き込まれた。

クジラのショーが勢いづいてくるにつれ、事業全体も広がりを見せはじめた。新たなチームのひとつは「現代のノアの方舟（モダン・ノアズ・アーク）」と呼ばれ、双頭の牛と「あなたの年齢を当てる」女性メンタリストを売りにしていた。一九三七年の別のショーは、「巨大な海洋演技場、信じられない生物展示会」と謳っていた。そこで目玉になっていたのは、人魚、ノミのサーカス、エジプトのミイラ、一角獣だった。そのようなものの中で、本物の剥製のクジラのような「ふつう」のもるものが変わったようだ。一九四〇年代にアンフェンジャーが鉄道の客車を売ったとき、中に残ったクジラの処理が新しい所有者にとって大きな問題になった。

のはもはや目玉ではなくなった。客は、一八八〇年代のように畏怖と驚きをもってクジラを見ることはなくなった。一九三〇年代末になると、ハットンとアンフェンジャーはショーを縮小し、一九四〇年代にはクジラのショーの遺産はほとんどなくなった。スペクタクルとみなされ

グレート・インターナショナル・メナジェリーからファウザーの巡業ショー、モダン・ノアズ・アークの時代に、数千人が本物のクジラを見たのはたしかだ。しかしその人たちは、ショーのほかのものを見るのと同じようにクジラを見た。このようなショーのクジラは、独自の生態と歴史を持たない、自然界のコンテクストから切り離されたもの、つまり儲けのための手段、スペクタクルのためのスペクタクルにすぎなかった。捕鯨がクジラの油や骨などを商品化したのと同じように、二〇世紀前半のショーは、「本物を見られる」ということを金にしたようなものだ。

これらのクジラはたしかに本物だった。しかし、ホンモノではなかった——ショーで見られる珍奇なものという以上の文化的あるいは科学的威信は持っていなかった。

博物館の世界に戻ると、クジラ、特にシロナガスクジラの生態と歴史を伝えようという動きが急速に広まっていた。いまやお客さんを引きつけるのは科学的真正性だった。勝手気ままな

ショーの世界とは違い、管理員、キュレーター、生物学者が取り仕切る博物館は、真正な模型、科学的に信頼できる標本を欲した——とりわけ、シロナガスクジラの標本を。その大きさだけで、シロナガスクジラは自然の畏怖と驚異を伝えるプロパガンダになる。自然は素晴らしいでしょう、自然はスペクタクルでしょう、と博物館のクジラは来館者に語りかける。この自然がもたらす畏怖とスペクタクルは、数十年後にディズニーの『トゥルーライフ・アドヴェンチャーズ』にインスピレーションを与えることになる。展示を真正にするのは正確な標本であり、コンテクストがあればなおよかった。

博物館は、プラスターであれ、繊維ガラスであれ、骨格であれ、張り子であれ、クジラの模型をできるかぎり本物に近づけることにこだわっていた。自分たちのクジラはホルムアルデヒドと塩まみれの素人仕事とは違うと、博物館の人々は嘲けるように言った。強欲な興行主の敗れた夢が油脂とともに滴るショーの見世物とは違う。博物館のクジラは、クジラの暮らしと生態について、真実で、正確で、権威ある情報を映し出したものであり、正確性に関する倫理的、美的要求を満たし、そして何より、本物のクジラにもとづいた有機体なのだ、と彼らは主張した。「この分類法——本物か偽物か、肉か張り子か、真実か虚偽か——が展示企画者の頭につねにあった」と、科学史家のマイケル・ロッシはこうした初期のクジラの模型について述べている。「とりわけ、ほとんど海の中に隠れている巨大な生き物の誠実なレプリカをつくろうとしているようなときは」

クジラを保存するのは恐ろしく大変で、驚くほど複雑な作業だ。ほかの動物とは大きく異なるのである。陸生動物の場合は、外皮――毛皮、羽根、鱗、殻――が見た目のリアルさをもたらす。剝製にされ、ポーズをとらされ、展示された陸生動物のジオラマは、二〇世紀初めに博物館の来館者が期待する展示物になった。それらの動物が現実にどのような姿をしているかを見ることで、来館者は、博物館のジオラマはたしかに真正な自然界の三次元ポートレイトだとすんなり考えることができた。「その動物は、死んではいるが消えてはいない。つくり直されてはいるが本質的にそこにいる」と、歴史家のレイチェル・ポリクインは剝製術の歴史について書いた『息をしていない動物園』の中で述べている。「さまざまなジャンルの剝製はどれも、その動物とのつながりを保ちたいというさまざまな思いを満たすためにつくられた。美しい姿をとらえたい、重要さについて伝えたい、自然史を教えたいという思いこそが、でき上がった剝製の受け取られ方を本質的に方向づける」

ほかの哺乳動物と違い、クジラにはまったく毛が無い（生まれたときの鼻先の毛を除いて）し、しきりに脱皮している。そのため、多くの動物の毛皮あるいは鱗状の皮膚であれば剝製にすることで比較的保存しやすいのに対し、クジラの皮膚は簡単に保存できない（ショーの興行主たちはこれに苦労し、油脂などの漏れと皮膚の腐食を防ごうと絶えず闘っていた）。生きているような真正なクジラがほしいのだったら、博物館は必ずしも本物のクジラの部分を含まない展示物で手を打たなければならなかった。

ここで博物館は、どのような本物のクジラを来館者に見せるか、それをいかに見せるか、という点において二つに分かれる。単純にシロナガスクジラの骨格を展示することを選ぶ博物館もある。この場合、来館者は本物の骨を見ることができる。人々はそのとてつもない大きさに口をポカンと開け、見事な姿に驚く（「そしてにおった。どんなにおいだったか！ 四万軒の冷凍・石鹼工場が、下水道をお客さんにして歓迎会を開いていたかのようだ」と、ニュージーランド・クライストチャーチのカンタベリー博物館のキュレーター、エドガー・ウェイトは、一九〇八年、博物館に展示する打ち上げられたシロナガスクジラのクリーニングをしていたときに書いた）。シロナガスクジラの骨格を所蔵していれば、博物館は骨の調査や研究をしたい科学者にもアピールできる。二〇世紀初めの大英博物館や二一世紀のビーティ博物館がその例だ。

科学的研究に現役で「従事」している科学者たちから意見をもらうこと、そしてシロナガスクジラを科学的なものとして展示することで、博物館は、機関として科学的な権威と信頼性を確保できる（また、一般の人にも広く届くようになる）。つまり、博物館に来る人たちは、鉄道で旅するクジラをちらっと見ていた人たちとは違い、展示されているクジラの骨格、そしてその展示の背景にある準備作業の本物性に確信を持つのである。

しかしクジラの骨格は、たとえ本物でも、そこに欠けている筋肉、皮膚、肉のある姿を想像することを来館者に強いる。骨はたしかに本物だが、天井から吊り下げられた骨格は、自然界で見るシロナガスクジラとは違う。アメリカ自然史博物館とスミソニアン博物館は、二〇世紀の初めに、この難問への答えとしてクジラのレプリカをつくった。実のところ、シロナガスクジラのレプリカを二度つくる中で、アメリカ自然史博物館のキュレーターは多くの問題にぶつかった。一九〇七年に完成し、展示された最初のシロナガスクジラも、一九六九年のものも、リアルにつくるのは難しかった。シロナガスクジラらしく見えるだけでなく、それらしい所作も求められたからだ。

「自然史博物館でクジラを建造している」と、ペンシルヴェニアの新聞『ウィルクスバリ・レコード』は一九〇七年一月四日に報じた。「木片、鉄の棒、ピアノ線、紙、接着剤が材料だ。大工や壁紙張りなどの職人が大まかに仕事を終えると、博物学者が仕上げをする」。このアメリカ自然史博物館のシロナガスクジラの模型をつくり出したのは、専門的な科学と自然史、そして鉄、木、帆布、さらには、実に本物らしい張り子の外骨格だった。「まず、クジラは壁紙を張られた……重いパルプシートにきれいに覆われ、それからマニラ麻が少し入った赤い繊維の薄い層、そして最後に薄い膜がかけられた」と同紙は伝えている。「これはニューヨークの歴史の中でもとりわけ風変わりな壁紙張りだった」

この最初のシロナガスクジラの制作を依頼したキュレーター、そして実際に制作したエンジニアとアーティストが頼りにしたのは、捕鯨者、科学者、博物学者が実地で集めた覚書、写真、プラスター鋳造物、測定値だった。これはどのクジラの展示でも同じことだった。一九七〇年代になるまで、水中の自然な環境にいるクジラの写真が撮られることはなかったからである。また、死骸を（ほかの小さな動物のように）研究のために運んでくることもできなかったため、クジラの研究をしている科学者と、実際的な知識を多く持っている捕鯨者の覚書、写真、話に頼るしかなかった。アメリカ自然史博物館は、シロナガスクジラの模型をつくる際、科学とアートの専門知識・技術を組み合わせて活用することで真正性を確保しようとした。

とはいえやはり、シロナガスクジラは巨大な動物であり、測定、写真撮影、観察をするのは楽なことではなかった。シロナガスクジラは長さを測るのも重さを量るのも難しい。全体を一枚の写真に写すのは至難の業だし、白黒写真の世界では、青と灰色の色合いをとらえるのは不可能だった。科学者によるクジラの観察のほとんどは捕鯨の遠征中になされたため（遠征の指揮官になる科学者までいた。生きたクジラを観察する方法はかぎられていたのだ）、科学者がクジラの行動を観察できる機会はかなり少なかった。研究されるクジラのほとんどは、捕鯨チームが捕獲、処理した死骸だった。結局、こうしたロジスティクスの問題によって科学者がクジラについて知ることは難しくなり、知ることが難しければ、そのうわべだけのクジラの生態から正確な展示物を生み出すことはいっそう難しくなるのである。

「模型の制作にあたって、自然史博物館の企画者はテクニックを寄せ集めた。そうして、その制作物は真正――真実で、正確で、権威があり、倫理的にも美的にも展示する価値のあるもの――であり、保存された本物のクジラに等しい展示であると主張した」と、マイケル・ロッシは指摘している。そのようにでき上がったシロナガスクジラのレプリカは、『サイエンティフィック・アメリカン』や『アウトルック』にその真正性と細部へのこだわりを高く評価された。何世代ものニューヨークの学童たちにインスピレーションを与え、来館者に深海の生命を垣間見させた。

五〇年後、博物館はシロナガスクジラを新しい模型に取り替え、アップデートすることにした。その新しい模型は五〇年の研究の成果を反映したものになる。また、スミソニアン博物館が少し前に二八メートルのシロナガスクジラの模型を導入していたため、アメリカ自然史博物館としては負けるわけにはいかなかった（一九〇七年の模型は全長「わずか」二五メートルであり、スミソニアンに越されるとは思っていなかった）。最初の模型のときに直面した本物性と信憑性の問いが、またすべて投げかけられ、答えられては投げかけられた。

アメリカ自然史博物館のキュレーター、リチャード・ヴァン・ゲルダーは、シロナガスクジラの模型（一九六九年に公開された）を制作した経験について語ったとき、シロナガスクジラについて知れたこと、博物館で正確に制作できたことの限界について率直に明かした（「正確性について言えば、それほどの間違いを見つけることはできなかった。それは基本的に、わたしがシロナガスクジラを見たことがなかったからだ」）。しかし、シロナガスクジラについて知れることに限界があったとはいえ、博物館はただシロナガスクジラをつくってメインホールに据えるだけではなかった。限界があったがゆえに、正確な、そして真正なクジラの展示をめぐって繰り返し話し合いが行われた。

シロナガスクジラの展示をどのように現代的にしようかと考えていた一九五〇年代のアメリカ自然史博物館には、まずシロナガスクジラのポーズをどうするかという問題があった。泳いでいるところ？ 食べているところ？ 潜っているところ？ 博物館の経営陣とキュレーターたちは、真正性とコストのバランスをとる最適なかたちをめぐって、何年もあれこれと議論を重ねていた。いらいらして嫌味っぽくなったヴァン・ゲルダーは、上司にこう言った。シロナガスクジラを展示する最適で、最も真正な方法は、砂浜の死骸の模型をつくって、その肉をもぎ取るカモメやシギのさえずりを流すことではないですか、と。幻のシロナガスクジラを人が自然界で見るとしたら、だいたいはこの姿だ。つまり真にリアルなのである。ヴァン・ゲルダーの話を聞くに、これはきわめて控えめになされた提案だった。本質的に悪趣味かつ馬鹿げた案を出すことで、真っ当な展示物の制作に立ち戻れるだろうというわけだった。

しかしヴァン・ゲルダーは上司たちのケチっぷりを甘く見ていた。その方法であれば桁違いに安く展示することができたため、「高官たち」（ヴァン・ゲルダーは上司たちをそう呼んでいた）は恥もなく喜んで、この死骸の展示にゴーサインを出した。ヴァン・ゲルダーは何ヵ月もかけ、あれは冗談で言ったひどいアイデアだと経営陣にわからせようとした。最終的に、このプロジェクトをひそかに転覆するための策として、アメリカ自然史博物館女性委員会――資金調達で驚くべき成果をあげていたため、経営陣に対して大きな影響力を持っていた――にこの死骸の案を売り込んでみることにした。彼女たちは展示を生み出すことも壊すこともできた。

「最終的にわたしは、打ち上げられたクジラの『素晴らしい』展示について彼女たちに話した。わたしは詩人のようになってその動物を描写した。海鳥の鳴き声が少しずつ消えていくと、日没が訪れ、バクテリアのほのかな光が広がり、やがて夜明けになると、もう一度、波の轟音、そしてお腹をすかせたカモメのコーラスが再び浜に響きはじめる、というようなことを話した」と、ヴァン・ゲルダーは女性委員会の資金調達の昼食会でのプレゼンテーションについて数年後の一九七〇年に振り返った。「わたしは陰謀の相談をするように声を落とした。『まったくこれまでにないことを計画しているのです。そよ風が海のにおいを来館者に向かって運んできて、すべての感覚を刺激しますし、腐敗するクジラのにおいを再現しようともしています。この素晴らしい体験をだれもが完全に共有できるように』」

ヴァン・ゲルダーの説明によれば、女性たちの多くはそれを聞いてテーブルの上のチキンのクリーム煮の存在を忘れそうになったという。

ヴァン・ゲルダーが望んでいたとおり、博物館の来館者（そして資金調達者）が許容できるだろう真正性には限度があるとされた。上司たちはたっぷりと苦言を浴びた。「どうして」と、委員会は問うた。「打ち上がったクジラ、死んだクジラの模型でないといけないのか？　どうして生きているような（そしてにおうことのない……）クジラにできないのか？」。こうして死んだクジラは再び死に、どのようなシロナガスクジラを展示するべきかという問題が復活した。

最終的に、「ザ・ホエール」と名づけられたアメリカ自然史博物館の模型は、ジャックナイフダイブのポーズになって、博物館の天井に頑丈な柱で取りつけられ、真正性、コスト、経営のバランスをとった。この模型に吹き込まれた科学的真正性は、その後何十年ものシロナガスクジラ研究にも耐えているようだ。ザ・ホエールは世間の人々にも受け、展示がはじまった最初の土曜日には三万五〇〇〇人が訪れた。

ザ・ホエールの成功の五〇年前、アメリカ自然史博物館が最初にシロナガスクジラのレプリカを展示した一九〇七年は、人工クジラの世界において非常に忙しい一年だった。アメリカ自然史博物館がシロナガスクジラの実物大模型――木とアングル材でつくられた二五メートルの張り子の模型――で科学と博物館の世界から称賛を浴びる一方で、ニューヨークのエンジニアのウィリアム・ミューリグは、「初めて日の目を見る、捕獲、保存されたグリーンランドのクジラ」をめぐってマンハッタンの裁判所で訴訟を起こした。

ミューリグのクジラ（種は明示されていない）は、『ニューヨーク・タイムズ』が報じたところによると、グリーンランドの沖合で捕らえられ、ドイツのハンブルクで剝製にされた標本で、多額の費用がかかっていた。そのクジラの二人の所有者、クリストファー・リーバンとオーガスト・ブラーンは、ミューリグに剝製のクジラを共同所有しないかと持ちかけた。わずか一五〇〇ドルで、ミューリグはクジラの所有者になる機会を買うことができ、そのクジラが米国中を巡ると、週に二〇ドルの給料とショーの収益の四分の一をもらうことができる。この儲け話に飛びついたミューリグは、五〇〇ドルを前払いし、クジラは米国東部で巡業をはじめた。とんとん拍子に事が進んだが、それも永遠ではなかった。ペンシルヴェニア州ハリスバーグで、ミューリグはそのクジラが保存されたグリーンランドのクジラではないことに気づいた。それは、裁判所の記録によれば、「帆布で覆われた木製のダミー」だった。

激怒したミューリグはこの偽クジラをオークションにかけたが、九九ドルにしかならなかった（オーガストの妻でミューリグの経理担当だったブラーン夫人は、その金をすべて自分の給料にした）。最初に投資した五〇〇ドルをリーバンから取り戻そうと、ミューリグはマンハッタンの裁判所で訴訟を起こした。しかし彼は、裁判に負けただけでなく、罠にかかった騙されやすさを裁判所にとことん嘲笑われた。ミューリグはそれでも執拗に主張を続け、一九〇七年六月七日、ニューヨークの中間上訴裁判所は、下級裁判所は最初の裁定でミューリグを過度に嘲ったと裁定した。

しかしここで、ミューリグの偽クジラは、当時アメリカ自然史博物館に展示されたばかりの模造クジラとどれほど違うのかという問いが生じる。「［自然史博物館の］木製のクジラが科学的に真正な称賛すべきものだという一方で、ミューリグの木製のクジラは訴訟にまでなる馬鹿げたものだということがどうしてありえるだろうか」と、マイケル・ロッシは問い、二つのクジラのズレをうまく説明している。「自然史博物館に来る人は……そのクジラは本物だというふりをすることが積極的に促されている。ミューリグのクジラはペテンだ。［自然史博物館のクジラは」科学だ——でもいかに?」

何が二つの偽クジラの一方を他方よりも本物にするのだろうか? 目的? 制作の方法? 素材? 見た人がその体験から持ち帰るストーリー? そういったさまざまなものの組み合わせ?

偽造や真正性の問いをどのように考えるかが重要だ。「本物」か「そうでない」か(さらには、「真正」か「そうでない」か)をただ問うことは特に意味がないし、本質を突いてもいない。グレート・インターナショナル・メナジェリーやアメリカ自然史博物館などのクジラは、コスト、見る人の期待、本物性のバランスをとっており、真正性のグラデーション上でそれぞれ独自の位置にいる。キュレーターや見世物師が気づいたように、見る人が耐えられるクジラの真正性には限度がある——油脂の漏れ、滴り、においなどは、たとえ「本物」でも、存在してはいけない。

また、博物館のクジラは科学的に正確であり、サーカスのショーにはありえない威厳と重々しさがあるだろうという期待がある。ホンモノを見せるということは、ホンモノはつねに発展途上だと示すことだ。一〇〇年以上にわたって、シロナガスクジラの骨格と模型は、専門家でない人々に、地球上で最大の動物を見て驚く機会を与えてきた。クジラのショーの見世物からアメリカ自然史博物館の繊維ガラスのレプリカまで、ホンモノを見るということこそが、人々の目をクジラに向けさせてきた。

ここで、ビーティ博物館のビッグ・ブルーと、ホンモノの展示をエイハブ船長のごとく追い求めたアンドリュー・トライツ博士の話に戻る。ビッグ・ブルーの頭骨はプラスターの模型であり、ほかの部分も修繕、調整され、アーティスティックに手が加えられているとはいえ、来館者の見ているものが本物のシロナガスクジラの骨格だということへの異論はほとんどない。とはいえ、ビーティのシロナガスクジラの本物の真正性を伝えているのはその骨格だけではない。彼女にまつわるストーリーもそうなのだ。

第七章

そしていま、それは本物だ

『アンティーク・ロードショー』の前提はシンプルだ。一九七七年に放送を開始したこのテレビ番組では、鑑定士がイギリス中に出張し、地元の人たちが持ってくる骨董品の価値を査定する。鑑定士はどんな収集物でも鑑定し、その工芸のジャンル一般の簡単な歴史とそれぞれの品のコンテクストを説明する。『アンティーク・ロードショー』は、イギリスの屋根裏部屋でほこりをかぶった品々から正真正銘のお宝を見つけ出すエキサイティングな方法である。

現在第四〇シーズンに突入し、カナダと米国でもスピンオフが放送されているこの番組は、大成功を収めている。『アンティーク・ロードショー』に引きずり出されてくる品の大半は、不思議なストーリーとともに先祖代々伝わるチープな品や、冗談で手に入れた骨董品など、見たままのものだ。しかし、この番組の魅力は、工芸の歴史に関する話が聞けるだけでなく、価値ある真正な品が出てくるかもしれないと期待させる点にもある。人は何かお宝が日の目を見るだろうかと期待して視聴し、番組の語り口もその期待にもとづいている。

　そして長年、視聴者は失望していない。シェイクスピアのノートからファベルジェの杯、チャールズ二世の時代に鋳造された銀貨から一八世紀に中国で彫られた犀角杯まで、『アンティーク・ロードショー』は本当に見事な骨董品を蘇らせてきた（二〇一六年には本物のスパニッシュ・フォージャーの絵画も見つかった）。『アンティーク・ロードショー』は大半の偽造、捏造、贋造のストーリーとは逆を行くもので、それが成功の秘訣のひとつだ。偽りを暴くのではなく、品物が評価、認証されるストーリーなのである（大発見は稀ではあるが）。

　すべての偽物に共通しているのは、本物にしては立派すぎるということだ。スパニッシュ・フォージャーの絵画やウィリアム・ヘンリー・アイアランドのシェイクスピア、ヨハン・ベリンガーの模造化石のようなものは、専門家たちの懐疑論を正当化しているように思える。つまり、アート、人工遺物、骨董品の世界で、壮大な、世界を揺るがすような、パラダイムを変えるような、前例のない新発見は偽物だと考えられる、なぜならたしかにほとんどが偽物だからだ、ということである。しかし、ときにはその仮定が誤っていることもある。ときに、『アンティーク・ロードショー』で発掘されるような新たな発見物が本当にそのとおりの新たな発見物であることもある。このような発見物は、状況を覆し、ホンモノだと証明される。

　古代マヤのグロリア・コデックスもそのように状況を覆した品だ（『アンティーク・ロードショー』とは無関係だが）。四〇年以上、多くの専門家はこの古代マヤの絵文書（コデックス）を、熱心だが眼力のないアートコレクター向けの偽物だと馬鹿にしていたが、徹底した科学的分析と何十年もの研究の末に、このコデックスは本物だろうということになった。学術界で完全に認められてはいないものの、この例からは、モノの真正性はつねに不確定だということがわかる。また、ある品が認証され、受け入れられることは、いったん偽物だとされた場合、困難な闘いになるということもわかる。

グロリア・コデックスを理解するには、その歴史を紐解く必要がある。それはもちろんこのコデックスの発見の歴史だが、同時に、それを書いた古代マヤの書記官、それを破壊しようとしたスペイン人、その真正性に関する長年の考古学的議論の歴史でもある。現代の考古学者はこのコデックスの制作時期を一三世紀としているが、マヤの歴史はその数千年前までさかのぼる。

古代マヤ文明は、一六世紀にスペインに征服されるまでの数千年間、メソアメリカ南部および東部の大半――現在のメキシコ南東部チアパスから、ベリーズ、グアテマラ、そしてホンジュラス西部とエルサルバドルにわたる地域――を占めていた。スペインの征服者（コンキスタドール）が中央アメリカに足を踏み入れるまで、ティカル、パレンケ、コパン、エルミラドール、チチェン・イツァ、カラクムールのようなマヤの主要都市の多くは、政治的拡大、経済的繁栄、最終的な衰退（新しい都市が現れては、また別の都市が権力を獲得する）の時代を謳歌していた。

紀元九〇〇年ごろにはマヤの政治風景の大規模な再編があり、権力の中枢がメキシコ・ユカタン半島の北部に移り、最終的にグアテマラの火山高地に移った。スペイン人の接触によって、当時栄えていたマヤの都市の中心部は「長く激しい征服で壊滅し、何千もの命が奪われた」と、著名なマヤ研究者のロバート・シェアラーは『古代マヤ』の中で述べている。スペイン人の出現は「災難であり、それを特徴づけるのは、残忍性、ヨーロッパ人によって持ち込まれた破滅的な伝染病、カトリック教会の遠慮のない介入だった」。歴史家はこれを〈征服〉（コンクエスト）と〈改宗〉（コンヴァージョン）と呼んでいる。

スペイン人は新世界に到着したとき、自分たちと同じくらい長く複雑な歴史を持つ人々に出会うことは想定していなかった。ギリシアやローマの古典世界に深いルーツを持つ自分たちの文化的伝統のみが、歴史的に展開してきた「文明」社会への道として認められるのだという、ヨーロッパ中心主義の論理があった。メソアメリカの文化、特にメシカ（アステカ）の文化はこの仮定に異議を唱えた。マヤは、その長い歴史の中で、数学、暦、天文学、そしてもちろん書の分野で、シェアラーの言葉を借りれば「驚くべき偉業」を達成していて、複雑な技術と政治体制を持ち、アートの分野でも、彫刻、絵画、建築の伝統を有していた。

つまり、「地球上で自分たちだけが文明生活を体現していると確信していた一六世紀のヨーロッパ人にとって、メシカ、インカ、マヤの発見は不意の驚きだった」のだと、シェアラーは『古代マヤ』で説明している。「アメリカ大陸の人々は、容赦なく行動に出ることもできたが、交戦能力はヨーロッパ人より低く、勇敢に毅然とした抵抗を見せはしたものの、最終的に征服者に壊滅させられた」。その後、「マヤの失われた文明」というイメージは西洋の人々の心をとらえた。しかし彼らは、マヤには何千もの民族がいて、何十ものマヤ言語を話し、いわゆるメソアメリカにいまも住んでいるということは知らなかった。

結果的に、古代アメリカは、一九世紀中後期のヨーロッパ人にとって、出会い、探り、説明を与えようとする対象になり、そのような西洋のよそ者は、現在生きる古代マヤの子孫たちを、知的かつ美的に洗練された豊かな歴史と結びつけることを断固として拒んだ。しかし、この歴史的なオーラは、神話や伝説を数多く生み、ピラミッドや建築物、球戯場、人工遺物について、いろいろな当てずっぽうの推測を呼んだ。

一九世紀の作家や旅行家はこの神秘感を利用した。たとえば、一八三九〜四二年に、アメリカの法律家で紀行作家のジョン・ロイド・スティーブンズとイギリスの画家フレデリック・キャザーウッドは、メソアメリカを探検し、マヤの「失われた都市」を読者に紹介した。そうして、エキゾティックで、好奇心をそそる、もはや存在しない場所というイメージを、アメリカとヨーロッパの人々に植えつけた。スティーブンズとキャザーウッドは、旅行記の中でマヤの象形文字に注目し、「［マヤの］歴史はモニュメントに彫られていると考え」ていた。多くの建造物でマヤ文字を見たからである。しかし、マヤ文字は西洋の人々には解読不能だった。翻訳のためのロゼッタストーンのようなものはなく、スティーブンズとキャザーウッドは「だれが読めるだろうか」と頭を悩ませた。多くのマヤ研究者が昔から指摘しているように、古代マヤの文字を解読するのは、マヤの謎の中でも特に厄介な、長年の謎だった。

古代マヤ語は、表語文字と音節文字を組み合わせて書かれていた（一八～一九世紀の学者たちは、古代エジプト文字に似ていると感じ、その文字を象形文字と呼んでいいだろうと考えた）。しかし、現代のマヤ語はラテンのアルファベットで書かれることが多い（先住民のあいだでは、現代のさまざまなマヤ言語で書かれている碑文に古代マヤの象形文字を再び使おうという動きも広まっているが）。大まかな見積もりによれば、五〇〇〇点ほどの古代マヤの文書が博物館や個人のコレクションに見つかるという。マヤの象形文字は洞窟の壁や動物の骨、貝、黒曜石にも見られるが、多くは古典期（紀元二〇〇～九〇〇年）に陶磁器や石碑に書かれたものだ（マヤの象形文字の最古の例は、白い漆喰に黒く太い線で書かれた一〇個の文字の並びで、グアテマラの寺院の二三〇〇年前の石灰岩のブロックに見つかった）。これらの文書は驚くほど丈夫な物質に書かれていて、何世紀もの風化に耐えて、現代のマヤ研究者に解読の材料を提供している。

歴史を振り返ると、マヤの象形文字の読解の知識は一六世紀に廃れてしまった。一九世紀末～二〇世紀初めの学者がマヤ文書の翻訳の問題を取り上げると、それから一〇〇年間、言語学者と考古学者は古代マヤの象形文字から少しでも何かを理解しようと取り組んできた。『マヤ象形文字入門』で、マヤ研究者のハリ・ケトゥネンとクリストフ・ヘルムクは、マヤの文書の解読は長年のあいだに「段階的に着実に……進んで」いて、ときおり素晴らしいブレイクスルーもあると述べている。

マヤの象形文字は、陶磁器のような耐久性のある工芸品の数々、寺院や石碑のような建造物に見られるが、記録書の主要なかたちはコデックスである。イチジクの木の内皮が原料の頑丈な紙――マヤ語ではフーン、スペイン語ではアマーテと呼ばれる――でつくられたコデックスは、アコーディオンのようにページが連なった折本で、選り抜きのアーティスト＝書記官が、いまでは消滅したと考えられているチョルティ語というマヤの言葉で書いていた。マヤ文字は紀元前三世紀からスペインによる征服まで途切れることなく使われてきた（現代の考古学者の中には、スペインによる支配の影響を受けなかった地域では一七世紀まで生き残っていたと主張する人もいる）。

さまざまなコデックスの断片が一八〇〇年代に公開されたが、言語学者、碑文学者、考古学者、人類学者がマヤ文字の解読に力を入れはじめたのは一九世紀後半だった。その後、天文表と記数法の解読に成功した専門家はいたものの、コデックスの完全な翻訳が実現したのは一九七〇年代末から八〇年代初めのことだ。二〇一七年の段階で、学者たちはマヤ文書の約九〇パーセントを翻訳できると考えている。

マヤの書物の技術はつねにコデックスがベースだった。一般的にコデックスとは冊子状の手書きの書物のことだが、アコーディオンのようにページが連なった折本のマヤのコデックスは独特で、書物の技術の歴史の中で重要な位置を占めている。世界的に見て、紀元六世紀までにコデックスがそれ以前の記録書のかたちである巻物にほぼ取って代わった。コデックスは丈夫かつコンパクトで、情報にアクセスしやすかった。ページの両面を使えたうえに、多くのページをまとめることができたため、巻物よりも書くスペースが多かった。そして、コデックスで何かを探す場合は、書物全体を巻く必要はなく、ページをめくればいい。さらにコデックスは、記録の耐久性と保存性を向上させた。「コデックスのページは左から右に読まれた」と、考古学者のナンシー・ケルカーとカレン・ブラーンズはマヤのコデックスについて説明している。「そして、両面に描かれている場合、ひっくり返して左から右に読むと、裏面の最後のページが表面の最初のページの裏にくる」

現存するマヤのコデックスにもとづいて、学者たちは、それらは歴史的な出来事の記録ではなく、マヤ研究者のケトゥネンとヘルムクが言うところの「より秘教的な、天文学的な」もので、「暦や予言というかたちをとった情報」に満ちているのではないかと論じている。コデックスの翻訳によれば、マヤの人々は金星に特に関心を持っていて、天文学者＝聖職者は明けの明星と宵の明星（つまり金星）が同じ惑星だと特定していた。このマヤの天文学的知識は、現代の考古学者・マヤ研究者のマイケル・コウがたびたび指摘しているように、ホメロスのギリシアでは知られていなかったことだ。

一六世紀にスペインの征服者がメソアメリカを闊歩していたとき、同行していたカトリックの聖職者たちはマヤのコデックスを異端の悪魔の書物だとして燃やした。多神論で、自然の影響が強い、マヤの土着の宗教に対して、自分たちキリスト教の「優越」を示すという名目だった。一五六二年七月、悪名高いスペインの司教ディエゴ・デ・ランダは、ユカタン半島のマヤの全書物を焼き尽くしたことを喜んだ。「これらの文字［マヤ文字］で書かれた多くの書物を見つけたが、迷信や悪魔の嘘だと考えられない内容はいっさいなかったため、わたしたちがすべて焼くと、彼ら［マヤの人々］は驚くほどに悲しみ、ひどく苦しんでいた」と、彼はマヤの歴史と文献の撲滅について列挙した『ユカタン事物記』に書いている。

バルトロメ・デ・ラス・カサスなど、コデックスの破壊を非難するカトリックの聖職者もいたが、マヤの書物の根絶は徹底的なものであり、ひとまとめに葬られた。「これらの書物は聖職者が目にして、わたしも修道士が焼いたものの一部を見た」と、ラス・カサスは『インディアス文明誌』の中で嘆いている。「宗教的な面でインディアンにとって害になりうると考えたからのようだ。当時、彼らは改宗をはじめたところだったから」。当時知られていたマヤのコデックスの最後のものは一六九七年、グアテマラの都市ノフペテンがスペインに敗れたときに焼かれた。少し歴史の皮肉を感じるが、デ・ランダの『ユカタン事物記』にはマヤ文字に関する覚書も含まれていて、これは数世紀後、マヤの象形文字を解読、翻訳しようとする学者の役に立った。

長いこと、二〇〜二一世紀のマヤ研究者たちは、現在まで生き残っているマヤのコデックスは三つしかないと考えていた。その三つ――ドレスデン・コデックス、パリ・コデックス、マドリード・コデックス――は、一九世紀に再発見されたヨーロッパの図書館にちなんでその名がついた。学者たちはそれらの文書を使って、メソアメリカの自然史と民族誌の研究をはじめていた。たとえば一八一一年には、著名な博物学者・探検家のアレクサンダー・フォン・フンボルトが、アメリカの先住民について詳述した図解書の中で、ドレスデン・コデックスの数ページを公開した。これらのコデックスが破壊を免れたのは、スペインの征服者たちがアメリカ土産の珍品としてヨーロッパに持ち帰っていたからだった。また、この三つのコデックスはどれもマヤの書物史の後期に制作されたものであり、古典期のマヤのコデックスは現存していない。

それゆえマヤのコデックスは非常に珍しい。歴史、地理、巡り合わせのためだ。そしてこれがグロリア・コデックスの物語のカギなのだ。この稀少性は、学術界に加え、金銭的評価にも影響を及ぼしている。考古学者は、いくらそれを見つけたくても、ちょっとそこまで行って見つけるということはできない。数世紀前のスペインによる破壊を生き延びたフーン紙の書物は、デリケートなイチジクの樹皮の紙を容易に食い尽くすほどのメソアメリカの湿った酸性の土壌のために、腐敗の危機に直面している(最近のマヤの埋葬物の発掘で、何かが描かれた薄片を含むでこぼこした有機体がいくつか出てきて、考古学者たちは腐敗したコデックスの残骸ではないかと言っている)。乾燥した洞窟に埋められていたら何世紀も残っただろう、と考古学者は言う。しかしそのような場所で掘り出されたコデックスはなく、歴史的に見て、今後も見つかることはなさそうだった。二〇世紀中頃のグロリア・コデックスの発見まで、ドレスデン、マドリード、パリのコデックスだけがそれだった。

しかしながら、マヤのコデックスの珍しさは、二〇世紀初めにニッチな市場を活性化させた。

まず、高級なアート収集の世界で一定の需要が生まれた。この需要によって、マヤの遺跡から略奪された品がオークションにそっと持ち込まれるようになり、その新しい市場に入り込もうとする贋作者が偽のコデックスをたくさんつくるようになった（二〇世紀初めのアメリカの新聞王ウィリアム・ランドルフ・ハーストは、マヤのコデックスの偽物を二つも買ったという）。贋造されたコデックスは、認証済みの三つのコデックスを見ていた専門家の目を欺くことはほとんどなかったが、眼力のないコレクターを相手に非常に儲かる市場を生み出した。

メソアメリカのアート、特にマヤのアートの偽造はいまにはじまったことではない。考古学と歴史学はこの点を強調し、メソアメリカの征服中、うかつで騙されやすいエルナン・コルテスの兵士たちに贋造品が売られていた可能性が高いと見ている。このような「土産」は基本的にスペイン人のためにつくられた品で、進取的なアステカの職人たちが、以前から贋造していたトルテカの彫像やテオティワカンの仮面を軸にして、新しいスペイン＝アステカ市場を囲い込んでいた（メソアメリカ研究者の中には、征服前に贋作者の「家内工業」がテオティワカンの遺跡のまわりで出現し、テオティワカンの偽物を骨董品ハンターに売っていた可能性があると考える人もいる）。

スペイン人は新世界の骨董品を持ち帰り、多くの工芸品——真正なものもあったが、そうでないもののほうが多かった——がヨーロッパ中の貴族に贈られ、新しいエキゾティックな土地の骨董品が彼らの珍品コレクションを埋め尽くしていった。しかし、古代メソアメリカの骨董品の市場が本当に動き出したのは、植民地がスペインから独立した一九世紀以降のことだ。旧植民地で多くの商売がはじまる中で、「失われた文明」のアート、骨董品、人工遺物――スペイン人が「征服」のあいだに多くを滅ぼしたもの――の需要が高まり、贋作者も驚くほど生産的になった。ジョン・ロイド・スティーブンズとフレデリック・キャザーウッドなどの旅行記が、古代アメリカの神秘への関心を生み出す強力なツールだった。

また、アレクサンダー・フォン・フンボルトなど、それより前の探検家・旅人も、アメリカの民族やアートをヨーロッパの読者・知識人に紹介していた。ヨーロッパのアート市場の発展と歩調を合わせるように、新たにつくられた国々でもその土地の過去に対する興味が高まっていた。たとえばメキシコでは、独立戦争によって、アステカの過去の再興者として政治家を売り出すレトリックが広まった。ラテンアメリカのほかの旧スペイン植民地でも、非スペインの過去を再生、振興させる道を見つけようという動きが起こった。そのような道のひとつは、人工遺物を集めた国立博物館を建設することだった。

当初から、メソアメリカのアート・骨董品の偽物は高級／廉価のどちらの市場にも出没していた。熟練の職人やアーティストは、コレクターが望む、あるいは想像するものはどんなものでも手に入れられると請け合っていた。そして偽物は、「認証」されて堂々とコレクションに入ると、本来どのようなものであったにしろ、「本物」だとされた。「〔一九〕世紀の中頃までに、驚くほど多産で繁栄した骨董品産業ができていた」と、ナンシー・ケルカーとカレン・ブラーンズは説明している。「少なくとも、外国人訪問者/旅行客/ビジネスマンが多く、コロンブス以前に『名品』をつくる複雑な社会があった国では」博物館のコレクションの偽物、捏造品、贋作をめぐる状況は一九世紀末に危機的な状況に達した。有名な探検家・考古学者でアメリカの博物館のキュレーターだったウィリアム・ヘンリー・ホームズなど、博物館のプロフェッショナルの多くが不安を抱いた。ホームズが一八八九年にスミソニアン協会アメリカ民族学局のキュレーターになったとき、取り組まなければならない仕事は、スミソニアンが収集したラテンアメリカのアート・人工遺物の膨大なコレクションを「なんとかする」ことだった。

ホームズ自身は有史以前の古代プエブロ文化(「アナサジ文化」とも言われる)の専門家で、アメリカ地質調査所で働いていたことがあり、一八八三年にはメキシコシティへ行って国立博物館の考古学コレクションを調べていた。ホームズは著作の中で、国立博物館で多くの贋作を見つけ、その状況に困惑したと言っている。しかし彼が大きなショックを受けたのは、スミソニアンのコレクションにあったのと同じ贋作を見つけたときだ!「米国やヨーロッパの考古学者がこの作品の解釈を誤ったのは驚くことではない。現地のディーラーの話に頼るだけの、科学的な知識のないコレクターの言うことを信じなければならないのだから」と、ホームズは述べている。「しかし、メキシコの学者がこれほど長く見過ごしてきたのは不思議だ」

心に留めておくべきは、一九~二〇世紀の多くのコレクターにとって、古代アメリカの品の

「粗削りさ」が、その来歴にかかわらず、真正性の実質的な証拠と考えられていたことだ。文化的優越というレトリックにとらわれ、細部に目を向けていなかった多くのコレクターは、古臭い「粗削り」なものは本物だと決めつけていた。また、当時のアートシーンの潮流も需要を高める一因だった。ディエゴ・リベラなどのアーティストが、メキシコ西部の小立像（そして多くの偽物）を、「モダンアート」の香りがするとして集めていたのである。もうひとつ心に留めておくべきは、偽物の根強い魅力についてアート犯罪史家のエリン・トンプソンに訊いたときに言われたことだが、「偽物はわたしたちのためにつくられる。偽物をつくる人は、現代のテイストにアピールできる」ということだ。「古代の人々はわたしたちの好みを気にして制作してはいない。偽物は本物の骨董品よりも大きく、豪華で、興味深く、魅惑的であることが多い」

　あらゆる種類のメソアメリカのアートが大量に偽造されているが、マヤのコデックスの模造品は昔からひとつのジャンルになっている。最初の偽コデックスが市場に現れたのは一九世紀で、ほかのメソアメリカの偽物産業の出現と重なっている。一九〇九年、メキシコの人類学者・考古学者のレオポルド・バトレスが、贋作産業の仕組みについて写真と文章で解説したマヤの偽物の詳細なカタログ『古代メキシコの捏造品』を出版した（彼は、安く手早くマヤのコデックス風の品を量産するために一部の贋作者が使っていた真鍮のスタンプの写真も載せている）。バトレスによれば、贋作者は、怪しげな遺跡荒らしのコネを使って、真正に見える紙を手に入れられたのだという。

長年にわたって、マヤ研究者とメソアメリカ研究者は、インチキだと思われるコデックスを集めていった。一九三五年には、デンマークの考古学者フランス・ブロムが『マヤの偽造コデックスのチェックリスト』を出版し、主要な偽コデックス一〇点をリスト化した。そのリストに載ったコデックスのひとつには、羽毛を持つヘビに引っ張られたローマ風の二輪馬車に乗るマヤの戦士が描かれていた。このような贋作コデックスは広範囲の博物館やコレクションで見つかった――ミュンヘンの州立民族学博物館に一点、グアテマラシティに四点あった。一九五八年には、著名なマヤ研究者のセサ・リサルディ・ラモスが、当時有名だったコデックス・ポルアを偽物だと糾弾し、博物館や学界に出まわっている偽物の数は三三点になった。

ナンシー・ケルカーとカレン・ブラーンズは、共著書『古代メソアメリカを偽造する』の中で、リサルディ・ラモスによるコデックス・ポルアの調査以降、マヤの偽コデックスの数は二〇一〇年の時点で三倍以上になっていると論じている（そしてもちろん、写本の断片や旅行土産用の贋作はこれには含まれていない）。「最初期の贋作は現代の基準からすれば洗練されていないが、それでもコレクターの目をかいくぐるには十分だった」と、ケルカーとブラーンズは指摘している。「より新しい偽コデックスは、信じられないほど粗悪なものから、アイヴィーリーグのマヤ専門家を騙せるほど見事なものまで、多岐にわたっている」

何十年も経過したいま、偽物だとわかったコデックスの多くは、いまでは素人の目にも滑稽に見える（ローマ風の二輪馬車がその例だ）。スパニッシュ・フォージャーと彼の一九世紀的中世精神による作品と同じように、何を探せばいいかがわかると、サインは見つけやすくなる。少なくとも、買い手や鑑定家が疑問を持つほどには明白になるはずだ。多くの贋作者は、認証済みのマヤのコデックス——ドレスデン、パリ、マドリード——のイメージをもとにして自由にモチーフを選んだが、各要素の並べ方やその意味はわかっていなかった。つまり、文法や文脈を理解せずにマヤの言語を模写しようとしていたということだ。そして、そのようにつくられたものはたんなる絵の寄せ集めにすぎなかった。

たとえば、コデックス・ポルアのあるページは、「風変わりな似非物語の場面」で、「ウエディングケーキのような三段のピラミッド」と「いますぐ足の専門医に診てもらうべき」ハイカーが描かれていると、専門家たちはあきれたように言っている。また、マヤとミシュテカのモチーフが混ざったそれらのページ——それも真正なマヤのコデックスとしてはおかしなものだ——を次々見ていくと、やがてドラゴンと出会うことになるが、「そのドラゴンは中国の輸入品からとられたものだ！」と、ナンシー・ケルカーとカレン・ブラーンズはすっかり冷笑している。

そういうわけで、マヤのアート、骨董品、考古学において、認証がいかに、そしてなぜ大きな役割を果たしているかは明白だ。残る問いは、何が本物で何がそうでないかをいかに知るかということである。

まず、その品がしっかりとした考古学の発掘作業で見つかったものであれば、その発見の行為と記録（出所）が正統性の証明に役立つ。「最近発見された」というだけの、しかるべき出所や来歴がないものがアート市場に現れた場合は、略奪、密輸、偽造などの邪まな方法で得られたものか判断がつかない（アートから考古学、古生物学まで、さまざまな分野で、来歴が裏づけられていない品の認証、あるいは調査すら拒む専門家が増えている。しかし、個人コレクターの市場に関しては別の話だ）。写真、日誌、現場報告、研究論文、学術雑誌記事、こういったものが発見の正統性の証拠になる。

考古学的な発見のコンテクスト——それは古いコレクションの仕分けに役立つこともあればそうでないこともある——以外に、鑑定家の専門知識・経験も活用される。「目利き（グッド・アイ）」とも言われる鑑定家は、絵画などのアートが本物かを判定する感覚を持っていて、それはアートをその目で見てきた経験にもとづいている。ナンシー・ケルカーとカレン・ブラーンズは、本物と偽物を選り分ける方法として鑑定家だけに頼ることに少し懐疑的な見方をとっている。「優れたアートを見る目があるうえに、アーティストやコレクターの人生についてあれこれ知っているため、鑑定家はディナーの客としては面白い」と、彼女たちは冷ややかに書いている。「しかし全体として、先コロンブス期の偽物を見つけることに関する彼らの実績には少しむらがある」

だが、二〇世紀中頃になると、新たな認証の手段がアート、骨董品、考古学の世界にもたらされた。科学の各分野で化学的・物理的分析法が確立され、さまざまな性質の品を検査する手法が生まれたのである。そして、そうして得られた情報は認証のエビデンスとして使われた。

一九四九年に初めて採用された放射性炭素年代測定は、かつて生きていた物質の年代を測定する体系的な方法だ。このタイプの測定は、かつて有機体だった物質にしか使えない。また、試料を破壊するうえ、測定結果の年代の幅を解釈するには少し技術がいる。つまり放射性炭素年代測定は、かつて生きていたものにしか使えず、その物体の一部を破壊し、「このコデックスは一三二五年につくられた」とまでは断定しない、ということだ。しかし、認証の過程で科学的分析を行う重要な手段である。

二〇世紀半ば以降、数多くの科学的検査、手法が開発された。たとえば、熱ルミネッセンス法は、考古学的なコンテクストが不明な陶磁器に使われるもので、焼かれた年代を特定する。一方、コンピュータ断層撮影（CT）スキャンの登場で、研究者はモノの「内側を見る」ことができるようになった。また、走査型電子顕微鏡は驚くほど強力な倍率機能を持ち、贋作者が欠陥を隠し通す余地をほとんどなくした。これらはほんの一部の例にすぎない。

忘れてはならないのは、これらの検査では「本物」を見つけることはできないということ、そして、いかなる科学的分析も許さないモノも数多くあるということだ。たとえば、彫刻は検査するのが難しいことで知られている。検査からわかるのは、そのモノがいつできたか、何でできているか、拡大するとどのように見えるか、ということだけだ。そのような検査の結果は、つなぎ合わせて推理小説のように読まなければならない。それゆえ、分析は主に偽物の発見に使われる。つくられたと「される」時期より数世紀あとにつくられている、というようなことはわかるからである。一方、贋作者もだんだん洗練されてきていて、略奪された古代の品を材料にするなどして、新しい技術の出現に順応している。

「検査をして見つけられるのは偽物だけです。そしてわたしたちが検査をしない理由はたくさんあります。費用がかさむうえ、検査を行える専門家を見つけるのが難しい場合もあります。たんに検査をしたくないということも多いです。骨董品を売買している人や組織は、それが価値のないものだと証明されたくないのです」と、エリン・トンプソンはインタヴューでわたしに言った。「古代の研究をしている人は、研究キャリアを無駄にしてしまったと証明されたくはありません。一般の人々は、専門家が何も知らないとは考えたくありません」

ここでグロリア・コデックスの物語に戻る。メソアメリカ考古学者でマヤの専門家のマイケル・コウは、グロリア・コデックスは本当に真正なものだと初めから訴えていた。しかし、ほかの多くのコデックスのような偽物ではないとするエビデンスを積み重ねても、ほかの学者たちがそれを受け入れるまでには四〇年以上かかった。そしていまでも、グロリア・コデックスはあまねく受け入れられているわけではない。

最近のマヤ研究の歴史の中で、グロリア・コデックスはほかに類を見ない「新発見」のコデックスだ。この名前がついたのは、最初の一般公開が一九七一年にニューヨーク市のグロリア・クラブで行われたからで、これは当時イェール大学のマヤ考古学教授だったマイケル・コウが企画したものだった（グロリア・クラブは、製本、印刷、書物一般の歴史に興味を持つ愛書家の私設クラブである）。その展示――「古代マヤのカリグラフィー」――は、マヤ文字が書かれたあらゆる美しいものに焦点が当てられ、葬式用の壺、陶磁器の瓶、箱、さらにはマヤ文字が刻まれた人間の骨などが飾られていた。しかし、コデックスこそが展示の目玉だった。これは歴史をひっくり返すものだ、と謳われていた。

グロリア・コデックスは、マヤの象形文字と数字とともに金星の暦が描かれていて、白いスタッコ塗りの表面に赤、黒、青で彩られている。ページをアコーディオンのように広げると、縦一八センチ、横一二五センチほどだ。およそ現代のペーパーバックほどのサイズで、広げると作業台ほどの長さになる。現在残っているのは計一一ページだが、元々は二〇ページほどあっただろうと推測されている（スタッコを塗られていない、何も描かれていない、五枚組のフーン紙もついている）。コデックスの下部は、湿気による腐食と汚れでダメージを受けている。

このコデックスには豊かな色合いがある――血のような赤、深い黒、茶と赤の淡彩、そして有名な「マヤブルー」――が、インクの使用は控えめだった。五枚組の紙の一部をテレダイン・アイソトープ研究所で放射線炭素年代測定にかけると、紀元一二三〇年（±一三〇年）のものとされた。その五枚組が本体と同じ年代のものだと仮定するなら、グロリア・コデックスは一三世紀に描かれたものだということになり、それは、マイケル・コウによれば、その様式や内容と矛盾しない。しかも、この年代が正しければ、グロリア・コデックスは現存する最古のマヤの書物ということになる。奇妙な暦と図像が描かれた出所不明のコデックスというだけでなく、ドレスデン、パリ、マドリードよりも古いというのだ。信じられない！

コウは、グロリア・コデックスが片面にしか描かれていないのは、埋葬されたか儀式的にしまい込まれたかして、一三世紀のマヤの聖職者のあいだの流通から外れたためだろうと言っている。一九七〇年代、コウと彼の研究仲間たちは、このコデックスのモチーフと象形文字について説明した際、日付の表し方など、ほかの三つのコデックスとはっきり共通する点がいくつかあると言った。一方でコウは、グロリア・コデックスの様式には明らかにマヤらしくないところ、トルテカやミシュテカのようなメソアメリカの西のほうの様式を思わせるところがあるとも言っている。コウの主張に対する学者たちの反応は、控えめに言っても賛否両論だった。

グロリア・クラブは、二年後の一九七三年に、展示物の写真と説明を載せたカタログを出版した。グロリア・コデックスについて、コウは、来歴不明の個人のコレクションの中にあったものだと書いている（「後期マヤ＝メキシコ様式のモザイクマスクと一緒に見つかったと言われている……マヤ地域のどこかの洞窟で、乾燥した環境のために保存されていたのだろう」と、コウは分析している。「これが日の目を見たのは、したがって特別に珍しいことである」）。そしてここでグロリア・コデックスの物語は複雑になり、その真正性が問われはじめる。

そもそも、このコデックスの発見の物語はすっきりしない。なぜこれほど珍しいものが、コウが言うように来歴不明なのか？　なぜこれほど重要な発見——四つ目のマヤのコデックス——が、展示に至るまでの経緯を明かしていないのか？　ジャーナリストのカール・E・マイヤーは、違法なアート売買に関する一九七三年の著書『美術泥棒の世界』の中で、グロリア・コデックスの所有者の詳細を明かすようコウに迫った。コウはそれにはっきりとは答えず、「このコデックスは匿名の所有者からグロリア・クラブが借り受けた『本物の難題』だ」と述べるだけだった。だれが、どこで、どんな状況でコデックスを見つけたのかは、いっこうにはっきりしなかった。

カール・マイヤーがまとめ上げたグロリア・コデックスの発見の物語はこうだ。一九六六年、メキシコシティの著名な骨董品コレクター、ホスエ・サエンス博士が電話をとると、相手の人物は「こんにちは。二週間後にあなたにいいニュースをお届けします」と言ってすぐに電話を切った。数週間後、再び電話が鳴り、サエンスは同じ男の声だと気づいた。このとき相手は「ゴンサレス」とだけ名乗り、驚くほど儲かる古代のお宝——骨董品市場で即座に高く売れるメソアメリカの品——の隠し場を教えると約束した。ゴンサレスはさらにもう一度電話し、この素晴らしいお宝を見にくるようサエンスを急き立てた。サエンスはすぐにメキシコ南部タバスコ州ビヤエルモサ行きの航空券を予約した、何の質問もせずに。

サエンスは、シエラ・デ・チアパスの丘に到着すると、ゴンサレス氏と村人たちに出迎えられた。ゴンサレスはサエンスに、豪華に装飾されたマヤの仮面と、マヤの象形文字が書かれた書物を見せた――のちにグロリア・コデックスとして知られることになるものだ。サエンスは、村人たちはその二つのお宝を近くの、しかし秘密の乾燥した洞窟で見つけたと言っていたと主張している。

ここでホスエ・サエンス博士の経歴を少し紹介しよう。彼は骨董品・アート収集の世界で目立った存在だった。スワースモア大学とロンドン・スクール・オブ・エコノミクスに通い、ケンブリッジ大学では貨幣理論に関する論文を書き、著名な経済学者のジョン・メイナード・ケインズのもとで学んだ。メキシコシティの有力な一家の出身であるサエンスには、金、社会的地位、コネがあった。彼は銀行家であり、スポーツマンであり、公務員であり、大学講師でもあった（一九六八年のメキシコオリンピックの際には国内オリンピック委員会のメンバーにもなった）。

しかし、一九五〇年代に、サエンスは収集の世界にのめり込み、すぐにメソアメリカの人工遺物・骨董品の世界で重要な人物になった。『美術泥棒の世界』では、彼が自信と財力をもって収集の世界に入っていったことについて、同業者がこう説明している。「ホスエは、ほかのすべてのことと同じように、知恵とエネルギーをもって取り組んだ。ほしいものには必ず最高額を払うと知らしめ、その結果、メキシコで売りに出されるあらゆる重要な品の先買権を手にした」

ここで、村人に囲まれながらマヤの仮面とコデックスを見ていたシエラ・マドレ・デ・チパスでの話に戻る。サエンスの噂は広まっていたから、ゴンサレス氏たちは、自分たちが電話している相手のことをはっきりわかっていただろう――自分たちの品物を国際的なアート市場に持ち込み、手間賃を払ってくれる人だと。

サエンスは二つの品に対して、その場で現金二〇〇〇ドルを払うことを村人に申し出たという。しかし、村人がニューヨークのパーク・バーネット・ギャラリーのカタログを見せ、アート市場のオークションでの値段に見合った額を払うよう要求すると、しぶしぶ額を上げた。地元の人々――考古学の文献では「略奪者」とされることもあれば、「仲介者」とされることもある――は、チアパスの乾燥した洞窟からそのコデックスを持ってきたと言っていて、発見時はほかの三枚のフーン紙とターコイズのモザイクマスクと一緒に木の箱に入っていたということだった。サエンスは買う前に仮面とコデックスを持ち帰って認証にかけたいと言ったが、村人たちは金を払わずに自分たちの目の届かないところに持っていってはいけないと答えたという。

サエンスは先日付の小切手を書いて、村人から仮面とコデックスを受け取り、メキシコシティへ戻って専門家に認証を依頼した。小切手を先日付にしたことで、偽物であれば支払いを止められるだろうと考えていた。しかし、村人は小切手をすぐに現金化し、サエンスはすっからかんになった。

仮面の認証作業は何年にもわたる骨の折れる闘いになり、本物だと言う専門家もいれば、偽物だと言う人もいた（サエンス自身は実のところ偽物だと考えるようになっていた）。最終的に、この複雑なモザイクマスクは、アメリカ自然史博物館のメキシコ考古学のキュレーター、ゴードン・エクホルム博士のもとに持ち込まれた。構造を細かく見たエクホルムは、この細部の剝がれを偽造するのは不可能だろうとして、本物だと認証した。アート界はこの仮面を受け入れ、一九六六年にアメリカのアートコレクター、ミルドレッド・バーンズ・ブリスが購入した。いまも、ワシントンDCのダンバートン・オークス研究図書館が管理する彼女の家族コレクションに収められている。

一方、コデックスのほうはさらに複雑で、その真正性をめぐる議論は何十年も続いている。サエンスは購入してからずっとしまい込んでいたが、一九七〇～七一年に考古学者のマイケル・コウに見せた。そしてコウの強い主張で、このサエンス所有の品はほかのマヤの文書とともにグロリア・クラブで展示されることになった。

人工遺物の本物と偽物の識別には、第一印象がすべてだ。出所はあらゆる品の文化的履歴に欠かせず、説得力や文化的威信は発見時の状況によって決まるところが大きい。どのように発見されたか、そしてどのようにその発見が記録されたかが、認証のプロセスにおいては、その品の物理的性質と同じくらい重要なのだ。発見のストーリーは世の中に最初に知られるものであり、その印象はなかなか振り払えない。何か疑わしい点があれば、偽造や贋造の噂がずっとついてまわることになり、社会的、倫理的、金銭的評価にもろに影響する。

元々のコンテクストが合法的かつ妥当であれば、その品は受け入れられやすくなる。法律上の厄介ごとに左右されながらも、学術的に研究されたり、専門家によって博物館に入れられたり、個人のコレクションに買われたりする。一方、略奪あるいは贋造されたものは、往々にしてあいまいなつくり話で塗り固められている。そして発見の記録がどうやっても裏づけられない場合、とりあえず、それは本物ではないと仮定される。サエンスがマヤの品を購入してから何十年も、彼の物語は多くの専門家に苦々しい思いをさせてきた。

お偉方のほとんどは、このコデックスを偽物だと考えた。そもそも、出所が確かめられないということ（そして、よくて略奪、ひどい場合は贋造だと思われること）は、認証が非常に難しくなるということだった。また、一世紀以上にわたって、マヤの専門家たちは、スペインによる征服を生き延びたマヤのコデックスは三つしかないという考えに馴染んでいたから、ほかのすべての発見が偽物だと証明されている中で、四つ目が都合よく現れるというのは信用しにくかった。グロリア・コデックスを偽物だと考えるのは簡単であり、筋が通っていた。ゆえに、人々がそれを正統な新発見として真剣に受け取るのは難しかった。何十年も経っても、この発見の物語はよくてもあいまい、せいぜい不十分とされ、ハリウッド風のフィクションだとさえ思われている。確率の問題だ、とだれもが考えた。

最初の展示以来、専門家たちは、グロリア・コデックスについて議論し、科学的分析を行い、検討する中で、本物ではないと考えられる点をいくつも見つけてきた。

考古学者のJ・エリック・トンプソンは、一九七五年にこのコデックスに関する影響力の大きい研究を発表し、偽物だとする強力な主張を組み立てた。胡散臭い発見のストーリーに加え、グロリア・コデックスにはドレスデン、パリ、マドリードのコデックスとは著しく異なる点がいくつかあると、考古学者たちは指摘した。たとえば、空白のページの数、文のスタイルや表現の幅、ほかの三つよりも古いということなどである。そして、コデックスと関連する紙一枚が放射性炭素年代測定で一三世紀のものだとされたというだけで、それ以外もその時代のものだということにはならないと、トンプソンは主張した。

さらに彼は、贋作者は昔から高値を狙って本物の古い紙の断片を使い、それをマヤのシンボルで装飾していると指摘した。コウが一九七三年の最初のカタログで言及した非典型的なモチーフと象形文字にも疑問があった。それは一九七〇年代中頃の考古学者が考えるマヤとは違っていたのである。一部のページの鋭い縁は現代の刃で切られたものだと説明できる、水によるダメージは贋作者にごまかしの余地を与える都合のいい細工だ、と主張する科学者もいた。塗料の「鮮明さ」（三つの認証されたコデックスと比べて）に注目し、かなり最近の偽物でなければこれほど立派にはならないだろうと言う専門家もいる。

三つの真正なコデックスはどれも占いや予言の書だ。しかしグロリア・コデックスは違う。専門家の中には、そのモチーフや象形文字が本当に金星を表したものだとは考えず、そうしてグロリアの真正性を疑問視する人もいる。たとえば、ドレスデン・コデックスには、金星のいくつかの暦のサイクルとともに、明けの明星の五体の異なる神が描かれていて、金星の各サイクルの四つの相に関連する日付が示された各ページの真ん中に配置されている。ドレスデン・コデックスでは、マヤ暦にしたがって、金星の五つのサイクルの明けの明星がそれぞれ一体の金星の神で示されているのに対し、グロリア・コデックスでは、それぞれのサイクルに四体の金星の神がいる。これは著しいモチーフの逸脱だ。

暦の表記法の違いはグロリア・コデックスの作者がドレスデン・コデックスの表記法をよく知っていたということなのか、という点について専門家の意見は長いこと二分されている。「現代の偽造者が金星の暦にハイブリッドな表記法を用いるとはとても思えない」と、コウは一九七三年、この品とその不十分な来歴に関して真正性を疑う声が渦巻く中、最初の報告書で冷静に述べた。「偽造者は、マヤの暦と図像に関する知識がろくにないため、たいていはコピーをすることになるが、ここには（ドレスデン・コデックスからの）コピーの形跡は見当たらない」

そういうわけで、マイケル・コウなどの考古学者は、グロリア・コデックスは真正だと言った。一方、ナンシー・ケルカーとカレン・ブラーンズなどは、そうではないと言った。しかし、ケルカーとブラーンズの『古代メソアメリカを偽造する』において、ほかの偽物が一ページかそこらであっさりと偽りを証明されている（たとえば、前述の中国のドラゴンのモチーフなど）のに対し、グロリア・コデックスについては、いかに偽物なのかということだけで六ページにわたる議論がなされている。このような扱いは、グロリア・コデックスのあいまいさを強調しており、これまでの類似品よりも多くの議論が必要だということを示している。結局のところ、グロリア・コデックスは、真正だと認めるよりも、信用できないとするほうが筋を通しやすかったのである。

しかし、マイケル・コウとほか数人の考古学者は、自分たちの経験と知識に賭け、これは歴史を覆すもので本物なのだと主張した。想像上であれ実在であれ、偽造者とされる相手に対して説得力のある反証をするのは時間のかかることで、考古学者とマヤ研究者のチームはその時間を使ってエビデンスを集めた。発見と最初の展示から二〇年ほど、考古学者、歴史学者、碑文学者は忙しい日々を送った。今日では、マヤのネットワークと影響に関する四〇年以上の研究のおかげで、コウが最初に言及した奇妙なトルテカとミシュテカのモチーフも説明がつくようになっている（象形文字の書き方には多くのバリエーションがあることがわかった。その違いは、マヤ帝国内のどこでその文字が見つかったか、そしてより重要なこととして、いつ書かれたかによる）。専門家たちを困惑させていたモチーフは、いまではしっかり説明できるようになった。

二〇〇七年、科学者たちは、いわゆるマヤブルーという顔料――マヤ文字を書くのによく使われていて、グロリア・コデックスにも見られる――についての詳細な分析を行った。グロリア・コデックスの青色が認証済みのマヤブルーと一致するかを調べるもので、顔料の化学組成がとりわけ重要だった。というのも、グロリア・コデックスが偽造されたと疑われる時代には、マヤブルーのつくり方を知る人はいなかったからだ。つまり、その時代にマヤブルーの正確な化学組成を持つ偽物がつくられることは事実上ありえなかったのである。

マヤブルーは鮮やかな青空のようなアジュールカラーで、古代メソアメリカの陶磁器、建築、記録書に見られる。紀元三〇〇年頃に生み出され、地元のナンバンコマツナギから採られたインディゴと粘土鉱物のパリゴルスカイトを合わせてつくられたそのインクは、何世紀も考古資料の中に生き残っている。考古学者によると、マヤブルーは、パリゴルスカイトとインディゴを香炉で合わせて熱し、儀式的につくっていたという。たんに書くためのものというだけでなく、古代マヤの宗教と儀式のきわめて重要な要素であり、雨の神チャックを象徴するなど、さまざまな神と関係していた。

ほかの認証済みのマヤブルーがグロリア・コデックスの青色と一致するとしたら、このコデックスの真正性を強く主張できるようになる。ＰＩＸＥ（粒子線励起Ｘ線分析）やＲＢＳ（ラザフォード後方散乱分光法）などの非破壊的な手法を用いて、科学者たちはグロリア・コデックスのマヤブルーの成分組成を調べ、現代の物質が入り込んでいるかを確認した。その結果、現代のものはいっさいなく――つまり、この塗料は非常に古い――分子の配列もほかの考古学的発見物と一致しているとされた。「真正性の認定に多少なりとも近づいた」と、研究の著者は書いている。「しかし、劣化のパターン、内容、文脈などの要素も検討しなければならない。物質分析はファクトのひとつにすぎない」

二〇一六年、グロリア・コデックスの真正性を認めるほうに天秤が傾いた。ブラウン大学のスティーブン・ハウストンとマイケル・コウ（イェール大学の考古学・人類学の名誉教授になっていた）が、イェール大学のメアリー・ミラーとカリフォルニア大学リバーサイド校のカール・タウベとともに、グロリア・コデックスの長年の研究の査読付き梗概を発表したのである。各人が自身の専門的な経験や知識を持ち込み、このコデックスの真正性をめぐる問いに終止符を打とうとした。

彼らは、このコデックスのページの鋭い裁断は（以前の専門家が言っていたように）現代の道具でなされたものではなく、ページのコーティングに使っていた石膏ベースのスタッコが自然に割れてできたものだと指摘した。また、象形文字のスケッチと格子線はマヤの壁画における象形文字の書き方と一致しているとも主張した。そして最後に、あらためて放射性炭素年代測定をしたところ、紀元一二一二年（±四〇年）とされ、当初の紀元一二五七年（±一一〇年）という結果が裏づけられた。「わたしたちの目的は、このコデックスの塗料に現代のものが入っているかを調べ……二〇世紀の捏造品なのかを確認することでした」と、イェール大学のアート史家メアリー・ミラーは、二〇一六年にPRI.orgのインタヴューで説明した。「わたしも初めは懐疑的な側にいましたが、すっかり考えを変え、いまではその真正性に疑いを持っていません」

「これが偽物だというのはある種の定説（ドグマ）になっていました」と、考古学者・マヤ研究者のスティーブン・ハウストンは、グロリア・コデックスのさしあたりの認証の発表に際して語った。

「わたしたちはあらためてそれを注意深く見て、批判をひとつずつ検討しました。いまわたしたちは、［グロリア・コデックスの］決定的な複製を発表しようとしています。グロリアが本物だということに疑いは少しもありえません」

このように、結論はたいへん筋が通っている。グロリア・コデックスは現在知られる米州最古のコデックスであり、後期マヤの時代から残る天文学と暦の記録である。あらゆる点から見て、これはホンモノなのだ。

これは認証の物語としては珍しい展開だ。専門家が偽りを暴く――スパニッシュ・フォージャーの絵画やウィリアム・ヘンリー・アイアランドのシェイクスピアの署名、ベリンガーの模造化石のように――という話ではなく、少数のメソアメリカ研究者が、グロリア・コデックスは本物だとする説得力のある主張を同業者や世間に届けようと、何十年にもわたって取り組んできたのである。

しかし、グロリア・コデックスをめぐる議論はまだまだ終わっていない。学術誌『メヒコン』の二〇一七年八月号では、マヤ研究者のブルース・ラヴが、このコデックスに関連した科学的分析はその解釈を正当化するほど決定的ではないと主張した。彼は、マヤブルーは肯定的な結果ではなく、ほかの否定的な結果と相反するわけではないと論じている。また、ページについた水の染みは、湿気にさらされていたはずなのに、石膏のコーティングの下まで達していないとも指摘している。そして、暦のサイクルと図像、象形文字の問題も残っている。ラヴはこう論じている。「わたしが思うに、グロリアの真正性は図像によっては判断できないだろう。どこまでも議論できる話なのだ……わたしたちはただ、グロリア・コデックスがあらためて科学的に分析されることを望むことしかできない」

結局、グロリア・コデックスの真正性の問題の多くは、その出所の話に戻る。来歴があまりにもはっきりしないため、真正か否かを判定するのは不可能だと考える専門家もいる。考古学的な文脈で発見されていない（記録に残る発掘作業がなされていない）ため、ホスエ・サエンス博士の話にはどこまで正統性があるのか、略奪品を買って米国に持ち込んでしまった可能性をごまかすために事実を粉飾しているのではないか、という疑問がつねについてまわっている。「サエンスは反感を買う人物でした」と、メアリー・ミラーは二〇一七年に『イェール・ニュース』のインタヴューで語った。「人は彼が一九六八年のオリンピックに関わったのを嫌がっていました。コレクションを国に寄贈しない個人コレクターだということを苦々しく思っていました。この人物とそのコレクションが嫌いだから、すべて偽物だと考えたかったのです」

ドナ・イェーツは、偽りの来歴をつくるのはアート・骨董品市場で違法な品を売るための一般的な手法だと述べている。「売り手は、もっともらしい、しかし完全に偽のストーリーをでっち上げて、どうしてそれがそこにあるのかを説明し、そうすることでその品は市場で売れるようになる」とイェーツは説明する。「本当のところはだれもそういったストーリーを信じてはいないが、よくできたストーリーは偽りを証明するのが難しい。最も低レベルなのは、最近略奪された品を『旧家のコレクション』や『匿名のスイスのコレクター』から手に入れたと言うことだ。まったくありそうもない話でも、こうした『偽りの来歴』が勝つことがある」

つまり、発見のコンテクストが、その品の真正性への無意味な期待を生み出すのである。しっかり記録された立派なストーリーがあれば、その品は本物だと期待される。しかし、胡散臭いストーリーだと、ただちにそれは捏造品か偽物だと思われる。認証がなされたいまでも、グロリア・コデックスを心の底から受け入れていない専門家はいて、おそらくは略奪品で、不正売買された品かもしれないと、その来歴を疑っている。これは、たとえどれだけ重要な品であろうと、倫理的に都合の悪いものなのだ。

「重大な考古学的発見がチアパスの地でなされ、そこにサエンス博士が呼ばれた」と、マヤ研究者のクレメンシー・コギンズは一九七三年に書き、来歴のはっきりしない品の研究をいとわない同業者たちを非難している。「その隠し場にあったものは散り散りになっており、最も重要な品［グロリア・コデックス］も所在がはっきりしない。そういったものに高値を払うのは高くつく」

ニューヨークのグロリア・クラブで展示されたあと、グロリア・コデックスは一九七六年にメキシコシティに返還された。以来、国立人類学博物館に保管され、来館者向けにレプリカが展示されている。グロリア・コデックスの物語からは、あらゆるものは真正性のグラデーション上にあり、歴史やコンテクストによってそのグラデーション上を動きうるということがあらためて感じられる。「真正性は文化的なものです。わたしたちが何を『本物』と考えるかは、社会的、文化的な環境、世界の見方、コンテクストによります」と、ドナ・イェーツはメールでわたしに言った。「ストーリーが真正性を生み、そしてそう、真正性はストーリーなのです」

マイケル・コウは生涯をかけてグロリア・コデックスに取り組んできた。「正しいと証明されてうれしい」と、彼はコデックスの認証に関する最近のプレスリリースで語り、こう付け加えた。「四三年間、わたしは決して考えを変えなかった。それがいいことだとわかっていた」

第八章

旧石器時代を生き返らせる技法

このギャラリーではどの作品を最初に見るべきだろう?

一方には、灰色の毛と黒のたてがみの馬の壁画があり、動いているかのように錯覚させる。壁の先には、赤い点が抽象的な模様を描くモザイク画がある。絶滅したサイ(メガセロス属)の絵も壁に並んでいる。画家の指の跡がついた、色の塗られていないスケッチのフクロウが、来場者をじっと見つめ、暖色の光がギャラリーの基調である黄色とオレンジ色を際立たせている。そしてギャラリーの端では、一二メートルの長さのライオンのフレスコ画が待っている。この展示には更新世の動物が何百もいて、種の数にして一五種ほどだ。写真撮影は禁止されている。

キャヴェルヌ・デュ・ポンダルクへようこそ――ここは、ユネスコ世界遺産・ショーヴェ洞窟のレプリカだ。ギャラリーはひんやりとして、暗く、少し湿っぽく感じられ、まさに洞窟のようだ。この場所は三つの要素が融合している。美術館、リヴィングヒストリーミュージアム、そして世界一高価な遺跡のコピーである。

ショーヴェのレプリカは、ほとんど、実際にその洞窟に足を踏み入れたかのように感じられる。

一九九四年一二月一八日、フランスの洞窟専門家（洞穴学者）のジャン＝マリー・ショーヴェ、エリエット・ブリュネル・デシャン、クリスチャン・イレールが、フランス南東部で驚くべき旧石器時代の洞窟を見つけた。アルデシュ県の洞窟を調査していたときのことだった。この洞窟はポンダルクに近いアルデシュ川を見下ろすところにあり、その蛇行する川は周囲の石灰岩を切り開いてアーチを描いている――フランスの象徴的な地形だ。洞窟の小さな入口を最初にくぐり抜けたブリュネル・デシャンは、「いたぞ！」と叫んだ。

「いた」のは最終氷期の終わりのホモサピエンス、数万年前のヨーロッパに住んでいた人々だった。ショーヴェ、ブリュネル・デシャン、イレールが発見した洞窟には、フランスのほかの多くの旧石器時代の洞窟と同じように、人工遺物や化石がたくさんあった。現代の考古学者は、そういった人工遺物、壁画、遺跡をひとつひとつつなぎ合わせて、旧石器時代の暮らしを再現している。しかしこの洞窟は何かが違っていた。

ここには数万年前に洞窟にいた人々の足跡があった。暖炉と、更新世のあいだに最後にともされた火の焼け残りがあり、石器製作をしていた人々が使っていた火打石が床に散らばっていた。マンモスの牙でつくられた長さ三〇センチほどの尖頭器も、のちに暖炉のひとつのそばで見つかった。人通りが多かったと思われる場所には、意図的に階段がつくられているところもあった。最初のほうの部屋(チャンバー)の下部は骨で覆われていて、動物の骨の遺物が数万年のうちに水で運ばれてきたようだ(のちに、絶滅したホラアナグマの頭骨が一七〇個以上確認された)。クマや犬、さらにはアイベックスの足跡があちこちの部屋に見られた。鍾乳石が天井から滴り落ち、方解石の堆積物が、更新世以来、洞窟のすべての表面で成長し続けていた。

しかし何よりすごいのは——そしてこの発見をほかの旧石器時代の洞窟と異なるものにしたのは——洞窟内の息をのむような芸術だった。ブリュネル・デシャンがその一二月の午後に最初にこれを目にした。シャボー、ル・フィギエ、オレン、ラ・テトゥ・デュ・リオン、レ・ドゥ・ウーヴェルチュール、エブーなどの近くの遺跡で見つかっていたような、わずかな岩絵や一点だけの壁画ではない。この洞窟には数千年にわたる膨大な数の絵画があった。

壁には動物と人間が描かれていたが、それが描かれた時代は二つあった。最初は三万〜三万二〇〇〇年前、次は二万六〇〇〇〜二万七〇〇〇年前である(この洞窟の年代は激しい議論の的になっており、これほど洗練された芸術があることを考えるとその年代は古すぎると主張する考古学者もいる。のちの炭と動物遺存体の年代測定は、この年代の範囲を支持している)。描かれている動物は、ライオン、マンモス、サイ、ホラアナグマが大半だが、ほかの動物もいる。赤い点や手形のステンシルが見られる壁画もある。二万年以上、この洞窟は手をつけられておらず、その芸術や人工遺物は後期旧石器時代のアーティストが残したままになっていた。「ふと、自分たちが侵入者であるように感じた」と、発見した洞穴学者のチームは振り返り、そのアートの回廊(ギャラリー)に敬意を表している。彼らはそこに入った最初の人々ではなかった。

遺跡を見つけるのは簡単ではない。スキルと運が必要だ。そしてかなりの程度、その運とスキルを左右するのは土地の風景である。古代の人が使うのに適した地形だったか、そして遺跡として今日発見されうるか、ということだ。風景は変化するものであり、今日のわたしたちが見る洞窟の姿は必ずしも三万年前の人々が見ていたものと同じではない。ショーヴェ、ブリュネル・デシャン、イレールが探索したアルデシュ地域は、カルスト地形のため、水が崖の暗灰色の岩を風化させた石灰洞があちこちにあり、何百ヵ所も残っている。三人は長年この地域を調査していた。彼らもほかの多くの専門家たちもこの洞窟のそばを通っていたが、そんなものがあるとは思っていなかった。

洞窟を見つけたと思っても、そこにたどり着くのが最も難しい工程であることもある。古代の洞窟の入口の多くは長い年月のうちに塞がってしまっているため、経験豊富な洞穴学者は別の道を探す。新たな入口を見つけるには、崖のまわりのがれの通気を調べる。もし通気があれば、地下に隠れた洞窟へ入っていく道が存在する可能性が高まる(「ジャン＝マリーは手の甲をかざすのが好きで、クリスチャンとエリエットは顔をさらすのを好んだ」と、彼らはこの発見についての論文に書いている)。

洞窟の中に入ったあとは、長い時間をかけて道を切り開き、整然と進んでいく。「考古資料となるものを見つけた場合、完全にすべてをその場に残す。わたしたちが発見したときの状態で、そしてときには先史時代の人々が何千年も前に残したときの状態で、科学者がその遺跡を調査できるように」と、ショーヴェらは著書『芸術の夜明け——ショーヴェ洞窟』で説明している。「保護が保証できないときは、持ち帰ってオルニャックの先史博物館に預ける」。しかし彼らが念を押すのは、旧石器時代の芸術が見つかることは、自分たちの調査を含め、いかなる考古学的調査においても例外的なことで、ふだんからそれを期待しているようなことはないということだ。

一九九四年一二月一八日、寒い冬の日曜日の午後三時頃、三人の洞穴学者は、ポンダルクの壮大な景色が見られる古いラバの道を辿っていると、高さ八〇センチ、幅三〇センチほどの狭い穴を見つけた。身をくねらせながら通り抜け、中に入ると、かろうじて立てるくらいだったが、すぐに大きな部屋につながり、そこでは楽に歩きまわることができた。さらに進んでいくと、いくつもの部屋がある洞窟全体を探索するには梯子などの道具が必要だとわかった。この洞窟で本当に特別なのは、芸術だった。フランスのどこでも、いや、世界中どこでも、このような旧石器時代の芸術は発見されていなかった。

その午後の最初の探索のあと、彼らは狭い入口の道を注意深く石で塞ぎ直し、だれかが入って芸術を傷つけることがないようにした。その後、夜にまたそこに戻り、ブリュネル・デシャンの娘に洞窟を見せた。そして次の週、別の三人の洞窟探検家のグループと再訪した。「最初の視察は一時間だけだったが、発見したものを見て驚愕した」と、彼らは『芸術の夜明け』で振り返っている。「感動するとともに、ある意味で、それほどの責任の重さに打ちひしがれた」

その後の視察で、彼らは壁画をひとつひとつ観察し、馬、手形、赤い点から、サイやトナカイまで、あらゆるものを写真に収めた。この地域でいくつもの洞窟を調査し、珍しい芸術の残った洞窟を保存する責任も身に染みて感じた。発見の規模の大きさと重大さがわかってきて、洞窟を見つけていた彼らは、いかに洞窟内の芸術を扱うべきか、どのような保全の方法をとるべきかが、暗い石灰岩の部屋でその発見物を見た瞬間から十分すぎるほどわかっていた。

この洞窟――ショーヴェ洞窟として知られることになった――はすぐに、旧石器時代の芸術のアイコン、フランスにおける一〇〇年以上の古代研究の中で発見された最も重要な遺跡のひとつになった。二〇一四年六月二二日、ショーヴェ洞窟はユネスコ世界遺産に登録された。

ショーヴェ洞窟がアイコンになるには、まずその壁画が認証されなければならなかった。旧石器時代の芸術の偽物は珍しいが、まったくないものではない。そのため、洞窟が発見されたあと、保存と科学的研究に向けた第一歩は、それが本物の旧石器時代の芸術だと証明することだった。

「一九九五年一月一八日、ショーヴェ洞窟の発見がニュースになったとき、わたしは外国を旅していて、最初にその見事なサイと大型ネコ科動物の写真を見たときは、偽物かもしれないと思った」と、イギリスの著名な考古学者ポール・バーンは『ショーヴェ洞窟に戻る』で振り返っている。「わたしたちが前世紀に抱いていた氷河期の洞窟芸術のイメージからすると、あまりにも素晴らしく、あまりにも異例だった。しかし、その洞窟をだれが発見したかを知って、本物に違いないと思った」

ショーヴェ洞窟の発見は重大事案になりえたため、文化省はフランスの名高い旧石器時代研究者ジャン・クロットを、家族でクリスマスを祝っていたところから呼び寄せ、すみやかな洞窟の調査と公式の保全策の策定にあたらせた。壁画の保存と保全の問題は差し迫ったもので、認証はクリスマスと新年の休みのあとまで待ってはいられなかった。発見からわずか一一日後の一九九四年一二月二九日、三人の洞穴学者はジャン・クロット、ジャン＝ピエール・ドガ（地元の考古学のキュレーター）、ベルナール・ジェリ（ドローム県、アルデシュ県、イゼール県で考古学の事業を行っている機関DRACの担当者）と会った。彼らは洞窟壁画の認証のために集まった。

洞窟の中に潜り込む前、ジャン・クロットはいたずらっぽく、自分は偽物が見つかると思うと言っていた。何しろ、ショーヴェ、ブリュネル・デシャン、イレールが発見したというものは、旧石器時代の洞窟芸術に対する当時の認識に反するものだったのだ。ブリュネル・デシャンは、洞窟を出たら持ってきたシャンパンで乾杯したくなるでしょう、とクロットに請け合った。そして実際に乾杯した。この絵とモチーフはホンモノだと、すぐに専門家全員にわかったからだ。この最初の認証はその後の何年もの研究と幾多の放射性炭素年代測定によって支持され、炭の顔料は後期更新世の二つの時代のものだとされた。

旧石器時代の洞窟芸術は偽造するのが難しい。少なくとも、うまく偽造するのは難しい。一八六〇年代、旧石器時代の人工遺物がヨーロッパで発見されはじめると、偽物も博物館やアート市場に紛れ込むようになった。特にフランス南西部では、彫刻などの掘り出して持ち去りやすい品が一五〇年以上にわたってアート市場に出現している。発見物は金になったし、科学的で体系的な方法論は乏しかった（一九世紀の発掘作業では、たとえば、現地に行くことすらなく「指揮をとる」ということがふつうにあった。この慣習のために出所の分類に問題が生じ、少なからぬ重大な発見物の正統性と解釈に疑問が投げかけられている）。石や本物の牙の化石を使って彫られた、そのような持ち運びできる芸術作品の多くは、本物の古代の品として認証することができなかったし、いまもできない。出所がほとんど管理されていないことから、贋作者たちは金になる新しい手段を生み出し、旧石器時代の人工品のコピーがアート・骨董品市場のニッチなところに浸透しはじめた。

しかし、洞窟の壁画を偽造、贋造するのはそれよりもはるかに難しい。持ち運べる芸術とは違い、洞窟全体をつくり出すことはできない。だが、それでも、洞窟芸術の偽造は前例がないわけではない。一九〇九年、旧石器時代研究者のアンリ・ブルイユとヘスス・カルバーリョはスペイン・カンタブリア地方——真正な氷河期の洞窟芸術が見つかり、しっかり記録されている地域——のラス・ブルハス洞窟の壁画をいくつか調べ、まったくの偽物だと断定した。様式がその地域のほかの更新世の芸術と合わず、モチーフも定まっていなかったからだ。そこには専門家にはわかる偽物のしるしが満載だった（これらの偽物は一九六〇年に壊された）。その後、より説得力のある偽の洞窟壁画は、本物に偽のモチーフを混ぜるようになった。たとえば、正真正銘の旧石器時代の光景に、実際にはいないバイソンを組み入れるといったものだ。しかし、こういったものは珍しい。

旧石器時代の洞窟壁画の偽物で最も有名なのは、スペイン・バスク地方、ズビアルデの洞窟のものだろう。一九九一年三月にこの洞窟芸術の写真がヨーロッパのメディアで流れると、「大半の専門家がクサいと感じた」と、ポール・バーンは『氷河期の旅』に書いている。まず、ズビアルデの壁画に描かれたサイとマンモスは、スペインではまず見られないモチーフだった。バイソンは「非常に醜く、無様に描かれ」ていて、手形のステンシルも同様だった。しかし何より問題なのは、若い「発見者」でアマチュア洞穴学者のセラフィン・ルイスが最初に洞窟の写真を撮ったときから、専門家が壁画を調査したときまでのあいだに、壁画に新たな部分が突如出現していたことだった。ズビアルデの贋作者——ルイスではないかと思われている——は、炭素ベースの顔料（放射性炭素で直に年代を測定できる）を使っていなかった。しかし、のちの科学的分析によって、現代に描かれたものであることがわかった。顔料に、昆虫の脚などの非常に腐りやすい物質、更新世から現在まで生き残っているはずのない生物由来の物質が含まれていたのである。現代の台所のスポンジの合成繊維も含まれていた。

バスク地方の旧石器時代の専門家であるイグナシオ・バランディアラン、ファン・マリア・アペジャニス、ヘスス・アルトゥナが長く詳細な研究を行い、ズビアルデの壁画は偽物だということが示されたが、それまでにこれはメディアから大きな注目を集めた。ズビアルデのような偽物があるために、ショーヴェ洞窟など、予期せぬ見事なモチーフの洞窟壁画が見つかったときは、本物であることを証明する責任が大きくなるのである。

ズビアルデの件の数ヵ月後、フランス南西部の沿岸で一九八五年にひそかに発見されていた旧石器時代の遺跡、コスケール洞窟の存在が明らかになった。この洞窟の入口は、更新世からの海水面の上昇のために、いまでは海面下約三七メートルのところにあり、考古学者たちは潜って洞窟の中に入らなければならない。そしてその先の水面上の部分に、複雑な洞窟壁画があった。一九九一年に初めて写真が公開されたとき、考古学上の信頼性は低かった。そこには叙事詩のように壮大な壁画があり、オオウミガラスなど、ふつうではない動物のモチーフも見られた。ポール・バーンが振り返っているように、「これまでにない地理的位置、地中海の水中の入口（ハモンド・イネスの小説『レフカスの原人』を思わせる）、ふつうではない絵を考慮すると」、その洞窟壁画を真正だと考えるのは難しかった。しかし、高画質の写真によって、コスケールの壁画の正統性に対する疑いはすぐに消えた。奇妙な、まったく予期せぬものだが、たしかに真正だと、だれもが認めた。

フランスの文化省がショーヴェ洞窟の発見について発表し、洞窟内の芸術の写真を公表したのは、コスケール洞窟の発見とズビアルデの事件から三年ほどしか経っていないときだった。そのため、考古学界は懐疑的になりやすかったが、ショーヴェは本物だった。「新しい偉大な発見に出会うと、あらゆる理由で、わたしたちの元来保守的な傾向が論争や疑いを引き起こす」と、ジャン・クロットはショーヴェ洞窟の芸術に関する最初の詳細な報告に書いている。「前世紀末のアルタミラ、一九四〇年代のラスコー、一九五〇年代半ばのルフィニャック、一九九一〜九二年のコスケールで起きたことだ。ショーヴェ洞窟だけがこの疑いの目を逃れられたようだ」

ズビアルデやコスケールのことをふまえて、クロットは、ショーヴェの壁画を見る前に、偽物が見つかるだろうと冗談を言ったのだが、この洞窟芸術の真正性が疑われることはなかった。最初に見つけた三人の洞穴学者は、実に慎重かつ巧みに作業を行っていたから、その発見には疑問が投げかけられなかった。


ショーヴェ洞窟は五〇〇メートルほどの長さがある。連なった四つの部屋に絵や彫刻があり、天井の高さは一五〜三〇メートルだ。発見から認証までの二週間のあいだに、発見者たちは洞窟ができるかぎり害されないよう、完全な状態のまま考古学的研究が行えるよう、さまざまな策を講じた。数百メートルの黒いプラスティックのシート（幅約五〇センチ）を、通路になりそうなところに敷き、細心の注意を要する場所には蛍光リボンでしるしをつけ、歯や骨の化石、旧石器時代の暖炉を踏むことがないようにした。彼らは一列になって歩き、しばしば靴下履きで、足跡が洞窟内に残るのを抑えようとした。

壁画が認証されたあと、公表する前に、当局は遺跡を確実に守りたいと考えた。洞窟の入口は、ヴァロン・ポンダルクの私有地にあった。地主は洞窟の発見について知らされると、野次馬が入り込まないように入口に門を設置することに同意した。

発見から二七日が経った一月一四日、三人の洞穴学者はフランス政府からゴーサインをもらうと、エリエットの父親の助けを借りて約一・二五メートルの高さの鉄の扉をつくり、砂と水、セメントを使って設置し、石灰岩の穴を塞いだ。三人が使っていた入口は高さ三〇センチほどで、下り坂が七メートルほど続いていた。その入口を使って洞窟内に入る彼らの写真を見ると、穴の中に消えていく靴底が写っていて、そのまわりにはほとんどスペースがない（彼らはものすごく狭い洞窟のシュートに頭から入っていったのだ）。この入口はその後広げられ、いまは扉で守られている。旧石器時代のアーティストたちが使っていた入口はがれで塞がれ、元々の更新世の入口も一万二〇〇〇年以上前に塞がれている。入口の通気を発見前と同じに保ち、洞窟内の均衡を変えないよう、壁画にダメージを与えないよう、全員が注意を払った。

その後の数日はフランスの警察が昼夜を問わず洞窟を見張っていたが、やがて警報器と監視カメラが扉に取りつけられた。一九九五年一月一八日、チームは文化省の取り仕切りで会見を開き、同省大臣のジャック・トゥーボンが洞窟の発見を公式発表した。そして、科学と史跡保全の議論があれこれ飛び出してきた。

発表後の一年のあいだに、何も破壊することなくショーヴェの芸術と考古学の研究を行うために、さまざまな保全の措置がとられた。金属製の細い通路が洞窟中に設置され、立ち入る場所を最小限にしようとした。〈メガセロスの回廊〉（絶滅したギガンテウスオオツノジカの絵が描かれている）と洞窟のいちばん奥を結ぶ通路には手すりが取りつけられ、厄介な傾斜に対応できるようにした。電線も設置された。複数年にわたる学際的な考古学研究が計画され、ジャン・クロットが指揮をとることになった。

ようやく考古学者たちは科学的研究に着手できることになり、洞窟の地図作成、壁画の記録、炭や顔料のサンプル収集などを行ったが、ショーヴェ洞窟は厳しい管理がなされているからこそ科学的研究ができるのであり、決して一般には公開はされないだろうということはきわめて明らかだった。

壁画の保存のためにアクセスを制限するというのは根拠のあることで、半世紀前にラスコー洞窟で旧石器時代の芸術が破壊されたことをふまえていた。

ラスコー洞窟は一九四〇年、フランスが枢軸国の侵攻に降伏したばかりのころ、地元の少年マルセル・ラヴィダ（と、言い伝えによれば、その飼い犬）によって発見された。ショーヴェ洞窟の四〇〇キロ以上西、ドルドーニュ県のヴェゼール川の左岸に位置するラスコーは、自然の石灰洞である。ショーヴェより小さく、長さは約二五〇メートルで、人間、動物、抽象的なシンボルの絵が六〇〇〇点以上、赤、黄、黒色で描かれている。壁沿いに広がるそれらの絵は一万七〇〇〇年前のものだ。

この洞窟の最も有名な壁画は《牡牛の広間》だ。動いているかのように見える全長五・二メートルの牡牛をはじめ、三六種の生物が描かれている。パブロ・ピカソはラスコーを訪れ、「わたしたちは一万二〇〇〇年のあいだに何も学んでいない」と言ったという（考古学者のポール・バーンはピカソが言ったとされることを詳しく調べ、一連の《牡牛》のリトグラフなど、ピカソの絵画はたしかにラスコーの牛のモチーフに似ていると結論づけた。しかし、彼が実際にラスコーを訪れた、あるいは更新世のアーティストに畏怖の念を抱いて立ち尽くしたという証拠は皆無に等しい。とはいえ、ほかの多くのことと同じように、この話は歴史の中で独自の地位を得ている）。ピカソが実際にラスコーの芸術について語ったかどうかにかかわらず、そのような噂があるだけでも、この遺跡の現代における文化的威信を強固にするのに十分だった。

一九四〇年代に、ラスコーの入口は大きく拡張され、洞窟に入りやすくなった。第二次世界大戦期の工事で、洞窟につながる道が補強され、洞窟の床が低くなったことも、アクセスの改善につながった。「一九四七年の一年だけで、六〇〇立方メートルの堆積物を掘り出して入口とコンクリートの道をつくり、一般客向けの照明を設置した」と、ジャン・クロットは指摘している。一二メートルコンテナ八個分の堆積物を取り除いて、観光客向けの道を舗装したのである。考古学者や旧石器時代の芸術の専門家もラスコーで壁画を調査し、時代やコンテクストを明らかにしてきたが、この洞窟は観光地と化し、更新世にまでさかのぼるフランスの歴史の長期持続（ロング・デュレ）の重要な一端として概念化された。ラスコーは一九四八年七月一四日に一般公開された。

しかし、早くも一九五五年には、ラスコーの旧石器時代の壁画の一部が劣化しはじめていることに研究者たちが気づいた。かび、菌、バクテリアが壁で成長しはじめ、絵の一部を覆い、色素を侵食した。この恐ろしい急成長の原因は、ラスコーを愛する多くの来場者——一日に一〇〇〇人が訪れることもあり、それが毎年続いた——が吐き出す二酸化炭素にあるとされた。増加する二酸化炭素が、来場者の体熱と合わさって、洞窟を暖め、いろいろなものが成長しやすい生態系を生んでしまった。さらに、来場者が酸性化した蒸気を吐き出すたび、その息が岩肌を腐食し、洞窟の壁の表面から色素を奪った。ラスコーはまさにペトリ皿〔微生物の培養実験に使われるシャーレのこと〕になってしまったのだ。

一九五八年に換気装置が設置され、温度は一四度に固定され、決まった来場時間用の新たな照明も設けられたが、管理員たちは厄介な生物相と闘っていた。頑固な藻は、このような保護の取り組みをものともせず、数年のうちにブラクテアコックス・マイナーという緑藻が壁で成長しはじめた。ラスコーの管理員たちはこの目障りで破壊的な染みにホルムアルデヒドで繰り返し対抗したが、むしろ害になるだけだとわかった。

ラスコーは、かび、菌、地衣類と闘うために一九六三年に閉鎖されたが、今日も洞窟はそれらに悩まされ続けている。新たな環境制御装置が一九六六年に設置され、一九七九年には洞窟の気候的な環境は安定したと考えられた。しかし二〇〇〇年三月、管理員たちはバクテリアや菌のコロニーに直面していた。二〇〇一年夏、《牡牛の広間》の床と壁の裏で白い菌が成長しているのが確認された。二〇一二年五月には、新種の菌、オクロコニス・ラスコーゼンシスが発見され、ラスコーにちなんで命名された（「生命は道を見つける（ライフ・ファインズ・ア・ウェイ）」）。

ラスコーのさらなる保全の取り組みをいっそう複雑にしたのは、絶え間ない生命の成長だけではなかった。たとえば、エアコンと水回収システムを二〇〇一年初めに交換したとき、激しい雨の中、洞窟の入口を開けてシステムを止めているあいだに水が溜まった。作業員は、この問題に対処したときの「熱と湿度の著しい変動」を報告している。このような取り組みはすべて過去数十年のダメージを和らげようとするものだった。二〇〇七年になると、ユネスコはラスコーを「危機遺産」に登録すると警告した。

現在、ラスコーに人が接触できる時間は年間八〇〇時間に制限されており、その八〇〇時間は維持管理と学術研究に費やされる。訪問者は白い滅菌カバーオール、ヘアネット、手袋、使い捨ての靴を身に着ける（以前は足を殺菌剤に浸すことが求められていたが、殺菌剤が洞窟の床を脆弱にして多くの問題を生んだ)。洞窟の入口は二つのエアロックで守られ、管理員たちは壁画と洞窟にさらなるダメージを与えないよう、果てしない闘いに挑んでいる。言うまでもなく、観光客はもうラスコーを訪れることはできない。

しかし、一般公開をやめるだけでは洞窟の破壊は止められなかった。二〇世紀に何十万人もの訪問者がいたということは、ラスコーは事実上食い尽くされたということだ。わたしたちにそれを取り戻すことはできない。

しかしながら、ラスコーから二〇〇メートル離れたところにある洞窟のレプリカには、年間三〇万人もの観光客が訪れている。一九八三年に建てられたこのレプリカは、オリジナルの洞窟の小さなコピー、観光客が洞窟の見事な芸術を「見る」代替物として、すぐに観光、教育に使われるようになった。ラスコーⅡとして知られる——嘲笑的に「人造ラスコー」と呼ばれることもある——この場所は、しかし、旧石器時代の遺跡の最初の観光客向けレプリカではない。

スペイン・カンタブリア地方のアルタミラ洞窟は、発見と観光による濫用の似たようなストーリーを経験した。一八七九年に発見されたアルタミラは、一九七七年に観光客向けの公開をやめ、一九八二年に制限付きで再公開した。アルタミラの最初のレプリカは一九六〇年代につくられた。それは洞窟の天井の壁画のコピーで、ミュンヘンのドイツ博物館に設置されたこのレプリカでは、新しいステレオスキャニングの技術が用いられ、それにより旧石器時代の洞窟のシリコン型をつくる手法を確立した。次のアルタミラのレプリカは二〇〇一年にスペインでつくられた。しかしラスコーⅡこそが、レプリカを制作することは観光・研究によるアクセスと保存のバランスをとるための優れた妥当な方法であるという考えを強固にした。特に現地において。

現在、ラスコーのレプリカは三つある——一九八三年の「オリジナル」のコピーから、二〇一二～一六年につくられた「より真正な」ラスコーⅣまで。「複製洞窟の内部は、湿気が再現され、じめじめとして暗い。音は消されている。温度は摂氏約一六度にまで下げられている」と、ラスコーⅣのウェブサイトは謳っている。「これは黙想のためのもので、訪れる人はかつての神聖な場を経験できる。灯が、旧石器時代の獣脂ランプのように明滅し、壁の表面の絵と彫刻の層を照らし出している」。三番目のレプリカ、ラスコーⅢは、各地の展示会に輸送できる壁画のコピーとして二〇一二年につくられ、さまざまな博物館の来館者にラスコーを届けている。

ラスコーの破壊が、その後に発見される旧石器時代の洞窟芸術の保存に対する教訓となったように、レプリカの制作は、観光によって破壊されることなく遺跡を「体験」、「鑑賞」できる方法として期待され、受け入れられるようになっている。しかし、現代の人間らしい皮肉だが、ラスコーⅡにやってくる自動車の排出ガスによって、オリジナルとレプリカの両方に新たな保全の問題が持ち上がっている。

このような歴史の教訓をふまえ、ショーヴェを公開することは問題外とされた。実際のところ、選択肢として検討されることすらなかった（ショーヴェ洞窟の発見時にまずなされたのが、洞窟を物理的に封鎖すること、監視はどこまで可能かを検討することだったのを思い出してほしい）。「ひとつ絶対的に必要なのは、洞窟とその壁、温度や湿度、床を確実に保存することだ」と、ジャン・クロットは『ショーヴェ洞窟に戻る』で説明している。「あらゆる研究が行える完全な洞窟を次世代に受け継がなければいけない」

発見から約二〇年後の二〇一四年、ユネスコはショーヴェ洞窟を世界遺産に登録し、こうしてショーヴェは、後期旧石器時代の芸術のアイコン、人類の深い文化的進化史の重要なピースとしての地位を確固たるものにした。「この洞窟および洞窟芸術一般の重要性が公式に認められて喜ばしい」と、フランスの文化大臣オレリー・フィリペティは、ショーヴェの世界遺産登録を祝う記者会見で語った。「野心的なレプリカ（キャヴェルヌ・デュ・ポンダルク）が制作されています……実際に洞窟の中にいるかのように、再現された壁画を体験できるでしょう」

これはたんなる政治的なお世辞ではない。この声明は、何が「洞窟」とみなされるかをめぐる重大な転換だ。ショーヴェについて語っているときに人々が語っていることは何なのか、という問いが投げかけられているのだ。たしかにユネスコは、ショーヴェ、ブリュネル・デシャン、イレールが発見した実際の石灰洞を世界遺産に登録し、その旧石器時代の芸術と洞窟はバチカン市国やタージマハルと同じ文化的重要性を持つものだと認定した。しかし、ユネスコのリストに登録されているほかの多くの遺産とは違い、この保護された世界遺産は見ることができないし、見るべきではないのだ。
そのため、フィリペティの声明は、わたしたちが「ショーヴェ洞窟」について語っているときに意図していることは物理的な洞窟と壁画の範疇を優に超えている、と認めるものでもある。二一世紀の人々にとって、遺産という観点でショーヴェ洞窟について語ることは、洞窟のレプリカ（キャヴェルヌ・デュ・ポンダルク）についても言外に語っているということであり、オリジナルをその目で見ることができない中で、人々はそのようにこの洞窟の芸術を鑑賞、体験しているのだ。現在まで、これはユネスコ世界遺産の唯一のレプリカである。

では、遺跡のコピーをつくるとはどういうことなのか？　何がコピーをよいものに、あるいは悪いものにするのだろうか？　レプリカは本当にオリジナルの代替物となりうるのだろうか、あるいはそれ自体が文化的威信を持つのだろうか？　そしてこれらの遺跡のコピーは時代とともに進化するのだろうか？

イギリスの考古学者ニコラス・ジェームズは、ショーヴェ洞窟に言及しながら、このような旧石器時代の壁画のレプリカは「古代の生活や思考の何かを認識、理解、体験できる」ほど真正なものになりうるだろうかと思案した。考古学の一流誌『アンティクイティ』への寄稿で、彼はその問いをさらにこう突き詰めている。「複製はオリジナルから何かが抜け落ちているのだろうか？　いかにオリジナルに忠実であろうと、レプリカは『遺産』であり、考古資料ではない」

あらゆる遺跡のレプリカが技術的、倫理的な問いを投げかけている。まず、「よいレプリカ」の制作とは、適当なジオラマをつくって観光客を寄せ集めるだけの話ではない。考古学的なレプリカの制作には、実物大の正確な三次元コピーが必要だ。この考えはいまにはじまったものではない。二〇〇〇年近く、正統的な考古学者たちは重要な人工遺物の鋳型をつくり、それをコピーさせることで、専門的な研究や博物館のコレクションに貢献してきた（現代のコレクション向けに鋳造されているローマの彫像の多くは、実のところそれ自体が古代ギリシアの作品のコピーであり、オリジナルとコピーはどこでどのように分かれるのかという問いをいっそうあいまいにしている）。今日、多くの博物館がさまざまな理由でレプリカを展示することを選択している。たとえば、オリジナルの品が展示するには文化的にあまりにもデリケートだと考えられる、レプリカを取り入れることで展示品を充実させられる、などの理由だ。遺跡全体のコピーをつくるのは、この問いをさらに突き詰める非常に複雑なプロジェクトであり、エンジニア、アーティスト、考古学者の知識と経験を必要とする。

ショーヴェ洞窟のレプリカの計画がはじまったのは二〇〇七年で、ローヌ＝アルプ地域圏とアルデシュ県が、フランスとEUの支援を受けて公共および民間の資金提供者と提携した。そして二〇一三〜一五年に、五〇〇人のアーティスト、エンジニア、建築家、特殊効果デザイナーが、七〇〇時間のレーザースキャニングでつくられた洞窟の3D模型をもとに、ショーヴェのコピーを制作した。レプリカの設計のための調査と評価に五年かかり、それからまるまる三〇ヵ月間の建設作業が行われ、三五の会社が関わった。

まず、洞窟の壁画は、モンティニャックとトゥールーズで、アトリエのアルク・エ・オス、アーティストのジル・トセロ、そしてギー・ペラジオの会社によってつくられた。チームは、頑丈な金属の足場の上に岩色のモルタルと樹脂を固め、壁画のベースにした。全体として、一三〇キロメートルの手製の金属棒と一万四〇〇〇個のハンガーを使い、全壁画を固定した（これはそれまでのレプリカの設計工学とは違っていた。ラスコーⅡのエンジニアは吹付コンクリートを使っていたし、一九六〇年代につくられたアルタミラの天井壁画は樹脂だった。また、ドイツ博物館にアルタミラの天井のレプリカを取りつけるのは簡単なことではなかったが、それはすでに建っている建物の仕様に合わせなければならなかったからだ）。ショーヴェのレプリカでは、デコ・ディフュージョン社が壁画を現場に設置し、彫刻家がその場で仕上げをした。設置の際の写真を見ると、アーティストと技術者が、全身を覆う白いタイベックの防護服を着て、モルタルと樹脂の混合物をレプリカの壁にこてで塗り、仕上げの作業をしている。彼らの格好や道具のために、わたしはこれらの写真を二度見し、写真に写る人々は遺跡を発掘しているのかレプリカを制作しているのか確認しなければならなかった。

壁画は五二種類の異なる岩を表現していた。装飾部分はもちろんだが、洞窟の「空白」の部分や壁画のまわりの地質的な要素も再現していた。ショーヴェ洞窟は壁画だけではないのだ。それは現代の彫刻かインスタレーションのようであり、作品の配置や空間が、明らかな「アート」そのものと同じくらい重要なのである。

フランスの報道関係者は設置中のレプリカの一部を見ることが許された。たとえば、二〇一四年一二月一七日――最初の発見からもう一日で二〇年後――に、報道陣はレプリカの「ライオン・パネル」に招待された（現代の「ライオン・パネル」は合成樹脂のポリスチレンに描かれている）。最終的に、ショーヴェの再現物は国際学術委員会によって吟味された。委員長のジャン・クロットをはじめ、委員のジャン＝ミシェル・ジュネステ（先史学者・考古学者）、ジャン＝ジャック・ドラノワ（地形学者）、フィリップ・フォス（古生物学者）は皆、一九九〇年代半ばにこの洞窟を研究していた人々だ。そのような専門知識・経験を集結させることで初めて、レプリカを正統なものと認証できるのである。ジャン・クロットらはそうしてオリジナルとコピーの両方を認証した。

レプリカ内部の空気は涼しく湿っていて、温度は一一度前後に保たれ、ショーヴェ洞窟に似た環境になっている。「地球の深い穴の中への旅のように感じられるし、そのようなにおいすらする」と、ジョシュア・ハマーは二〇一五年に『スミソニアン』誌に書いた。「しかしこの旅の舞台は、フランス南部、アルデシュ渓谷の松林の丘にある、巨大なコンクリートの小屋だ」。ショーヴェのレプリカはオリジナルの三分の二の大きさで、制作費用は五五〇〇万ユーロだった。

このレプリカは二〇一五年四月二五日に一般公開され、キャヴェルヌ・デュ・ポンダルクと呼ばれた。最初の二年間で、九〇ヵ国から一〇〇万人以上の来場者があった。その半数以上が、このレプリカを見るためだけにアルデシュ県を訪れていた（キャヴェルヌはオリジナルの洞窟から一キロほどのところにあり、ヴァロン・ポンダルクの村から車ですぐだ）。約三〇パーセントの人はアルデシュ県を訪れるのが初めてで、四五パーセントの人が過去五年以内には訪れていなかった。

来場者はこの場所に平均三時間滞在しており、これまでにガイドつきツアーも二万四〇〇〇回以上行われている。これはこの地域の観光を活性化させ、オープン以来、二五〇〇万ユーロの経済効果があった。キャヴェルヌ・デュ・ポンダルクのディレクターのファブリス・タローによれば、地域の収入に加え、地域連合とアルデシュ県に支払われる使用料の一部として一〇万ユーロが、ほかに保護の方法がないアルデシュの田舎の遺産の保存に使われているという。来場者向けのツアーでは、知識豊富なガイドがレプリカの洞窟を案内しながら、旧石器時代について解説し、考古学者の視線とはどのようなものかを伝えている。

ツアーの予約と旅行計画に加え、キャヴェルヌ・デュ・ポンダルクのウェブサイトにはショーヴェ洞窟の見事なオンライン模型へのリンクもあり、家にいながら見てまわれるようになっている。ヴァーチャルの来場者は、洞窟の金属の通路（次の部屋を案内する矢印もある）と三六〇度のイメージの中を進んでいく。大きさがわかるように人も配置されているため、本で洞窟の写真を見るよりもはるかにリアルでわかりやすい。グーグルのストリートビューのような感じで、ショーヴェ洞窟を探索し、骨の集まりにズームしたり、鍾乳石を眺めたりできるし、小さな案内マップが表示されているため、自分が洞窟のどのあたりにいるかも把握できる。キャヴェルヌ・デュ・ポンダルクは、レプリカがオリジナルの忠実な模型であることを人々にその目で確かめてもらいたいようだ。

キャヴェルヌ・デュ・ポンダルクは、壁画の再現、洞窟のレプリカというだけではない。〈オーリニャシアン・ギャラリー〉、ワークショップスペース、レストラン〈ラ・テラス〉、ショップがすべて徒歩数分のところにあって、一二ヘクタールの土地に一体となった風景を生み出している。ほかの公開されている旧石器時代の洞窟とも提携しているため、キャヴェルヌを訪れる人はアルデシュ地域の考古学についてさらに知ることができる。ここでは、ティト・ブスティーリョ洞窟のようなスペイン・カンタブリア地方の遺跡とは違い、公開できる部分と公開できない部分をつなぐものとしてレプリカを使っているのではない。

キャヴェルヌのオーリニャシアン・ギャラリーは「発見センター」と称されている。三万六〇〇〇年前の環境や人類の暮らしについてより深く学べる場所で、一〇〇個以上の「実験」考古資料、六五人収容のシアター、氷河期の人間の等身大模型五体がある。ワークショップスペースでは、洞窟壁画の児童向けワークショップが行われているほか、アルデシュ地域のストーリーに数百万年先立つアフリカの人類の祖先の姿をイラストで伝えている。お話の時間もある(「先史時代の人々はどのように火をつけたのか?　子どもたちは、この謎を解きに行く勇敢で好奇心旺盛なネイリーの話を聞いて、その答えを見つけます。背景美術と投影されたシルエットがナレーションと結びつき、時代を超えた発見の物語を伝えます」)。二〇一七年、キャヴェルヌは開発中の〈旧石器時代キャンプ〉に、暑い夏でも快適に過ごせる新たな日よけを売りにした模擬野外狩猟エリアを加えた。さらに、その秋にはヨーロッパ科学祭槍投げ大会も行われた。

「人間は、深く根づいた何かによって、真正なものを探し出し、過去の人々と身体的につながるのだと思います」と、旧石器時代研究者のナターシャ・レイノルズは、遺跡のレプリカの威信について尋ねたときに語ってくれた。「でも、レプリカには真の価値が十分にあります。不・信・の・停止ができれば、ほかでは得られない見識をたくさん得られます」

キャヴェルヌ・デュ・ポンダルクに行くのは、ただ壁画を見に行くだけのことではない。フランスの旧石器時代の遺産を彩るすべてのものを体験することなのである。

ここで、考古学的レプリカについて、いくつか難しい倫理的問いが生じる。何がレプリカをよいレプリカにするのか? レプリカは本当に真正になりうるのか? レプリカはどのような責任を(もしあるとしたら)オリジナルの遺跡に負うのか? レプリカは本当に、真に本物の代替物となりうるのか?

オープン以来、キャヴェルヌ・デュ・ポンダルクは旧石器時代のレプリカの新たなスタンダードとして喧伝され、二〇一六年のラスコーの新しいレプリカと並び立っている。またそれは、遺跡のレプリカはどのようなかたちであるべきか、いかに科学的に吟味されるべきか、という点で高いハードルを定めた。

しかし、キャヴェルヌ・デュ・ポンダルクなどの考古学的レプリカを批判する人はこう問う。これはようするに考古学と歴史のディズニー化ではないか？　槍投げ大会を開催する？　地元のオーガニック食材を使ったレストランを宣伝する？　これは実際のところプラトンの洞窟の比喩のようなもので、壁に映る影を本物だと思い込んでいるのではないだろうか？　はっきり言えばこういうことだ――どこで歴史が終わり、迎合がはじまるのか？

このような問いはつまるところ、遺跡の完全性の維持に関わる話であり、技術的なことだけでなく、なぜ遺跡のレプリカをつくるべきなのかということを考えさせる。重要なのは、元の遺産はしっかり保存されていると知らせることだろうか？　あるいは、考古学者のニコラス・ジェームズが指摘するように、永久の保存は保証できない、「本物」を見て楽しんでいる人は実のところその場所を消耗させてもいる、と知らせることだろうか？

「まさに美術館だ」と、ショーヴェ、ブリュネル・デシャン、イレールは『芸術の夜明け』の中でオリジナルの洞窟について言っている。「どこを見ても、鉱物のかたちや描かれたものの美しさに心奪われる」。しかし、メトロポリタン美術館やルーヴル美術館とは違い、ショーヴェ洞窟という美術館では、絵を鑑賞するとそれを破壊することになるし、ギャラリーは洞窟の建築の一部であるため、作品を動かすことはできない。

いかに観光と保全のバランスをとるかというのは、切りのない話であり、完全にそれぞれの遺跡次第だ。たとえば、ヴァージニアのコロニアル・ウィリアムズバーグ歴史地区は、一八世紀の植民地時代の暮らしを伝える野外博物館で、再演者（リエナクター）、職人、歴史家、キュレーターを集めて、歴史的調査を行うとともに、観光客にもアピールしている。コロニアル・ウィリアムズバーグを真正なものにしている要素、そしてコロニアル・ウィリアムズバーグが重きを置いている点は、継続的な研究、考古学、教育、修復などで、これはこの場所の本質をなすものである。一方、ホンジュラスでは、コパン遺跡にマヤ古典期の石碑のレプリカがある。多くの観光客が訪れるため、保護保存のために一部の石碑は遺跡博物館に移したのである。来場者はレプリカの石碑を見るわけだが、それをオリジナルの遺跡の一部として見る。昔からさまざまな博物館が見せてきたのは、概して類型的な再現物だ。それは人々が見たがる観念的な「型」であり、特定の遺跡の真正性を主張するものではない。リアルだが、いろいろな意味でオリジナルから切り離されている。

「もはや、模倣、反復、そしてパロディの問題ではない」と、フランスの哲学者ジャン・ボードリヤールは論じ、どの時点でコピー（シミュラークル）はそれ自体として本物の、オリジナルな、真正なものになるのかを解き明かそうとしている。「むしろ、リアルの記号をリアルそのものの代わりにするという問題である……リアルはもう二度とつくられる必要はない。これが死のシステム、あるいはむしろ、もはや死さえチャンスを与えられない、予期された復活のシステムのモデルに欠かせない機能だ」

キャヴェルヌ・デュ・ポンダルクに戻ると、3Dスキャン、設計、制作という過程を経ながらも、オリジナルの洞窟とコピーには大きな違いがある。たとえば、建築物の構造と大きさはショーヴェ洞窟とは異なっている（レプリカはオリジナルの洞窟よりもはるかに小さいことを思い出してほしい）。ショーヴェ洞窟が通り抜けできない地形であるのに対し、キャヴェルヌでは来場者が通り抜けられるようになっている。ふざけた話に聞こえるかもしれないが、オリジナルの洞窟は非常口がないし、何十万人もの来場者にとって便利なようにはできていないが、キャヴェルヌは違う。

すべての壁画が見事にコピーされている一方で、洞窟を正確にコピーすることがキャヴェルヌの目指す目標に合わないことは明らかだ。キャヴェルヌは、レイアウトを変えることで、その洞窟をひとつの具体的な文化、地形というよりも、観念的な存在として扱っている。オリジナルのショーヴェ洞窟はシャーマニズムの儀式の（あるいは少なくともアーティスティックな沈思の）場だったとされているが、キャヴェルヌの目的は、来場者に旧石器時代について伝え、芸術に感嘆してもらい、次々と人を捌くことだ。このような違いは、考古学的レプリカの制作者、特に遺跡全体をコピーする人が向き合う難しい交換条件を際立たせている。

レプリカ、再現、シミュラークル、コピーは、昔から、非真正なまがい物にすぎないと言われてきた。アート批評家のジョナサン・ジョーンズも、『ガーディアン』でキャヴェルヌ・デュ・

ポンダルクについて論じた際にそのように言った。「レンブラントのレプリカ、フロイドの偽物、スーラのシミュラークルを見たがるアート愛好家はいない」と、明らかに軽蔑心を見せている。「ではなぜ、氷河期の芸術の偽物を文化的なものとして売り出すことが妥当だと考えられるのか」。旧石器時代の芸術を直に見れば洞窟にダメージを与えうるということは認めながらも、ジョーンズはキャヴェルヌ・デュ・ポンダルクをショーヴェの偽物としか考えない。このレプリカを見てもオリジナルのアートと結びつくことはない、というのが彼の考えだ（一方で彼は、ヴェルナー・ヘルツォークの「美しい映画」、『世界最古の洞窟壁画 忘れられた夢の記憶』はショーヴェの真正性を体験する代替手段になると語っている。これはアイロニーどころではない。その映画で人々が見るものも、やはり、洞窟壁画そのものではなく、本物を映した映像なのだから）。

この見方は、レプリカとはオリジナルのアート作品を野暮に真似るだけのものだと仮定している。また、レプリカの「アート」はそれ自体として発展も変化もしないと仮定している。だが、キャヴェルヌ・デュ・ポンダルクはこうした考えに異議を唱えているのである。

この二つの仮定はどちらも、レプリカが獲得しはじめている文化的威信にそぐわないものだ。キャヴェルヌ・デュ・ポンダルクをめぐる美的、工学的決定においては、アートの知覚的体験がラスコー以上に重視され、オリジナルを可能なかぎり再現しようとしている。また、スペインのアルタミラ洞窟のレプリカも、ショーヴェやラスコーと同じ真正性の問題の多くと闘いながら、観光地として成功を収めている。

ほかにも、それほどメジャーでない小規模な洞窟の再現は数多くある（「フランスとスペインにならって、壁画を一般に開かれた場で克明に制作することで、実際の遺跡の保護につながるだろう」と、ジャン・クロットはこのトピックに関する論文の中で述べている。「地域社会は、壁画の保存や文化観光の拡大のあらゆる計画において、経済的な利益を与えられるべきだ」）。さらに、旧石器時代の洞窟だけでなく、ツタンカーメンの墓などの遺跡でも、ダメージを減らすためにレプリカが導入されている。物理的に再現することなく「鑑賞」できる、経済的かつ視覚に訴える手段として、VRツアーを提供する博物館も増えている。

レプリカを完全に否定する考えには、素材やコンテクストにかかわらず、すべてのアートや工芸品は同じように見ることができる、見るべきだという仮定がある。つまり、ショーヴェ洞窟のライオンの壁画を《モナ・リザ》を見るときと同じように見るべきだということだ。しかしこれはおかしい。「旧石器時代研究者のアイトール・ルイス＝レドンドはわたしに語った。「それ一部です」と、旧石器時代の洞窟壁画では、アートは基本的に、物理的にギャラリーのを保存できる環境は簡単につくれるものではありません。このアートは、持ち運びができるものとは違い、それ自身の環境の中にいるものなのです」

ジョナサン・ジョーンズは、青年期にラスコーのレプリカから受けた失望について語った際、レプリカの核には永久に欺瞞があるのではないかと言った（「何という茶番だ、洞窟芸術を約束しておきながら、模造品しか見せないなんて」）。しかしこのような主張は、レプリカそのものは無味乾燥なものだと決めつけていて、レプリカは質の悪い類似物にしかなりえないという考えに凝り固まっている。これは明らかに真実ではない。しかし、レプリカ制作者がレプリカにできることとできないことについて率直になるのはたしかに必要で、観光客もそのことを知ったうえで訪れるべきだ。哲学者のエーリヒ・ハタラ・マッテスは、『アポロ』誌に寄せたエッセイでこう提案している。「レプリカをまがい物と考えるのではなく、地図や型のようなものだと考えることもできる。ほかではなかなか得られない見晴らしを提供してくれるのだから」

キャヴェルヌ・デュ・ポンダルクは、ラスコーやアルタミラの最初のレプリカとは何世代かの隔たりがあり、そのコピーのアートと工学はひっそりと、しかし確実に、それ自体の芸術的な空間を生み出している。たとえば、ラスコーⅣはキャヴェルヌの手法とモデルを使っているが、それは、旧石器時代のレプリカの技術的、美的進化に対して来場者が期待するものを、このショーヴェ洞窟のレプリカが方向づけたからである。だれもラスコーⅡとラスコーⅣを混同することはないだろう。ラスコーⅡとラスコーⅣの違いは、レプリカ遺跡の進化と文化的威信を如実に示している。

しかしながらラスコーⅣは、技術的に進化したにもかかわらず、そして旧石器時代のアートを体験、解釈しやすくするという点で、キャヴェルヌをモデルにしたにもかかわらず、期待されたほど来場者を集められていない。「世界で最も有名な考古学的レプリカであるラスコーⅡは、二〇一六年一二月にラスコーⅣに交代した。Ⅳは後継者としてふさわしいものだが、Ⅱの来場者数を超えるための苦闘がすでにはじまっている」と、ニコラス・ジェームズは『アンティクイティ』の記事で指摘している。「それはいろいろな意味で皮肉なことだ」

結果的に、キャヴェルヌ・デュ・ポンダルクはショーヴェ洞窟のたんなるレプリカ以上のものになっている。もはやそれはキャヴェルヌ・デュ・ポンダルク自体として、オリジナルには不可能な、アートを鑑賞、体験する機会を提供するものである（アート批評家・哲学者のヴァルター・ベンヤミンは、作品は「最初のコピー……がつくられて初めて『真正』になる」と言っていた）。キャヴェルヌは、よい、真正なレプリカだが、それは保全とアクセシビリティのあいだの交換条件について正直だからだ。

二〇一八年四月二日、『アート・ニュースペーパー』は、「歴史的な」和解がなされたと報じた。フランス南部の有名なショーヴェ洞窟の発見者三人に、和解金と観光客の入場料の一部が支払われるということだった。フランス政府はショーヴェ洞窟の発見者に褒賞としてそれぞれ約一三万七〇〇〇ユーロをすでに与えていたが、今回の決定はオリジナルのショーヴェ洞窟の権利に関するものではなかった。なんと、キャヴェルヌ・デュ・ポンダルクに関する報酬だったのである。

三人の洞穴学者はショーヴェ洞窟の現代の歴史に深く関わっていて、それに対して金銭的および法的な報酬が与えられることになったのだ。ショーヴェの発見のストーリーをキャヴェルヌ・デュ・ポンダルクに織り込むために、「キャヴェルヌ・デュ・ポンダルクの協会は、肖像権とショーヴェの名前に関して、三人の洞穴学者に五万ユーロを支払う」と、『アート・ニュースペーパー』は報じた。「そして彼らはレプリカの洞窟の入場料の一・七パーセントを受け取る」

この地域の古代遺産に多大な貢献をしているショーヴェ洞窟の発見者たちに、キャヴェルヌ・デュ・ポンダルクに関わる金銭的な報酬と権利を与えることは、考古学的レプリカの世界の新たな一歩、あるいは、レプリカというもの自体の文化的進化の一ページであり、コピーをいっそうホンモノにすることになる。

結

大英博物館に見られるように

二〇〇五年五月、イギリスのアーティスト、バンクシーは、ビニール袋を持ち、ロングコートに身を包み、偽の顎ひげをつけて、大英博物館にふらっと入っていった。さまざまな展示を横目にのんびりと進み、四九番の展示室にたどり着いた。ローマ時代のイギリスのコレクションが収められた部屋だ。だれも見ていないことを確認して、グラフィティが描かれたセメントの塊をビニール袋から取り出し、強力な接着テープで壁に貼った――小さな彫像の下、ローマ時代の小立像がいくつか入ったガラスケースの左に。《ペッカム・ロック》と名づけられたそれは、パッと見たところ、古代イギリスのコレクションのほかの展示品と同じように見えた。《ペッカム・ロック》には、周到に模倣された展示キャプションが付され、偽の来歴、嘘の所蔵番号が書かれていた。そのようなラベルが付されたその石は、本物の品として通るかもしれないが、描かれたものを見れば偽物であることは明らかだった――それは素人の目にもわかる。

《ペッカム・ロック》に描かれていたのは、黒い矢を刺された古代風のバッファローと、ショッピングカートを押してのっそり歩く人間のようなものだった。文化地理学者のルーク・ディケンズは、この人間のようなものを「ネアンデルタール人」、《ペッカム・ロック》を「イギリスの活動家のアート」と「洞窟壁画」の融合と評した。

概して、《ペッカム・ロック》は好奇心をそそるアート作品だ。大きさは一五×二五センチほどで、サザーク・ロンドン自治区ペッカムのものとされるコンクリートの破片でできている。バンクシーが取りつけたラベルによれば、この図像は「後期カタトニア期」の「原始的なアート」であり、「初期の人間が町の外の狩猟場に出かけていく」ところが描かれている。アーティストは「後期カタトニア期」の著名な画家、「バンクシムス・マクシムス」で、ラベルの記述によると、バンクシムス・マクシムスの壁画の「大多数」は、「壁にいたずら書きをすることの芸術性、歴史的価値を理解しない熱心な役所職員によって破壊された」

これはバンクシーにとって最初の博物館での悪だくみではなかった。二ヵ月前、バンクシーはニューヨーク・アメリカ自然史博物館の〈生物多様性ホール〉に「エアフィックス〈イギリスの模型メーカー〉の武器を持ったテナガカミキリ」を展示していた。その標本は「ウィズアス・オアアゲインストアス」という名で、米国の固有種とされ、一二日間展示されていたという。「明らかに、彼らは入ってくるものよりも出ていくものに目を向けていて、それがわたしにとって好都合だった」と、バンクシーは二〇〇五年のBBCのインタヴューで皮肉っぽく言った。大英博物館では、バンクシーは設置を終えるとその場を去り、《ペッカム・ロック》の運命は天に任せた。結果的に、ウィズアス・オアアゲインストアスほど長く展示室に残ることはなかったが、見つかってすぐに取り外されるまで三日間は持ちこたえた。

《ペッカム・ロック》は、さまざまな意味で、真正性に関する期待を打ち砕こうとするものだ。そもそも、その石はペッカムのものではなく、ハックニーのものである。釘抜きハンマーで彫り出され、モチーフには後期旧石器時代の雰囲気があるが、明らかに、現代のものだ。ショーヴェ、ラスコー、そしてローマ人が建てたロンドン・ウォールの壁にあってもおかしくない、もしわたしたちの祖先が数千年、数万年後のいまのわたしたちと同じように大量消費主義と資本主義に夢中になっていたら、とバンクシーは言おうとしているようだ。バンクシーは自身のウェブサイトでコンテストを開催し、ファンにこの品と一緒に写真を撮るよう呼びかけた。賞品はショッピングカートだった。

その石は大英博物館の壁からあっさり取り外されると、「遺失物」として扱われ、それで終わりとなった。大英博物館のキュレーター、トム・ホッケンハルは、二〇一八年の『ガーディアン』のインタヴューでこう言った。「博物館としてはかなり困ったものだったので、バンクシーから返してほしいと言われたときは喜んで応じました」

その後、アウトサイド・インスティテュート（短い期間存在したグラフィティ専門のギャラリー）が、二〇〇五年六月の共同展のために《ペッカム・ロック》を借りた。そしてそこで大英博物館か

結

大英博物館に

見られる

ように

ら「借用中」と紹介されたことで、この作品の「ホンモノの偽物」性はさらに強固になった。「大英博物館とアーティストのバンクシー氏のご厚意でお貸しいただいた《ペッカム・ロック》を展示できることを誇りに思います」と、アウトサイド・インスティテュートのラベルには書かれていた。「ほかにはどこでも展示されず、今回の展示が終わると、歴史的な検証のために大英博物館に戻されます。大英博物館での展示を見逃した皆さまのために、わたしたちはより立派な環境で本作品をお見せします」

運命の定めで、バンクシーの作品は大英博物館にもう一度展示されることになった。二〇一八年、《ペッカム・ロック》は大英博物館に戻ってきたが、今度は博物館に頼まれてのことだった。『わたしは抗議する！』という展覧会の一部として、イギリスのラジオ司会者イアン・ヒスロップが大英博物館の膨大なコレクションから集めた一〇〇点のうちのひとつだった。その展覧会は、文化的期待を覆すことでさらなる文化的威信を得る、という事象にフォーカスしていた。《ペッカム・ロック》はメディアのお気に入りの品で、人々の興味をかき立て、オープニングの日には人だかりができた。

「当時は少し困ったものだったが、バンクシーが大英博物館でいたずらの展示をしてから一三年後、キュレーターたちはついに面白さを見出した」と、『ガーディアン』は二〇一八年八月に報じた。破壊分子として大英博物館に登場し、やがてコレクションに正式に認められた《ペッカム・ロック》は、まだまだ生き続けるだろう。

バンクシーの《ペッカム・ロック》以上の「ホンモノの偽物」を想像するのは難しい。それは破壊分子であり、複雑な存在だ。誕生以来、偽物、いたずらと呼ばれ、最終的に正統な展示品になった。何より、《ペッカム・ロック》は、見る人に作品の裏の意図を考えさせる。「世界最古の博物館のひとつに展示されたその石は、現代のイギリス人の消費習慣をからかい、アーティストの作品と名前を売り込み、この種の作品の芸術的、歴史的価値を示し、『不寛容（ゼロ・トレランス）』な都市政策の推進者を非難することを意図していた」と、ルーク・ディケンズはこの作品について巧みに要約している。《ペッカム・ロック》は見る人に、それは本物なのか、さらに言えば、あなたはそれを真正だと思うのか、ということを判断させる。バンクシーは、わたしたちが無意識に欲しているものを見せているのかもしれない。

　意図の話は、基本的に、真正性と偽物をめぐるすべての物事の根底にある。騙すことを意図した偽物は問題だ。そのような偽物は、ようするに捏造だからだ。にもかかわらず、「捏造に関連するものは、贋作だとはっきり示されても、信じる声が根強く残る」と、アート史家のノア・チャーニイは『贋作のアート』で説明している。「最初から捏造だったという証拠があるにもかかわらず、多くの人は、真正なものではない、重要な価値を持つものではない、という事実を受け入れない。見抜かれた贋作でさえ、歴史を変える力を持ち続けている。まさに贋作者たちが望んだとおりに」。偽物のストーリーをわたしたちがどのように受け止め、どう反応

大英博物館に
見られる
ように

するかは、偽造者の騙しの意図をどのようにとらえるかによって決まってくる。

こうした偽物にあたるのは、たとえば、無防備なパリの観光客や無知なコレクターに売られたスパニッシュ・フォージャーの「中世」絵画のような捏造品。身のほどを思い知らせるための冗談としてつくられたベリンガーの嘘石のような「化石」。合成ダイヤモンドと謳うために実験で投入された天然ダイヤモンド。モチーフをメソアメリカのアートに合わせようともしていない贋作の「マヤのコデックス」。ウィリアム・ヘンリー・アイアランドの長く行方不明だった「シェイクスピア戯曲」の『ヴォーティガンとロウィーナ』。北極ではなく動物園で撮られたことを視聴者に伝えない野生生物ドキュメンタリーの演出。これらはすべて、実際の、手慣れた、議論の余地のない、捏造である偽物の例である。どの例でも、偽造者は真正性と引き換えにいくらかの稼ぎを得ている。巧みに吹っ掛けられた人たち――コレクター、バイヤー、消費者、あるいはたんに疑いを持たなかった人――はその欺瞞に憤り、引っかかったときには特に腹を立てる。「実際の歴史的な品を無視して、再想像されたその写しのほうを支持することで、わたしたちは過去を消し去る」と、歴史家のニール・シャフィールはオンラインマガジン『イオン』に寄せた偽物についてのエッセイに書き、偽物のほうが「信用できる」ことが多いが、それは意図的に本物よりも「リアル」にしているからだと指摘している。

その一方で、簡単に捏造とは片づけられないものもある。そういったものには、まぎれもない来歴と、ぶれない起源の物語がある。たとえば、科学者たちに精査されながら注意深く製造されたGEの合成ダイヤモンド。ガスクロマトグラフィーで農業生産物のフレーバーノートと一致するフレーバー。ショーヴェ洞窟のデジタル模型と、洞窟のレプリカのキャヴェルヌ・デュ・ポンダルク。これらはどれも、制作者自身が言うとおりのものである。

真正なコピーをつくる方向に向かうには、科学技術の導入が必要だった。長年、認証の世界における科学の役割は、問題の品の物質構成を調べて偽物を見つけ出すことだった。法科学鑑定は、その品の一部が来歴で言われているとおりの年代のものかを調べることで、正統性の証拠を示す手段のひとつになった。このような検査は、専門的なディーラー、コレクター、学者が絵画の真正性に異議を唱えているときに特に役立つことになった（放射年代測定は、同時期に考古学の世界でも一般的になっていった）。絵画の初期の法科学鑑定は、使われている塗料を調べることに重点を置いていた。のちに開発された分析法では、塗料の割れ方や絵の下の繰り返しの層、さらにはそれに付随する来歴の文書も調べられ、ほかのさまざまな認証手段を補っている。

赤外分光法、顕微鏡分析、赤外線反射法、そして化学同位体を利用した各種年代測定法——どれも科学界で厳密に開発、検査された——などの手段がある現在、抜け目ないバイヤーやコレクターに偽物をつかませるのはますます難しくなっているように思われる。二〇世紀後半には、科学の役割が大きくなり、正統ではない偽物を見つけ出すだけでなく、元々の自然物の要素を脱構築するようにもなった。ダイヤモンドが研究所で製造できるようになったのは、科学者がその成り立ちを知ったからだ。フレーバーが大規模に合成できるようになったのは、研究者が農産物のフレーバーノートを特定したからだ。科学技術は、わたしたちが言うところのホンモノの偽物がより真正になるための道を示してきた。

しかし、こうした真正なものの多くは、いわゆる「本物」と物質的に完全に一致するわけではない。忠実ではあるかもしれないが、わたしたちはやはりそれをどう判断するか悩まされる。そしてそこで、すべての偽物が悪いわけではないとわかるのだ。稀少なもの、あるいは何らかの問題のあるものを保存する意図でつくられた偽物は、実際のところ、科学と工学の偉業である。

たとえば、天然ダイヤモンドが倫理性を気にかける消費者にますます敬遠されるようになる中で、合成ダイヤモンドは「偽物」を天然物よりも好ましいものにする道を示している。合成あるいは人工フレーバーは、人口が増え続ける中、その需要に応えて味のいい食べ物を供給する道を示している。遺跡は再建できないデリケートなものだが、ショーヴェやラスコーなどでは、レプリカをつくることで観光と考古学のバランスをとる道を示している。オリジナルとコピーの隔たりをせせら笑うのではなく、これからはシミュラークルをそれ自体完全な、真正なもの――それ自身のコンテクストを持ち、独自の倫理的要件を満たすもの――と考えるべきだろう。

真正性は、これまで見てきたとおり、流動的で、ひとつのものが偽物とされたり本物とされたりを繰り返すこともある。その偽物がよいものか悪いものか、あるいはその「本物」が問題のあるものか否かを判断するには、ニュアンスに気づく細やかさと、そのモノの歴史的なコンテクストの理解が必要だ。モノそのものには倫理性はない。コンテクストがすべてである。また、モノの材質に目を向けるだけでは十分でない。そのまわりのストーリーと歴史に目を向ける必要があるのだ。

ここで、つくる人の意図と見る人の期待の相互作用が変化する。来歴に問題があるために長いこと偽物だとされていたグロリア・コデックスは、真正性のグラデーション上を行ったり来たりしているモノの一例である。一方、スパニッシュ・フォージャーの作品は、中世絵画の安っぽい模造品とはみなされないようになり、それ自体として、フォージャーの才能を示すもの、そして一九世紀のアートの一部となった。同じように、ウィリアム・ヘンリー・アイアランドの文書、特に彼のオリジナルの偽物の贋作も、それ自体として収集価値のあるものになっている。このようにわたしたちは本物と偽物を混ぜ合わせ、「ホンモノの偽物」をつくってきたのだ。

わたしは《ペッカム・ロック》を大英博物館の二〇一八年の『わたしは抗議する！』展で見たが、素晴らしいものだった。実際、かなり人気があり、人混みを抜けるのにしばらく時間がかかった。

《ペッカム・ロック》は、言われていたとおり、ショッピングカートと、釘だらけの人間らしきものが中心に描かれたセメントで、博物館のラベルがいくつか付されていた。もちろんバンクシーのオリジナルの偽造ラベルも含まれていて、折り目がついて少し状態が悪くなっているようだったが、その左には新しいラベルがあって、そのいたずらについて説明されていた。それまでよく知らなかった人は、《ペッカム・ロック》がスタッフに気づかれるまで三日間生き残ったという記述を読んで大笑いし（「そんなこと考えられるか？」）、もし自分が四九番の展示室で見ていたらほかの騙されやすい人のようにはならなかっただろうと言う人たちもいた（「たいしたものじゃないよ」と、ある来館者は妻に言った。「絶対に本物だなんて思わないね」）。しかし、多くの来館者は、大英博物館のような権威ある機関に挑んだ大胆さに魅了され、楽しんだ。展覧会から帰るとき、わたしはオフィス用に《ペッカム・ロック》の木製コピーを買った。

偽物は、二一世紀においてとりわけ含みのある言葉になっている。何かを偽物と呼ぶことは、もはや捏造やペテンかどうかという話ではない。偽物は、ひとつの分類であり、判断であり、否定になっている。しかし、この本の物語から学ぶことがひとつあるとしたら、わたしたちは自分が何を分類、判断、否定しているかをはっきりと知り、意識的になるべきだということだ。歴史、文化、コンテクストはモノの真正性を方向づけるが、定めはしない。そしてわたしたちが真正性――偽物の裏面――を理解するには、偽物はオープンな存在である必要がある。

偽物に必要なのは、ストーリー、エピソード、多層的なコンテクスト、「そんなの信じられない」という事例、劇的な暴露、捏造品や贋作を追いかける科学の進化、真正だとみなされる（それがあれば）成り行きである。変化のない一生を送るモノはなく、それは「ホンモノの偽物」

も同様だ。マーク・トウェインは、『イノセント・アブロード』の中で、聖ドニの遺物をすべて集めたらいくつも骨格ができるかもしれないと言ったとき、自分のこの嘲りは少し的外れに思えるとも言っていた。彼は、たとえすべての骨が必ずしも本物でなくても、その骨と聖骨箱が呼び起こす感情は十分に本物であり、どこまで辛辣になるべきかはわからない、と認めようとしていたのだ。

「ホンモノの偽物」は、いかに、なぜ、どのような状況で、わたしたちは物事を真正だと受け入れられるのか、そして受け入れるべきなのかということを探る機会を与えてくれる。何かを真正だと決めつける前に、あるいは偽物だと否定する前に、そのモノの目的や意図、コンテクストと、わたしたちが何をホンモノとして受け入れるのかについて考えるべきだ。それが重要なのは、つまり、モノのステータスはつねに変化し、つねに進化しているからだ。

ローマの哲学者ペトロニウスが言ったように、偽物は世界を欺くだろうが、だからといって、わたしたちの「ホンモノの偽物」に重要な文化的歴史や意味がないということではない。その真正性の物語はまだまだ広がり続けている。

謝辞

たくさんの仲間、友人、専門家の知識と経験、熱意がなければ、『ホンモノの偽物』のような本を書くことはできなかった。以下の方々にたいへんお世話になった。スチュアート・ボールドウィン、ナディア・バーンスタイン、ポール・ブリンクマン、マシュー・ブラウン、アンジェラ・バーンリー、ジル・ダーネル、ルーク・デイケンズ、マイク・デルース、ホリー・ダンズワース、デヴィッド・エヴァンズ、ジェイ・フォード、ミッチ・フラース、エリック・ゴールドスタイン、ベンジャミン・グロス、クリストファー・ハレット、ジョン・ホプキンズ、エリザ・ハウレット、ブルース・ハント、ニコラス・ジェームズ、リンジー・キーター、ケイティー・ランジェンフェルド、レイチェル・ラウデン、エリナー・ルーソン、マーク・キッセル、クリストファー・メイニアズ、アレックス・マクアダムズ、スコット・マギル、マリッサ・ニコシア、ギャレット・オザー、リンダ・ペレット、ベッカ・ペイショット、マイケル・プレス、ニック・パイエンソン、メーガン・レイビー、スティーブン・レイビー、ナターシャ・レイノルズ、ルーカス・リーペル、ニコール・ルドルフ、アイトール・ルイス＝レドンド、ジョゼフレイン・サンチェス＝ペリー、クレア・サウロ、クリストファー・シャバーグ、ケン・シュワーツ、ステファニー・ストラウス、ピーター・タラック、ポール・テイラー、エリン・トンプソン、アマラ・ソーントン、クリストファー・タンネル、マイク・アーバンチック、グレゴリー・アーウィン、エリック・ウィリアムズ、オードラ・ウルフ、レベッカ・ラッグ・サイクス、ドナ・イェーツ。

また、以下に挙げる多くの機関にもご協力いただき、アーカイヴの閲覧、出版物や資料のコピー、資料の転載、インタヴューを行わせていただいた。アラスカ州漁業狩猟局、アメリカ自然史博物館、キャヴェルヌ・デュ・ポンダルク、ドイツ博物館、エターネヴァ、Explore.org、テキサス大学オースティン校ハリー・ランサム・センター、ハワード・トレイシー・ホール財団、『ハイパーアレジック』、モルガン・ライブラリー&ミュージアム、ミュージアム・オブ・イノヴェーション・アンド・サイエンス、ロンドン自然史博物館、オックスフォード自然史博物館。特に、テキサス大学オースティン校のＩＬＬ（図書館間相互貸借）担当の方々には深く感謝申し上げたい。彼らの奔走がなければ本書は実現しなかった。

編集者のジム・マーティンとアナ・マクダーミッドは、これ以上ないフィードバック、提案、ディレクションによって、この企画をずっといいものにしてくれた。コピーエディターのクリ初期の数多くの草稿に意見をくれ、この企画で集まったあらゆる風変わりなネタを面白がってくれた。ホリー・ゼムスタは、原稿を鋭く明瞭なものにしてくれた。スティーナ・メイヤーは、この企画のいろいろな話に絶えず興味を示してくれた。この数年間、両親のスティーヴ・パインとソニヤ・パイン、妹のモリー・パインは、

そして、だれより、スタン・サイバートに感謝している。彼は、『ホンモノの偽物』は本物の本になると、いつも楽天主義でいてくれた。

訳者あとがき

数年前、ホーチミンに行ったとき、カニ料理の店に行った。知人に薦められたのだが、その知人が送ってくれた記事によると、本家とパクリ店が隣接していて、パクリ店のほうが美味しいということだった。というわけで、パクリ店のほうに行ってみたところ、たしかに美味しかった。本家のほうには行っていないので、比較はできないが、地元のお客さんもたくさんいて、繁盛していたから、もはや「パクリ」であることなど関係なく、「美味しい店」として堂々と認められているのだろう。

このような「ホンモノの偽物」は、古今東西、あらゆるところに存在する。本書（原題：*Genuine Fakes: How Phony Things Teach Us About Real Stuff*）で、著者のリディア・パインは、「結局、この世界は表面だけではうまく分類できないものであふれている。本物であると同時に本物でない、中間的なものでいっぱいなのだ。これは『ホンモノの偽物』と呼ぶことができるだろう」

と言っている。本書は、そうした「ホンモノの偽物」を紹介し、本物とは何か、偽物とは何か、を考察するものだ。

取り上げられている「ホンモノの偽物」は多岐にわたる。

ウォーホルのいないウォーホル：アンディ・ウォーホルの死後、ウォーホルが遺した本物の素材を使い、手法を再現して制作された版画は、本物のウォーホル作品と言えるのだろうか？

厳粛なる嘲り：一九世紀末から二〇世紀初めに中世絵画の贋作をしていたスパニッシュ・フォージャー。一八世紀末にシェイクスピアの署名、文書、さらには戯曲までを贋作したウィリアム・ヘンリー・アイアランド。彼らの作品は、いまや、偽物そのものとして収集価値のあるものになっている。

嘘石の真実：一八世紀初め、いたずらでつくられた捏造品を本物の化石だと信じきったヨハン・ベリンガー教授。その「嘘石」は、いまとなっては滑稽に思える代物ばかりだが、当時の彼はなぜ本物だと思ったのだろうか？

炭素の複製（カーボンコピー）：ラボグロウン（合成）ダイヤモンドは、元素レベルで天然ダイヤモンドと同一である。では、両者を分けるものは何なのか？　また、ラボグロウンダイヤモンドは、天然物よりも好ましい、倫理的な選択肢になりうるだろうか？

異なる味わいの偽物：現在、人工のバナナフレーバーは天然のバナナとは違う味だと感じられるが、それは最初にバナナフレーバーがつくられたときに主流だったバナナの種が現在主流の種とは違うためだ。人がどのような味を本物だと思うかは、時とともに変化する。そしてその中で、人工フレーバーもさまざまな発展を遂げている。

セイウチカメラを通して見ると：現地に行けない場合、野生生物を見る最も真正（オーセンティック）な方法は何だろうか？　二一世紀のいま、アラスカの海岸に集まるセイウチの様子を映したライヴ配信が人気だ。一方、二〇世紀半ば以降、ドキュメンタリー映画・番組は、「本物、真正」と「演出、細工」のあいだで揺れ続けている。

大いなるシロナガスクジラ：一九世紀以降、最初はサーカスなどのショーで、のちに博物館で、クジラの模型や標本が見られるようになった。しかし、同じような模型でも、本物とされたり偽物とされたりするのはなぜだろうか？

そしていま、それは本物だ：偽物だと思われていたものが実は本物だったということもある。古代マヤの絵文書「グロリア・コデックス」は長いこと偽物だとされていたが、それは出所や来歴がはっきりしない、つまり本物だと思わせるストーリーがなかったからだ。

旧石器時代を生き返らせる技法：二〇世紀中頃、ラスコー洞窟の壁画は来場者の息や体熱によって劣化してしまった。そこで、その後発見されたショーヴェ洞窟では、洞窟の公開はせず、レプリカを通して本物の洞窟体験を提供しようとしている。

大英博物館に見られるように：バンクシーが大英博物館に無断で展示した《ペッカム・ロック》は、その後の紆余曲折を経て、ついには大英博物館のコレクションに正式に加えられた。

アート、宝石、食品、生物、考古学……と、多種多様な八編（＋序と結の二編）を読むと、「本物／偽物とは何か？」ということがよくわからなくなってくる。著者が強調するのは、偽物＝悪とは限らない、本物／偽物はつねに線引きできるわけではない、真正性（オーセンティシティ）の基準は時代によって変わりうる、ストーリーやコンテクストに大きく左右される、ということだ。また、「真正性に関する問いをかき立てるもの、単純明快な答えがないと思うものを選んだ」と言っているように、読む人に一緒に考えてもらいたいと思っていようである。実際、本書を読むと、身のまわりのさまざまな「ホンモノの偽物」が目につくようになり、本物と偽物のあいだの「グレーのグラデーション」について考えをめぐらすことが増えるだろう。

著者は、「この本を書くうえで最も大変だったことのひとつは、どの『ホンモノの偽物』を取り上げるかを決めることだった」と言っている。まさにそのチョイスこそが本書の妙だ。まったく異なるジャンルの話が詰め合わされたことで、本書はオリジナルな書物になっている。取り上げられている題材は、よく知られているものも多いが、スパニッシュ・フォージャーなど、日本ではあまり知られていない話もある。どの題材についても、歴史やエピソードが詳しく紹介されているため、雑学本として楽しむこともできるだろう。また、各章がコンパクトに、統一感をもってまとめられた構成は、Netflixなどのドキュメンタリーシリーズとして映像化しても面白そうだ。

このようにさまざまな素材を集め、ひとつの本にまとめ上げた著者のリディア・パインは、科学と物質文化の歴史を研究する著述家、歴史家である。南アフリカ、エチオピア、ウズベキスタン、イラン、アメリカ合衆国南西部など、世界各地をフィールドにしている。古人類の有名化石について書かれた前作は日本でも翻訳が出ているが（『7つの人類化石の物語――古人類界のスターが生まれるまで』藤原多伽夫訳、白揚社、二〇一九年）、そこでピルトダウン人の捏造について調べたことが本書の企画につながったという。今後も、ジャンル横断的な執筆活動に期待したい。

翻訳にあたっては、亜紀書房の小原央明さんにたいへんお世話になった。深く感謝申し上げます。また、訳文を丁寧にチェックしてくださった大野陽子さんにも厚くお礼申し上げます。

二〇二〇年九月　　　　菅野楽章

結

大英博物館に見られるように

Banksy. 2007. *Wall and Piece*. Mainaschaff: Publikat.（バンクシー『Wall and Piece』廣渡太郎訳、パルコエンタテインメント事業部、2011年）

- Banksy hoax caveman art back on display. *BBC News*, 16 May 2018, sec. Entertainment & Arts. www.bbc.com/news/entertainment-arts-44140200.
- Brown, Mark. Ian Hislop picks Banksy hoax for British Museum dissent show. *Guardian*, 16 May 2018, sec. Arts and Culture sec. www.theguardian.com/culture/2018/may/16/ian-hislop-picks-banksy-hoax-for-british-museum-dissent-show.
- Cave art hoax hits British Museum, 19 May 2005. http://news.bbc.co.uk/2/hi/entertainment/4563751.stm.
- Charney, Noah. 2015. *The Art of Forgery: The Minds, Motives and Methods of the Master Forgers* (1st ed.). London: Phaidon Press.

———. Is there a place for fakery in art galleries and museums? *Aeon*. Accessed 18 September 2016. https://aeon.co/essays/is-there-a-place-for-fakery-in-art-galleries-and-museums.

- Dickens, Luke. Placing post-graffiti: the journey of the Peckham Rock. *Cultural Geographies*; London 15, no. 4 (October 2008): 471–96. http://dx.doi.org.ezproxy.lib.utexas.edu/10.1177/1474474008094317.
- Geurds, Alexander & Laura Van Broekhoven. 2013. *Creating Authenticity: Authentication Processes in Ethnographic Museums*. Leiden: Sidestone Press.
- Han, Byung-Chul. 2017. *Shanzhai: Deconstruction in Chinese*. Trans. by Philippa Hurd. Bilingual edition. Boston, MA: MIT Press.
- Prankster infiltrates NY museums, 25 March 2005. http://news.bbc.co.uk/2/hi/americas/4382245.stm.
- Shafir, Nir. Why fake miniatures depicting Islamic science are everywhere. *Aeon*. Accessed 13 September 2018. https://aeon.co/essays/why-fake-miniatures-depicting-islamic-science-are-everywhere.
- Stevens, Kati. 2018. *Fake (Object Lessons)*. London: Bloomsbury Academic.

*URLなどは原書刊行当時（2019）のもの

https://doi.org/10.15184/aqy.2016.63.

———. Our fourth Lascaux. *Antiquity* 91, no. 359 (October 2017): 1367–74. https://doi.org/10.15184/aqy.2017.145.

• Jones, Jonathan. Don't fall for a fake: the Chauvet Cave art replica is nonsense. *Guardian*, 15 April 2015, sec. Art and design. www.theguardian.com/artanddesign/jonathanjonesblog/2015/apr/15/chauvet-cave-art-replica-is-nonsense.

• Korsmeyer, Carolyn. 2002. *Making Sense of Taste: Food and Philosophy*. Ithaca, NY: Cornell University Press.

———. Touch and the experience of the genuine. *The British Journal of Aesthetics* 52, no. 4 (1 October 2012): 365–77. https://doi.org/10.1093/aesthj/ays043.

———. 2019. *Things: In Touch with the Past*. Oxford; New York, NY: Oxford University Press.

• Lascaux IV: The International Centre for Cave Art. Accessed 27 June 2018. /projects/322-lascaux-iv-the-international-centre-for-cave-art.

• Lascaux's 18,000 year-old cave art under threat. Accessed 27 June 2018. https://phys.org/news/2011-06-lascaux-hands-off-approach-threatened-art.html.

• Leadbeater, Chris. Lascaux Cave and the rise of the fake attraction. *Telegraph*, 5 February 2016. www.telegraph.co.uk/travel/destinations/europe/france/aquitaine/articles/Lascaux-Cave-and-the-rise-of-the-fake-attraction.

• Martin-Sanchez, Pedro Maria, Alena Nováková, Fabiola Bastian, Claude Alabouvette & Cesareo Saiz-Jimenez. Two new species of the genus *Ochroconis, O. Lascauxensis* and *O. Anomala* isolated from black stains in Lascaux Cave, France. *Fungal Biology* 116, no. 5 (1 May 2012): 574–89. https://doi.org/10.1016/j.funbio.2012.02.006.

• Peixotto, Becca. Perot Museum replicas of rising star caves? In-person interview. 9 July 2018.

• Photos behind the scenes of the construction site at the Pont d'Arc Cavern. The Pont d'Arc Cavern. Accessed 21 April 2018. http://en.cavernedupontdarc.fr/discover-the-pont-darc-cavern/the-pont-d-arc-cavern-site/technological-mastery-to-stir-the-emotions.

• Pyne, Lydia. The art of creating replicas of Ice Age cave paintings. *Hyperallergic*, 4 June 2018. https://hyperallergic.com/445675/the-art-of-creating-replicas-of-ice-age-cave-paintings.

• Reyonlds, Natasha. Paleolithic replicas? Email interview, 27 April 2018.

• Ruiz, Aitor. Paleolithic replicas? Skype interview, 25 April 2018.

• Wilkening, Susie & James Chung. 2009. *Life Stages of the Museum Visitor: Building Engagement over a Lifetime*. Washington, DC: AAM Press.

竹原あき子訳、法政大学出版局、1984年、新装版2008年）
———. 1996. *The System of Objects*. New York, NY: Verso.（『物の体系——記号の消費』宇波彰訳、法政大学出版局、1980年、新装版2008年）
・Bradshaw Foundation. Chauvet Cave granted World Heritage status. Bradshaw Foundation. Accessed 25 June 2018. www.bradshawfoundation.com/chauvet/chauvet_cave_UNESCO_world_heritage_site.php.
・Brown, Bill. Thing theory. *Critical Inquiry* 28, no. 1 (1 October 2001): 1–22. https://doi.org/10.1086/449030.
・Caverne Du Pont d'Arc Press Kit. Caverne Pont d'Arc, 2017.
・Chauvet, Jean-Marie, Eliette Brunel Deschamps & Christian Hillaire. 1996. *Dawn of Art: The Chauvet Cave: The Oldest Known Paintings in the World*. New York, NY: H. N. Abrams.
・Clottes, Jean, ed. 2003. *Return to Chauvet Cave: Excavating the Birthplace of Art: The First Full Report*. London: Thames & Hudson.
———. Rock art: an endangered heritage worldwide. *Journal of Anthropological Research* 64, no. 1 (1 April 2008): 1–18. https://doi.org/10.3998/jar.0521004.0064.101.
・Deutsches Museum. Altamira – Höhlenmalerei Der Steinzeit. Deutsches Museum, 2012.
———. Deutsches Museum: Altamira-Höhle. Accessed 13 January 2019. www.deutsches-museum.de/ausstellungen/kommunikation/altamira-hoehle.
———. Deutsches Museum: Literatur. Accessed 13 January 2019. www.deutsches-museum.de/sammlungen/meisterwerke/meisterwerke-vi/altamira-hoehle/literatur.
・Furness, Hannah. Mary Beard: it doesn't really matter if tourists damage Pompeii. *Telegraph*, 6 April 2016. www.telegraph.co.uk/news/2016/04/06/mary-beard-it-doesnt-really-matter-if-tourists-damage-pompeii.
・Hammer, Joshua. Finally, the beauty of France's Chauvet Cave makes its grand public debut. *Smithsonian Magazine*. Accessed 20 June 2018. www.smithsonianmag.com/history/france-chauvet-cave-makes-grand-debut-180954582.
・Hatala Matthes, Erich. Digital replicas are not soulless – they help us engage with art. *Apollo Magazine*, 23 March 2017. www.apollo-magazine.com/digital-replicas-3d-printing-original-artworks.
———. Palmyra's ruins can rebuild our relationship with history – Erich Hatala Matthes. Aeon ideas. *Aeon*. Accessed 21 April 2018. https://aeon.co/ideas/palmyras-ruins-can-rebuild-our-relationship-with-history.
・'Historic' agreement resolves dispute over Chauvet Cave (and replica). *The Art Newspaper*. Accessed 20 June 2018. www.theartnewspaper.com/news/historic-agreement-resolves-dispute-over-chauvet-cave-and-replica.
・James, Nicholas. Replication for Chauvet Cave. *Antiquity* 90, no. 350 (April 2016): 519–24.

be genuine. *DeseretNews.com*, 22 September 2016. www.deseretnews.com/article/865663001/An-ancient-American-book-dismissed-as-a-fraud-proves-to-be-genuine.html.

・Ruvalcaba, Jose Luis, Sandra Zetina, Helena Calvo del Castillo, Elsa Arroyo, Eumelia Hernández, Marie Van der Meeren & Laura Sotelo. The Grolier Codex: a non destructive study of a possible Maya document using imaging and ion beam techniques. *MRS Online Proceedings Library Archive* 1047 (ed 2007). https://doi.org/10.1557/PROC-1047-Y06-07.

・Sharer, Robert J. & Loa P. Traxler. 2006. *The Ancient* Maya (6th ed.). Stanford, CA: Stanford University Press.

・Stephens, John Lloyd. 1993. *Incidents of Travel in Central America, Chiapas, and Yucatan*. Washington, DC: Smithsonian Institution Press.

・Thompson, Erin L. Enduring appeal of fakes? Email, 19 March 2018.

・Vail, Gabrielle. The Maya codices. *Annual Review of Anthropology* 35, no. 1 (2006): 497–519. https://doi.org/10.1146/annurev.anthro.35.081705.123324.

・Vitelli, Karen D. The antiquities market. *Journal of Field Archaeology* 4, no. 4 (1 January 1977): 459–72. https://doi.org/10.1179/009346977791490168.

・Yates, Donna. Museums, collectors, and value manipulation: tax fraud through donation of antiquities. *Journal of Financial Crime* 23, no. 1 (31 December 2015): 173–86. https://doi.org/10.1108/JFC-11-2014-0051.

———. Maya artefacts and Mexican bandits: trafficking tall tales. Accessed 14 August 2017. www.anonymousswisscollector.com/2014/07/maya-artefacts-and-mexican-bandits-trafficking-tall-tales.html.

———. Grolier Codex « trafficking culture. Accessed 16 August 2017. http://traffickingculture.org/encyclopedia/case-studies/grolier-codex.

———. Appeal of fake artifacts? Email interview, 19 March 2018.

第八章

旧石器時代を生き返らせる技法

・Bahn, Paul. Putting a brave face on a fake. Cambridge Core. *Cambridge Archaeological Journal* 6, no. 2 (1996): 309–10.

———. A lot of bull? Pablo Picasso and Ice Age cave art. *Munibe* 57 (2005): 217–23.

・Bahn, Paul G. & Jean Vertut. 1997. *Journey Through the Ice Age*. Berkeley, CA: University of California Press.

・Baudrillard, Jean. 1994. *Simulacra and Simulation (The Body, in Theory)*. Ann Arbor, MI: University of Michigan Press.（ジャン・ボードリヤール『シミュラークルとシミュレーション』

猪俣健監修、武井摩利訳、創元社、2007年）

- Coe, Michael D. & Stephen D. Houston. 2015. *The Maya* (9th ed.). New York, NY: Thames & Hudson.（マイケル・D・コウ『古代マヤ文明』加藤泰建、長谷川悦夫訳、創元社、2003年〔原著第6版の翻訳〕）
- Coe, Michael, Mary Miller, Stephen Houston, Karl Taube, Simon Martin, Takeshi Inomata, Daniela Triadan *et al*. 2015. *Maya Archaeology 3: Featuring the Grolier Codex*. San Francisco, CA: Precolumbia Mesoweb Press.
- Cummings, Mike. Authenticating the oldest book in the Americas. *YaleNews*, 18 January 2017. https://news.yale.edu/2017/01/18/authenticating-oldest-book-americas.
- FAMSI – Maya codices – the Grolier Codex. Accessed 3 August 2017. www.famsi.org/mayawriting/codices/grolier.html.
- Geurds, Alexander & Laura Van Broekhoven. 2013. *Creating Authenticity: Authentication Processes in Ethnographic Museums*. Leiden: Sidestone Press.
- Holmes, William Henry. 1882. *Pottery of the Ancient Pueblos*. Washington, DC: Smithsonian. https://onlinebooks.library.upenn.edu/webbin/gutbook/lookup?num=41998.

———. *Archaeological Studies Among the Ancient Cities of Mexico*. Anthropological Series. Field Columbian Museum; v. 1, No. 1. Chicago, 1895. https://catalog.hathitrust.org/Record/009443928.

———. *The Painter and the National Parks*. Washington: Govt. print. off., 1917. https://catalog.hathitrust.org/Record/009591420.

- Kelker, Nancy L. & Karen Olsen Bruhns. 2010. *Faking Ancient Mesoamerica*. Walnut Creek, CA: Left Coast Press.
- Kettunen, Harri & Christophe Helmke. 2014. *Introduction to Maya Hieroglyphs* (14th ed.). Comenius University in Bratislava: The Slovak Archaeological and Historical Institute.
- Landa, Diego de. 1565. *Relación de las Cosas de Yucatán*.（ディエゴ・デ・ランダ『ユカタン事物記』林屋永吉訳、増田義郎注、『大航海時代叢書　第II期 13』所収、岩波書店、1982年）
- Love, Bruce. Authenticity of the Grolier Codex remains in doubt. *Mexicon* 39, no. 4 (2017): 88–95.
- Meyer, Karl E. 1973. *The Plundered Past*. New York, NY: Atheneum.（カール・マイヤー『美術泥棒の世界——国際美術市場のからくり』小沢善雄訳、河出書房新社、1976年）
- Milbrath, Susan. New questions about the authenticity of the Grolier Codex. *Latin American Indian Literatures Journal*, 18(1): 50–83. Accessed 3 August 2017.
- Newitz, Annalee. Confirmed: mysterious ancient Maya book, Grolier Codex, is genuine. *Ars Technica*, 12 September 2016. https://arstechnica.com/science/2016/09/confirmed-mysterious-ancient-maya-book-grolier-codex-is-genuine.
- Peterson, Daniel. Defending the faith: an ancient American book, dismissed as a fraud, proves to

www.widewalls.ch/art-authentication-board.

- Batres, Leopoldo. *Antiguidades Mejicanas Falsificadas,* 1910. http://archive.org/details/BatresLeopoldoAntiguidadesMejicasFalsificadasCopy.compressed.
- Bender, Rose. America's 'new' oldest book: researchers confirm the authenticity of the ancient Mayan Grolier Codex. *Yale Scientific Magazine* (blog), 11 January 2017. www.yalescientific.org/2017/01/americas-new-oldest-book-researchers-confirm-the-authenticity-of-the-ancient-mayan-grolier-codex.
- Berger, Dina & Andrew Grant Wood. 2009. *Holiday in Mexico: Critical Reflections on Tourism and Tourist Encounters*. Durham, NC: Duke University Press.
- Blakemore, Erin. New analysis shows disputed Maya 'Grolier Codex' is the real deal. Smithsonian. Accessed 13 January 2019. www.smithsonianmag.com/smart-news/maya-codex-once-thought-be-sketchy-real-thing-180960466.
- Calvo Del Castillo, Helena, Ruvalcaba Sil, Jose Luis, Tomás Calderón, Marie Vander Meeren & Laura Sotelo. The Grolier Codex: A PIXE & RBS study of the possible Maya document, 2007. http://orbi.ulg.ac.be/handle/2268/111350.
- Carter, Nicholas P. & Jeffrey Dobereiner. Multispectral imaging of an Early Classic Maya Codex fragment from Uaxactun, Guatemala. *Antiquity* 90, no. 351 (June 2016): 711–25. https://doi.org/10.15184/aqy.2016.90f.
- Casas, Bartolomé de las & Manuel Serrano y Sanz. 1909. *Apologética historia de las Indias*. Madrid: Bailly Bailliére é hijos.
- Charney, Noah. 2015. *The Art of Forgery: The Minds, Motives and Methods of the Master Forgers* (1st ed.). London; New York, NY: Phaidon Press.
- Chinchilla Mazariegos, Oswaldo Fernando. 2017. *Art and Myth of the Ancient Maya*. New Haven, CT: Yale University Press.
- Christenson, Allen J., trans. 2007. *Popol Vuh: The Sacred Book of the Maya: The Great Classic of Central American Spirituality, Translated from the Original Maya Text*. Norman, OK: University of Oklahoma Press.
- Cline, Eric H. & Glynnis Fawkes. 2017. *Three Stones Make a Wall: The Story of Archaeology*. Princeton, NJ: Princeton University Press.
- Coe, Michael D. 1973. *The Maya Scribe and His World*. New York, NY: The Grolier Club.

———. 1998. *Art of the Maya Scribe* (1st ed.). New York, NY: Harry N. Abrams.

———. 2012. *Breaking the Maya Code* (3rd ed.). New York, NY: Thames & Hudson.（マイケル・D・コウ『マヤ文字解読』増田義郎監修、武井摩利、徳江佐和子訳、創元社、2003年〔原著第2版の翻訳〕）

- Coe, Michael D. & Mark Van Stone. 2005. *Reading the Maya Glyphs* (2nd ed.). New York, NY: Thames & Hudson.（マイケル・D・コウ、マーク・ヴァン・ストーン『マヤ文字解読辞典』

Circus. Animals, History, Culture. Baltimore, MD: Johns Hopkins University Press.
- Pfening, Fred. Moby Dick on rails. *The Bandwagon*, 1987, 14–17.
- Poliquin, Rachel. 2012. *The Breathless Zoo: Taxidermy and the Cultures of Longing*. University Park, PA: Pennsylvania State University Press.
- Pyenson, Nick. Your work with whales. Email interview, 21 March 2017.

———. 2018. *Spying on Whales: The Past, Present, and Future of Earth's Most Awesome Creatures* (1st ed.). New York, NY: Viking.
- Raising Big Blue. Beaty Biodiversity Museum. Accessed 21 May 2016. http://beatymuseum.ubc.ca/whats-on/exhibitions/permanent-exhibits/blue-whale-display/raising-big-blue.
- Rossi, Michael. Modeling the unknown: how to make a perfect whale. *Endeavour* 32, no. 2 (June 2008): 58–63. https://doi.org/10.1016/j.endeavour.2008.04.003.

———. Fabricating authenticity: modeling a whale at the American Museum of Natural History, 1906–1974. *Isis* 101, no. 2 (2010): 338–61. https://doi.org/10.1086/653096.

———. Whale models, history of science. Skype interview, 28 February 2017.
- Scheer, Rachel. *Scientific American* co-hosts whale tweet-up at American Museum of Natural History. *Scientific American* Blog Network. Accessed 13 January 2019. https://blogs.scientificamerican.com/at-scientific-american/scientific-american-co-hosts-whale-tweet-up-at-american-museum-of-natural-history.
- Stocking, George W. 1988. *Objects and Others: Essays on Museums and Material Culture*. Madison, WI: University of Wisconsin Press.
- Stoddart, Helen. 2000. *Rings of Desire: Circus History and Representation*. Manchester: Manchester University Press.
- UBC Blue Whale. Accessed 13 January 2019. www.cetacea.ca/ubc-blue-whale.html.
- Van Gelder, Richard. Whale on my back. *Curator* XIII, no. 2 (1970): 95–118.
- Yanni, Carla. 2006. *Nature's Museums: Victorian Science and the Architecture of Display* (1st ed.). New York, NY: Princeton Architectural Press.

第七章
そしていま、それは本物だ

- Arroyo, Barbara, Ronald L. Bishop, Oswaldo Chinchilla Mazariegos, John E. Clark, Barbara W. Fash, Virginia Fields, Stephen D. Houston et al. 2012. *Ancient Maya Art at Dumbarton Oaks*. Edited by Joanne Pillsbury, Miriam Doutriaux, Reiko Ishihara-Brito & Alexandre Tokovinine. Washington, DC: Dumbarton Oaks Research Library and Collection.
- Art Authentication Board – an idea that fell through. *Widewalls*. Accessed 11 January 2019.

time/550583.

第六章

大いなるシロナガスクジラ

・Abbott, Sam. Whales smelled out the $$. *The Billboard*, 28 June 1952, 94–96.
・About Blue Whales. Beaty Biodiversity Museum. Accessed 28 March 2017. http://beatymuseum.ubc.ca/whats-on/exhibitions/permanent-exhibitions/blue-whale-display/about-blue-whales.
・Alberti, Samuel J. M. M. (ed.). 2011. *The Afterlives of Animals: A Museum Menagerie*. Charlottesville, VA: University of Virginia Press.
・Blue Whale. *National Geographic*. Animals, 10 September 2010. www.nationalgeographic.com/animals/mammals/b/blue-whale.
・Blue Whale skeleton 'Hope' takes centre stage in museum. Natural History Museum. Accessed 20 February 2018. www.nhm.ac.uk/press-office/press-releases/blue-whale-skeleton-takes-centre-stage-in-museum.html.
・Burnett, D. Graham. 2012. *The Sounding of the Whale: Science and Cetaceans in the Twentieth Century* (1st ed.). London; Chicago, IL: University of Chicago Press.
・Canterbury Museum's Blue Whale to return to public view. Staff. Accessed 26 March 2018. www.stuff.co.nz/environment/83263626/canterbury-museums-blue-whale-to-return-to-public-view.
・Chindahl, George L. 1959. *A History of the Circus in America*. Caldwell, ID: Caxton Printers.
・Daston, Lorraine & Katharine Park. 2001. *Wonders and the Order of Nature*, 1150–1750 (revised ed.). New York, NY: Zone Books.
・de Roos, Michael. Big Blue. Email interview, 27 March 2018.
———. Re: Beaty museum exhibit?, Email interview, 28 March 2018.
・Haraway, Donna. Teddy bear patriarchy: taxidermy in the Garden of Eden, New York City, 1908–1936. *Social Text*, no. 11 (1984): 20–64. https://doi.org/10.2307/466593.
・Kohler, Robert. Finders, keepers: collecting sciences and collecting practice. *History of Science* 45, no. 4 (2007): 428–54.
・Miller, Mark. *Raising Big Blue*. Documentary. Discovery Channel, 2011. https://vimeo.com/19403399.
・Museum unveils 'Hope' the Blue Whale skeleton. Natural History Museum. Accessed 20 February 2018. www.nhm.ac.uk/about-us/news/2017/july/museum-unveils-hope-the-blue-whale-skeleton.html.
・Nance, Susan. 2013. *Entertaining Elephants: Animal Agency and the Business of the American*

- Palmer, Chris. 2010. *Shooting in the Wild: An Insider's Account of Making Movies in the Animal Kingdom* (1st ed.). San Francisco, CA: Counterpoint,.
- *Planet Earth II*'s dangerous aestheticization of nature. *New Republic*, 14 February 2017. https://newrepublic.com/article/140252/view-kill-planet-earth-ii-review-bbc.
- Richards, Morgan. The wildlife docusoap: a new ethical practice for wildlife documentary? *Television & New Media* XX, no. X (2012): 1–15.

———. Greening wildlife documentary. In *Environmental Conflict and the Media*, edited by Libby Lester & Brett Hutchins. 2013. New York, NY: Peter Lang.

- Schuessler, Ryan. Indigenous cooperation a model for walrus conservation. *Hakai Magazine*. Accessed 12 January 2019. www.hakaimagazine.com/news/indigenous-cooperation-model-walrus-conservation.
- Singh, Anita. *Frozen Planet*: BBC 'faked' Polar Bear birth. *Telegraph*. sec. Culture. 12 December 2011. www.telegraph.co.uk/culture/tvandradio/bbc/8950070/Frozen-Planet-BBC-faked-polar-bear-birth.html.
- Sir David Attenborough forced to explain when animals are not filmed in the wild for new BBC documentary after fakery row. *Daily Mail Online*. Accessed 11 June 2017. www.dailymail.co.uk/news/article-2254131/Sir-David-Attenborough-forced-explain-animals-filmed-wild-new-BBC-documentary-fakery-row.html.
- Sitka, Emily Russell, KCAW. In unnerving trend, 35,000 walrus haul out at Point Lay. *Alaska Public Media* (blog). Accessed 1 June 2017. www.alaskapublic.org/2015/09/11/in-unnerving-trend-35000-walrus-haul-out-at-point-lay.
- Sohn, Emily. What now, walrus? *Hakai Magazine*. Accessed 19 February 2018. www.hakaimagazine.com/features/what-now-walrus.
- Tanaka, Yoshihiro & Naoki Kohno. A new Late Miocene odobenid (Mammalia: Carnivora) from Hokkaido, Japan suggests rapid diversification of basal Miocene odobenids. *PLOS ONE* 10, no. 8 (5 August 2015): e0131856. https://doi.org/10.1371/journal.pone.0131856.
- 'The world has not improved:' David Attenborough on *Blue Planet II* and how the ocean needs our attention. *CBC News*, 15 October 2017. www.cbc.ca/news/entertainment/blue-planet-2-1.4350287.
- Thomas, Bob. 1976. *Walt Disney: An American Original*. New York, NY: Simon and Schuster. (ボブ・トマス『ウォルト・ディズニー——創造と冒険の生涯　完全復刻版』玉置悦子、能登路雅子訳、講談社、2010年)
- Weiss, Edward. P. & Ryan P. Morrill. Walrus Islands State Game Sanctuary Annual Management Report 2016. Division of Wildlife Conservation: Alaska Department of Fish and Game, 2016.
- Yong, Ed. *Blue Planet II* is the greatest nature series of all time. *The Atlantic*, 16 January 2018. www.theatlantic.com/science/archive/2018/01/blue-planet-ii-is-the-greatest-nature-series-of-all-

controversial-BBC-climate-change-episode-to-air-in-America.html.

• Gingras, Murray K., Ian A. Armitage, S. George Pemberton & H. Edward Clifton. Pleistocene walrus herds in the Olympic Peninsula area: trace-fossil evidence of predation by hydraulic jetting. PALAIOS 22, no. 5 (2007): 539–45.

• Gladdis, Keith. BBC's little white lie: Polar Bear cubs were filmed for *Frozen Planet* in a zoo, not the Arctic. *Mail Online*, December 12, 2011. www.dailymail.co.uk/news/article-2073024/BBCs-little-white-lie-Polar-bear-cubs-filmed-Frozen-Planet-zoo-Arctic.html.

• Goldenberg, Suzanne. Extreme Arctic sea ice melt forces thousands of walruses ashore in Alaska. *Guardian*, 27 August 2015, sec. Environment. www.theguardian.com/environment/2015/aug/27/walruses-alaska-arctic-sea-ice-melt.

• Horak, Jan-Christopher. Wildlife documentaries: from classical forms to reality TV. *Film History: An International Journal* 18, no. 4 (2006): 459–75.

• Krupnik, Igor & G. Carleton Ray. Pacific walruses, indigenous hunters, and climate change: bridging scientific and indigenous knowledge. *Deep Sea Research Part II: Topical Studies in Oceanography*, Effects of Climate Variability on Sub-Arctic Marine Ecosystems, 54, no. 23 (1 November 2007): 2946–57. https://doi.org/10.1016/j.dsr2.2007.08.011.

• Lambert, Laura. *Blue Planet II* is the biggest show of 2017: 14 million watch opener. *Mail Online*, November 7, 2017. www.dailymail.co.uk/~/article-5056457/index.html.

• Lawrence, Natalie. Decoding the morse: the history of 16th-century narcoleptic walruses. *The Public Domain Review*. Accessed 15 June 2017. /2017/06/14/decoding-the-morse-the-history-of-16th-century-narcoleptic-walruses.

———. There be monsters: from cabinets of curiosity to demons within. *Aeon*. Accessed 12 January 2019. https://aeon.co/essays/there-be-monsters-from-cabinets-of-curiosity-to-demons-within.

• Lendon, Brad. 35,000 walruses 'haul out' on Alaska Beach. *CNN.Com*. Accessed 31 May 2017. www.cnn.com/2014/10/01/us/alaska-massive-walrus-gathering/index.html.

• Louson, Eleanor. Never before seen: spectacle, staging, and story in wildlife film's blue-chip renaissance. PhD, York University, 2018.

———. Taking spectacle seriously: wildlife film and the legacy of natural history display. *Science in Context* 31, no. 1 (March 2018): 15–38. https://doi.org/10.1017/S0269889718000030.

• McIntosh, Steven. 22 things you need to know about *Blue Planet II*. *BBC News*, 29 October 2017, sec. Entertainment & Arts. www.bbc.com/news/entertainment-arts-41692370.

• Minteer, Ben A. 2018. *The Fall of the Wild: Extinction, De-Extinction, and the Ethics of Conservation*. New York, NY: Columbia University Press.

• Mitman, Gregg. 2009. *Reel Nature: America's Romance with Wildlife on Film* (2nd ed.). Seattle, WA: University of Washington Press.

第五章

セイウチカメラを通して見ると

- Alaska Department of Fish and Game. Alaska's game species. dfg.webmaster@alaska.gov.

———. Lemming suicide myth. Accessed 1 August 2017. www.adfg.alaska.gov/index.cfm?adfg=wildlifenews.view_article&articles_id=56.

- Alaska Walrus Cam joins a menagerie of wildlife video streams. *NBC News*, 28 May 2015. www.nbcnews.com/science/weird-science/walrus-cam-joins-menagerie-wildlife-video-streams-n366291.
- BBC Worldwide Press Office – *The Blue Planet* set for movie release. Accessed 5 February 2018. www.bbc.co.uk/pressoffice/bbcworldwide/worldwidestories/pressreleases/2003/03_march/bp_movie.shtml.
- Boswall, Jeffrey. Wildlife film ethics: time for screen disclaimers. *Image Technology* 80, no. 9 (1998): 10–11.
- Bousé, Derek. 2000. *Wildlife Films*. Philadelphia, PA: University of Pennsylvania Press.

———. False-intimacy: close-ups and viewer involvement in wildlife films. *Visual Studies* 18, no. 2 (2003): 123–32.

- Crowther, Bosley. The screen: Disney's 'Peter Pan' bows; full-length color cartoon, an adaptation of Barrie play, is feature at the Roxy. *New York Times*, 12 February 1953. www.nytimes.com/movie/review?res=940CE3DF1F3AE23BBC4A52DFB4668388649EDE&pagewanted=print.
- Cruz, Robert. 2012. The animated roots of wildlife films: animals, people, animation and the origin of Walt Disney's *True-Life Adventures*. MA: Montana State University. https://scholarworks.montana.edu/xmlui/bitstream/handle/1/1127/CruzR0512.pdf?sequence=1.
- Daston, Lorraine. On scientific observation. *Isis* 99, no. 1 (2008): 97–110. https://doi.org/10.1086/587535.
- Daston, Lorraine & Katharine Park. 2001. *Wonders and the Order of Nature*, 1150–1750 (revised ed.). New York, NY: Zone Books.
- Daston, Lorraine & Peter Galison. 2010. *Objectivity*. New York, NY: Zone Books.
- Davies, Gail. Networks of nature: stories of natural history film-making from the BBC. PhD, University College London, 1998.
- *Explore.Org*. https://explore.org.
- Foote, Peter (ed.). 1996. *Olaus Magnus: A Description of the Northern Peoples*, 1555, Vol. 1. Trans. by Peter Fisher & Humphrey Higgens. London: Hakluyt Society.
- *Frozen Planet*: controversial BBC climate change episode to air in America. *Telegraph*. Accessed 4 February 2018. www.telegraph.co.uk/news/earth/earthnews/8939592/Frozen-Planet-

- Murphy, Kate. Not just another jelly bean. *New York Times*, 26 June 2008, sec. Small Business. www.nytimes.com/2008/06/26/business/smallbusiness/26sbiz.html.
- Musicant, Ivan. 1990. *The Banana Wars: A History of United States Military Intervention in Latin America from the Spanish-American War to the Invasion of Panama*. New York, NY: Macmillan.
- Ordonez, Nadia, Michael F. Seidl, Cees Waalwijk, André Drenth, Andrzej Kilian, Bart P. H. J. Thomma, Randy C. Ploetz & Gert H. J. Kema. Worse comes to worst: bananas and panama disease – when plant and pathogen clones meet. *PLOS Pathogens* 11, no. 11 (19 November 2015): e1005197. https://doi.org/10.1371/journal.ppat.1005197.
- Patterson, Daniel & Mandy Aftel. 2017. *The Art of Flavor: Practices and Principles for Creating Delicious Food*. New York, NY: Riverhead Books.
- Perry, Jana. Jelly Belly flavors. Interview with author. 22 August 2018.
- Ruppel Shell, Ellen. Chemists whip up a tasty mess of artificial flavors. *Smithsonian Magazine*, May 1986, 78–88.
- Shapin, Steven. Changing tastes: how foods tasted in the Early Modern Period and how they taste now. In *Salvia Smaskrifter*, vol. 14. Uppsala University, 2011.
- Spackman, Christy. Perfumer, chemist, machine: gas chromatography and the industrial search to ‘ improve’ flavor. *The Senses and Society* 13, no. 1 (2 January 2018): 41–59. https://doi.org/10.1080/17458927.2018.1425210.
- Spence, Charles. 2017. *Gastrophysics: The New Science of Eating*. New York, NY: Viking.（チャールズ・スペンス『「おいしさ」の錯覚——最新科学でわかった、美味の真実』長谷川圭訳、KADOKAWA、2018年）
- Speth, John. Putrid meat and fish in the Eurasian Middle and Upper Paleolithic: are we missing a key part of Neanderthal and modern human diet? *Paleoanthropology* 2017, no. 44–72 (2017): 44–72.
- Taste and smell: a new theory. *Scientific American*. Accessed 24 July 2018. https://doi.org/10.1038/scientificamerican04101869-234.
- Weird and gross jelly bean flavors – JellyBelly.com, Jelly Belly Candy Company. Accessed 20 July 2018. www.jellybelly.com/weird-wild-and-gross-jelly-beans/c/289.
- Wrangham, Richard W. 2009. *Catching Fire: How Cooking Made Us Human*. New York, NY: Basic Books.（リチャード・ランガム『火の賜物——ヒトは料理で進化した』依田卓巳訳、NTT出版、2010年）
- Yeomans, Martin R., Lucy Chambers, Heston Blumenthal & Anthony Blake. The role of expectancy in sensory and hedonic evaluation: the case of smoked salmon ice-cream. *Food Quality and Preference* 19, no. 6 (1 September 2008): 565–73. https://doi.org/10.1016/j.foodqual.2008.02.009.

- Classen, Constance, David Howes & Anthony Synnott. Artificial flavours. In *The Taste Culture Reader: Experiencing Food and Drink*, Carolyn Korsmeyer. 2005. Oxford; New York, NY: Bloomsbury.
- Company history, Jelly Belly Candy Company. Accessed 20 July 2018. www.jellybelly.com/company-history.
- Flandrin, Jean-Louis & Massimo Montanari (eds). 1999. *Food: A Culinary History*. Trans. by Albert Sonnenfeld. New York, NY: Columbia University Press.（ジャン＝ルイ・フランドラン、マッシモ・モンタナーリ編『食の歴史』宮原信、北代美和子監訳、菊地祥子、末吉雄二、鶴田知佳子訳、藤原書店、2006年）
- Holmes, Bob. 2017. *Flavor: The Science of Our Most Neglected Sense* (1st ed.). New York, NY: W. W. Norton & Company.（ボブ・ホルムズ『風味は不思議――多感覚と「おいしい」の科学』堤理華訳、原書房、2018年）
- Hoover, Kara C. The geography of smell. *Cartographica: The International Journal for Geographic Information and Geovisualization*, 20 January 2010. https://doi.org/10.3138/carto.44.4.237.
- Hoover, Kara C., Jessie Roberts & J. Colette Berbesque. Market smells: olfactory detection and identification in the built environment. *BioRxiv*, 26 February 2018, 270744. https://doi.org/10.1101/270744.
- Jelly Belly Candy Company, official website & online candy store. Accessed 20 July 2018. www.jellybelly.com.
- Kavaler, Lucy. 1963. *The Artificial World Around Us*. New York: John Day Company.
- Khatchadourian, Raffi. The taste makers. *New Yorker*, 16 November 2009. www.newyorker.com/magazine/2009/11/23/the-taste-makers.
- Korsmeyer, Carolyn. 2002. *Making Sense of Taste: Food and Philosophy*. Ithaca, NY: Cornell University Press.
- Laudan, Rachel. 2015. *Cuisine and Empire: Cooking in World History* (1st ed.). Berkeley, CA: University of California Press.（レイチェル・ローダン『料理と帝国――食文化の世界史 紀元前2万年から現代まで』ラッセル秀子訳、みすず書房、2016年）
- Laurent, Anna. 2016. *Botanical Art from the Golden Age of Scientific Discovery*. Chicago, IL: University of Chicago Press.
- Lloyd, John Uri. 1883. *Pharmaceutical Preparations. Elixirs, Their History, Formulae, and Methods of Preparation... with a Résumé of Unofficinal Elixirs from the Days of Paracelsus*. Cincinnati, OH: R. Clarke & Company, http://archive.org/details/pharmaceuticalp00lloygoog.
- Mayer, Johanna. Why doesn't fake banana flavor taste like real bananas? *Science Friday*, 27 September 2017. www.sciencefriday.com/articles/why-dont-banana-candies-taste-like-real-bananas.

June 2018.
- Wellings, Simon. Some facets of the geology of diamonds. *Scientific American* Blog Network. Accessed 24 May 2018. https://blogs.scientificamerican.com/guest-blog/some-facets-of-the-geology-of-diamonds.
- Wells, H. G. 'The Diamond Maker'. *The Pall Mall Budget*. 1894.（H・G・ウェルズ「ダイヤモンド製造家」『タイム・マシン――ウェルズSF傑作集1』阿部 知二訳、創元SF文庫、1965年）
- Why smart people buy cubic zirconia engagement rings. *Forbes*. Accessed 9 May 2018. www.forbes.com/sites/quora/2017/07/03/why-smart-people-buy-cubic-zirconia-engagement-rings.
- Zwick, Edward. *Blood Diamond* film, 2006.（エドワード・ズウィック監督『ブラッド・ダイヤモンド』2006年）

第四章

異なる味わいの偽物

- Agapakis, Christina. The essence of taste. *Scientific American* Blog Network. Accessed 11 January 2019. https://blogs.scientificamerican.com/oscillator/the-essence-of-taste.
- Berenstein, Nadia. Flavor added: the sciences of flavor and the industrialization of taste in America. Unpublished PhD dissertation, University of Pennsylvania, 2017.

———. Designing flavors for mass consumption. *The Senses and Society* 13, no. 1, 2018: 19–40. https://doi.org/10.1080/17458927.2018.1426249.
- Bourdieu, Pierre. 1986. *Distinction* (1st ed.). London: Routledge.（ピエール・ブルデュー『ディスタンクシオン――社会的判断力批判』石井洋二郎訳、藤原書店、1990年）
- Breslin, Paul. An evolutionary perspective on food and human taste. *Current Biology* 23, no. 9 2013: 409–18. https://doi.org/10.1016/j.cub.2013.04.010.
- Broderick, James. The practical flavorist vs. the basic researcher. *Food Technology* 26 (1972): 37–42.

———. Reflections of a retired flavorist before he forgets: strawberry. *Perfumer & Flavorist* 17, no. 3 (1992): 33–34.
- Buddies, Science. Super-tasting science: find out if you're a 'supertaster'! *Scientific American*. Accessed 11 January 2019. www.scientificamerican.com/article/super-tasting-science-find-out-if-youre-a-supertaster.
- Chapman, Peter. 2007. *Bananas: How the United Fruit Company Shaped the World* (1st US ed.). Edinburgh; New York: Canongate.（ピーター・チャップマン『バナナのグローバル・ヒストリー――いかにしてユナイテッド・フルーツは世界を席巻したか』小澤卓也、立川ジェームズ訳、ミネルヴァ書房、2018年）

Talismans, Astral, Zodical, and Planetary. New York: Halcyon House.（ジョージ・フレデリック・クンツ『図説宝石と鉱物の文化誌——伝説・迷信・象徴』鏡リュウジ監訳、原書房、2011年）

- Levy, Arthur V. 2003. *Diamonds and Conflict: Problems and Solutions*. Hauppauge, NY: Nova Publishers.
- Nassau, Kurt. 1980. *Gems Made by Man* (1st ed.). Radnor, PA: Chilton Book.
- New diamonds from General Electric. *Evening Independent*, 18 February 1955. www.newspapers.com/image/4044984/?terms=General+Electric+synthetic+diamond.
- Ozar, Garrett. Making memorial diamonds. Phone interview, 8 June 2018.
- Patterson, Scott & Alex MacDonald. De Beers tries to counter a growing threat: man-made diamonds. *Wall Street Journal*, 6 November 2016, sec. Business. www.wsj.com/articles/de-beers-tries-to-counter-a-growing-threat-man-made-diamonds-1478434763.
- Phelan, Matthew. Synthetic diamonds lead Princeton team to quantum computing breakthrough. *Inverse*. Accessed 7 July 2018. www.inverse.com/article/46728-synthetic-diamonds-are-necessary-for-quantum-computing-privacy.
- Pliny the Elder. n.d. *Natural History*. Vol. Book 33.（プリニウス『プリニウスの博物誌 5』中野定雄、中野里美、中野美代訳、雄山閣、2012年）
- Poirier, Jean-Pierre. 1996. *Lavoisier, Chemist, Biologist, Economist*. Chemical Sciences in Society Series. Philadelphia, PA: University of Pennsylvania Press.
- Resnick, Irven M., trans. 2010. *Albert the Great On the Causes of the Properties of the Elements: Liber De Causis Proprietatium Elementorum* (new ed.). Milwaukee, WI: Marquette University Press.
- Revie, James. Heritage: the case of the Hannay diamonds. *New Scientist*, 21 February 1980, 591.
- Revolutionary instruments: Lavoisier's tools as objets d'art. Science History Institute, 2 June 2016. www.sciencehistory.org/distillations/magazine/revolutionary-instruments-lavoisiers-tools-as-objets-dart.
- Shigley, James E., ed. 2005. *Synthetic Diamonds*. Gems & Gemology in Review. Carlsbad, CA: Gemological Institute of America.
- Shor, Russell. De Beers sees growing diamond demand. www.gia.edu/sites/Satellite?c=Page&cid=1495254118454&childpagename=GIA/Page/ArticleDetail&pagename=GIA/Wrapper&WRAPPERPAGE=GIA/Wrapper., n.d.
- Sullivan, Paul. A battle over diamonds: made by nature or in a lab? *New York Times*, 9 February 2018, sec. Your Money. www.nytimes.com/2018/02/09/your-money/synthetic-diamond-jewelry.html.
- Tennant, Smithson. On the nature of the diamond. *Philosophica Transactions of the Royal Society of London* 87 (1797): 123–27.
- Tunnell, Christopher. Laboratory diamonds for engagement. Personal communication, email 13

Recipes Project (blog). Accessed 31 May 2018. https://recipes.hypotheses.org/4659.

- Caley, Earle Radcliffe & William B. Jensen. The Leyden and Stockholm Papyri: Greco-Egyptian chemical documents from the early 4th century AD. Oesper Collections in the History of Chemistry. Cincinnati, OH: University of Cincinnati, 2008.
- Chinese made first use of diamond, 17 May, 2005. http://news.bbc.co.uk/2/hi/science/nature/4555235.stm.
- Choi, Charles Q. I proposed with a synthetic diamond. 29 July 2016. *Popular Science*. Accessed 9 May 2018. www.popsci.com/i-proposed-with-diamond-grown-in-lab.
- Conflict diamond, 20 October 2000. https://web.archive.org/web/20001020115731/http://www.un.org/peace/africa/Diamond.html.
- Cremation diamonds. *Eterneva*. Accessed 24 May 2018. www.eterneva.com.
- Donovan, Arthur. 1993. *Antoine Lavoisier: Science, Administration, and Revolution*. Blackwell Science Biographies. Oxford; Cambridge, MA: Blackwell.
- Doughty, Oswald. 1963. *Early Diamond Days: The Opening of the Diamond Fields of South Africa*. London: Longmans.
- Epstein, Edward Jay. Have you ever tried to sell a diamond? *The Atlantic*, February 1982. www.theatlantic.com/magazine/archive/1982/02/have-you-ever-tried-to-sell-a-diamond/304575.

———. *The Rise and Fall of Diamonds: The Shattering of a Brilliant Illusion*. 1982. New York, NY: Simon & Schuster.（エドワード・J・エプスタイン『ダイヤモンド神話の崩壊』田中昌太郎訳、早川書房、1983年）

- Feinstein, Charles H. 2005. *An Economic History of South Africa: Conquest, Discrimination and Development*. New York, NY: Cambridge University Press.
- General Electric diamonds. *Democrat and Chronicle*, 11 May 1955. www.newspapers.com/image/135557198/?terms=general+electric+synthetic+diamond+Rochester.
- H. Tracy Hall Foundation. Accessed 11 January 2019. www. htracyhall.org.
- Hannay, James Ballantyne. On the artificial formation of the diamond. *Proc. R. Soc. Lond*. 30, no. 200–205 (1879): 450–61.
- Hazen, Robert M. 1999. *The Diamond Makers*. New York, NY: Cambridge University Press.
- Kaplan, Sarah. Forget the ring: lab-grown diamonds are a scientist's best friend. *Washington Post*, 13 February 2017, sec. Speaking of Science. www.washingtonpost.com/news/speaking-of-science/wp/2017/02/13/forget-the-ring-lab-grown-diamonds-are-a-scientists-best-friend.
- Klein, Joanna. If diamonds are forever, your data could be, too. *New York Times*, 26 October 2016. www.nytimes.com/2016/10/27/science/diamonds-data-storage.html.
- Kunz, George Frederick. 1938. *The Curious Lore of Precious Stones: Being a Description of Their Sentiments and Folk Lore, Superstitions, Symbolism, Mysticism, Use in Medicine, Protection, Prevention, Religion, and Divination, Crystal Gazing, Birthstones, Lucky Stones and*

Chicago, IL; London: University of Chicago Press.

- Simons, Lewis. Archaeoraptor fossil trail. *National Geographic* 198, no. 4 (2000): 128–32.
- Spencer, Frank. 1990. *Piltdown: A Scientific Forgery* (1st ed.). New York, NY: Oxford University Press.（フランク・スペンサー『ピルトダウン――化石人類偽造事件』山口敏訳、みすず書房、1996年）
- Sundaram, Mark. The classical bedrock of fossil. Accessed 14 February 2017. www.alliterative.net/blog/2015/5/26/the-classical-bedrock-of-fossil.
- Taylor, Paul. Beringer's iconoliths: palaeontological fraud in the early 18th century. *The Linnean* 20 (2004): 21–31.
- Thompson, Erin L. 2016. *Possession: The Curious History of Private Collectors from Antiquity to the Present*. New Haven, CT; London: Yale University Press.（エリン・L・トンプソン『どうしても欲しい！――美術品蒐集家たちの執念とあやまちに関する研究』松本裕訳、河出書房新社、2017年）
- Weiner, J. S., Kenneth Page Oakley & Wilfrid E. Le Gros Clark. 1953. *The Solution of the Piltdown Problem*. London: British Museum (Natural History).

第三章

炭素の複製

- Artificial production of real diamonds. *Mechanics' Magazine, Museum, Register, Journal, and Gazette* 206 (2 August 1828): 300–301.
- Aykroyd, W. R. 1935. *Three Philosophers (Lavoisier, Priestley and Cavendish)*. London: W. Heinemann Ltd.
- Bergstein, Rachelle. 2016. *Brilliance and Fire: A Biography of Diamonds* (1st ed.). New York, NY: Harper, an imprint of Harper Collins Publishers.（ラシェル・ベルグスタイン『ダイヤモンドの語られざる歴史――輝きときらめきの魅惑』下隆全訳、国書刊行会、2019年）

———. What the diamond industry's new campaign, ' real is rare,' says about marketing luxury to millennials. *Forbes*. Accessed 11 June, 2018. www.forbes.com/sites/rachellebergstein/2016/10/19/what-real-is-rare-the-diamond-industrys-new-campaign-says-about-marketing-luxury-to-millennials.

- Bol, Marjolijn. Coloring topazes, crystals and moonstones: the making and meaning of factitious gems, 300–1500. In *F for Fakes: Hoaxes, Counterfeits and Deception in Early Modern Science*, edited by Marco Beretta & Maria Conforti, 108–29. 2014. Science History Publications. Leiden: Brill Publishers.

———. Topazes, emeralds, and crystal rubies. The faking and making of precious stones. *The*

John Murray.

・Dinosaurs with laser beams on their heads. *Burke Museum*, 27 May 2015. www.burkemuseum.org/press/dinosaurs-laser-beams-their-heads-0.

・Gibson, Susannah. 2015. *Animal, Vegetable, Mineral?: How Eighteenth-Century Science Disrupted the Natural Order* (1st ed.). Oxford: Oxford University Press.

・Gould, Stephen Jay. 2001. *The Lying Stones of Marrakech: Penultimate Reflections in Natural History*. California: Three Rivers Press.（スティーヴン・ジェイ・グールド『マラケシュの贋化石——進化論の回廊をさまよう科学者たち』渡辺政隆訳、早川書房、2005年）

・Grene, Marjorie. 2004. *The Philosophy of Biology: An Episodic History*. Cambridge; New York, NY: Cambridge University Press.

・Grimaldi, David A., Alexander Shedrinsky, Andrew Ross & Norbert S. Baer. Forgeries of fossils in 'amber': history, identification and case studies. *Curator* 37, no. 4 (1994): 251–74.

・Herbert, Sandra. 2005. *Charles Darwin, Geologist*. Ithaca, NY: Cornell University Press.

・Hochadel, Oliver. One skull and many headlines: the role of the press in the Steinau Hoax of 1911. *Centaurus* 58 (2016): 203–18.

・Howlett, Eliza. Beringer's Lying Stones: casts & images? Personal communication, email 10 February 2017.

・Lane, Meredith A. Roles of natural history collections. *Annals of the Missouri Botanical Garden* 83, no. 4 (1996): 536–45. https://doi.org/10.2307/2399994.

・Mallatt, Jon M. Dr Beringer's fossils: a study in the evolution of scientific world view. *Annals of Science* 39, no. 4 (July 1982): 371–80.

・Mayor, Adrienne. 2011. *The First Fossil Hunters: Dinosaurs, Mammoths, and Myth in Greek and Roman Times: With a New Introduction by the Author*. Princeton, NJ: Princeton University Press.

・Palmer, Douglas. Fatal flaw fingers fake fossil fly. *New Scientist* (blog). Accessed 26 January 2017. www.newscientist.com/article/mg14018990-400-fatal-flaw-fingers-fake-fossil-fly.

・Pickrell, John. How fake fossils pervert paleontology [excerpt]. *Scientific American*. Accessed 11 January 2019. www.scientificamerican.com/article/how-fake-fossils-pervert-paleontology-excerpt.

・Powell, Philip. Letter between Philip Powell and British Musem. Letter, 22 November 1988.

・Pyne, Lydia. 2016. *Seven Skeletons: The Evolution of the World's Most Famous Human Fossils*. New York, NY: Viking.（リディア・パイン『7つの人類化石の物語——古人類界のスターが生まれるまで』藤原多伽夫訳、白揚社、2019年）

・Rowe, Timothy, Richard A. Ketcham, Cambria Denison, Matthew Colbert, Xing Xu & Philip J. Currie. The Archaeoraptor forgery. *Nature* 410, no. 6828 (March 2001): 539–40. https://doi.org/10.1038/35069145.

・Rudwick, Martin J. S. 2014. *Earth's Deep History: How It Was Discovered and Why It Matters*.

白水社、2005年）
- Price, T. D. & J. D. Burton. Provenience and provenance. In *An Introduction to Archaeological Chemistry*. 2011. New York, NY: Springer.
- Stewart, Doug. 2010. *The Boy Who Would Be Shakespeare: A Tale of Forgery and Folly* (1st Da Capo Press ed.). Cambridge, MA: Da Capo Press.
- Stokstad, Marilyn. *Art History* (3rd ed.). Upper Saddle River, NJ: Pearson Prentice Hall, 2008.
- *The Stuart B. Schimmel Forgery Collection with an Introduction by Nicolas Barker & Other Properties*. 2012. London: Bonhams.
- Thompson, Erin L. 2016. *Possession: The Curious History of Private Collectors from Antiquity to the Present.* New Haven, CT; London: Yale University Press.（エリン・L・トンプソン『どうしても欲しい！――美術品蒐集家たちの執念とあやまちに関する研究』松本裕訳、河出書房新社、2017年）

———. Email interview with author. 19 March 2018. Voelkle, William M. 1978. *The Spanish Forger*. New York: Pierpont Morgan Library.

———. 1987. *Spanish Forger: Master of Deception*. Milwaukee, WI: Haggerty Museum of Art, Marquette University.

———. The Spanish Forger: master of manuscript chicanery. In *The Revival of Medieval Illumination*, edited by Thomas Coomans & Jan De Maeyer: 207–27. 2007. Leuven: Leuven University Press.

- Wellesley, Mary. Forged lives. Roundtable. *Lapham's Quarterly*. Accessed 16 December 2016. www.laphamsquarterly.org/roundtable/forged-lives.

第二章

嘘石の真実

- Baldwin, Stuart A. Educational palaeontological reproductions: the story of a unique small business. *Geology Today* 2, no. 6 (1986): 186–88.
- Bennett, Jim. Museums and the history of science: practitioner postscript. *Isis* 96, no. 4 (2005): 602 – 8. https://doi.org/10.1086/498596.
- Beringer, Johann Bartholomäus Adam, Georg Ludwig Hueber, Melvin E. Jahn & Daniel J. Woolf. 1963. *The Lying Stones of Dr. Johann Bartholomew Adam Beringer, Being His Lithographiœ Wirceburgensis*. Berkeley, CA: University of California Press.
- Bowler, Peter J. & Morus, Iwan Rhys. 2005. *Making Modern Science: A Historical Survey*. Chicago, IL: University of Chicago Press.
- Chambers, Paul. 2002. *Bones of Contention: The Archaeopteryx Scandals* (1st ed.). London:

knockoffs-the-science-of-how-we-trick-ourselves-into-not-believing-our-eyes.

- Durrieu, Paul, Pol de Limbourg & Jean Colombe. *Lestrés riches Heures de Jean de France, duc de Berry*. Paris, Plon-Nourrit, 1904. http://archive.org/details/gri_33125010357792.
- Freeman, Arthur. William Henry Ireland's 'authentic original dorgeries': an overdue rediscovery. *Houghton Library Blog* (blog), 24 October 2012. https://blogs.harvard.edu/houghton/files/2012/08/Ireland.pdf.

———. The actual originals – *the TLS*. Accessed 6 April, 2018. www.the-tls.co.uk/articles/private/the-actual-originals.

- Greene, Belle da Costa. Letter to Charles Cunningham, Curator of Paintings, Museum of Fine Arts, Boston, MA, 27 September 1939. 2006 Expansion, B2, 03 Vault, Bay 073 Shelf A. Morgan Library.

———. Letter to Charles Cunningham, Curator of Paintings, Museum of Fine Arts, Boston, MA, 6 November 1939. 2006 Expansion, B2, 03 Vault, Bay 073 Shelf A. Morgan Library.

———. Letter to Charles Cunningham, Curator of Paintings, Museum of Fine Arts, Boston, MA, 15 October 1941. 2006 Expansion, B2, 03 Vault, Bay 073 Shelf A.

- Hoover, John Neal. Stuart B. Schimmel: 16 May 1925 – 4 January 2013. *The Papers of the Bibliographical Society of America* 107, no. 2 (1 June, 2013): 142–45. https://doi.org/10.1086/680793.
- Ireland, William Henry & Richard White. 1969. *Confessions of William-Henry Ireland, Containing the Particulars of His Fabrication of the Shakspeare Manuscripts*. A new ed. Burt Franklin Bibliography & Reference Series. Essays in Literature and Criticism 30. New York: B. Franklin.
- Kramer, Hilton. Art: Morgan offers first-rate fakes. *New York Times*, 26 May 1978, sec. Archives. www.nytimes.com/1978/05/26/archives/art-morgan-offers-firstrate-fakes.html.
- Kurz, Otto. 1948. *Fakes: A Handbook for Collectors and Students*. London: Faber and Faber.
- Lacroix, Paul. 1870. *The Arts in the Middle Ages and the Renaissance* (1st ed.). London: Chapman & Hall.
- Malone, Edmond. 1796. *An Inquiry into the Authenticity of Certain Miscellaneous Papers and Legal Instruments, Published Dec. 24, MDCCXCV. and Attributed to Shakspeare, Queen Elizabeth, and Henry, Earl of Southampton: Illustrated by Fac-Similes of the Genuine Hand-Writing of That Nobleman, and of Her Majesty; a New Fac-Simile of the Hand-Writing of Shakspeare, Never before Exhibited; and Other Authentic Documents: In a Letter Addressed to the Right Hon. James, Earl of Charlemont*. London : Printed by H. Baldwin, for T. Cadell, Jun. [etc.]. http://archive.org/details/inquiryintoauthe00malo.
- Pierce Card, Patricia. 2004. *The Great Shakespeare Fraud: The Strange, True Story of William-Henry Ireland*. Stroud: Sutton.（パトリシア・ピアス『シェイクスピア贋作事件』高儀進訳、

– I. Accessed 5 September 2018. https://inews.co.uk/culture/arts/like-djing-paintings-artist-paul-stephenson-recreating-warhol.
- Lanchner, Carolyn. 2008. *Andy Warhol*. New York: Museum of Modern Art: distributed in the United States and Canada by DAP/Distributed Art Publishers.
- Mattick, Paul. The Andy Warhol of philosophy and the philosophy of Andy Warhol. *Critical Inquiry* 24, no. 4 (1998): 965–87.
- Perman, Stacy. This is bad news for people who spend millions on art. *Authentication in Art*, 24 September 2015, sec. *Fortune*.
- Stokstad, Marilyn. 2008. *Art History* (3rd ed.). Upper Saddle River, NJ: Pearson Prentice Hall.
- Twain, Mark. 2010. *The Innocents Abroad*. Wordsworth Classics Edition. Ware, Hertfordshire: Wordsworth Editions Ltd.（マーク・トウェイン『イノセント・アブロード――聖地初巡礼の旅』勝浦吉雄、勝浦寿美訳、文化書房博文社、2004年）
- Youngs, Ian. The artist making 'new' Warhol paintings. *BBC News*, 18 October 2017, sec. Entertainment & Arts. www.bbc.co.uk/news/entertainment-arts-41634496.

第一章

厳粛なる嘲り

- A look at Belle da Costa Greene – rare book collections @Princeton, 18 March 2014. https://web.archive.org/web/20140318181732/http://blogs.princeton.edu/rarebooks/2010/08/a_look_at_belle_decosta_greene.html.
- Antiques Roadshow. PBS. Accessed 11 January 2019. www.pbs.org/wgbh/roadshow/season/6/indianapolis-in/appraisals/spanish-forger-painting-200106T28.
- Ardizzone, Heidi. 2007. *An Illuminated Life: Belle Da Costa Greene's Journey from Prejudice to Privilege* (1st ed.). New York, NY: W.W. Norton & Co.
- Backhouse, Janet. The Spanish Forger. *The British Museum Quarterly* 33, no. 1/2 (1968): 65–71.
- Barker, Nicolas. 2012. Introduction. In *The Stuart B. Schimmel Forgery Collection & Other Properties*, 4–6. London: Bonhams.
- Charney, Noah. 2015. *The Art of Forgery: The Minds, Motives and Methods of the Master Forgers* (1st ed.). London; New York, NY: Phaidon Press.

———. Is there a place for fakery in art galleries and museums? *Aeon*. Accessed 18 September 2016. https://aeon.co/essays/is-there-a-place-for-fakery-in-art-galleries-and-museums.

———. This is your brain on knockoffs: the science of how we trick ourselves into not believing our eyes. *Salon*. Accessed 29 January 2017. www.salon.com/2017/01/29/this-is-your-brain-on-

参考文献

序

ウォーホルのいないウォーホル

- A matter of opinion – *ARTnews*. Accessed 11 January 2019. www.artnews.com/2012/02/28/a-matter-of-opinion.
- Art authentication board – an idea that fell through. *Widewalls*. Accessed 11 January 2019. www.widewalls.ch/magazine/art-authentication-board.
- Artist Paul Stephenson poses contentious questions of authorship with *After Warhol* series. *It's Nice That*, 26 October 2017. www.itsnicethat.com/news/paul-stephenson-after-warhol-prints-art-261017.
- Baudrillard, Jean. 1994. *Simulacra and Simulation (The Body, in Theory)*. Ann Arbor, MI: University of Michigan Press.（ジャン・ボードリヤール『シミュラークルとシミュレーション』竹原あき子訳、法政大学出版局、1984年、新装版2008年）

———. 1996. *The System of Objects*. New York, NY: Verso.（『物の体系——記号の消費』宇波彰訳、法政大学出版局、1980年、新装版2008年）
- Benjamin, Walter. 2008. *The Work of Art in the Age of Mechanical Reproduction.* Penguin Great Ideas 56. London: Penguin.（ヴァルター・ベンヤミン『複製技術時代の芸術』佐々木基一編集・解説、晶文社、1999年）
- Charney, Noah. 2015. *The Art of Forgery*: *The Minds, Motives and Methods of the Master Forgers* (1st ed.). London; New York, NY: Phaidon Press.

———. Is there a place for fakery in art galleries and museums? Aeon Essays. *Aeon*. Accessed 18 September 2016. https://aeon.co/essays/is-there-a-place-for-fakery-in-art-galleries-and-museums.
- Denis Dutton on art forgery. Accessed 14 August 2016. www.denisdutton.com/artistic_crimes.htm.
- Dutton, Denis. Artistic crimes. *The British Journal of Aesthetics* 19 (1979): 302–41.

———. Authenticity in art. In *The Oxford Handbook of Aesthetics*, edited by Jerrold Levinson. 2003. New York, NY: Oxford University Press,.
- Geurds, Alexander & Laura Van Broekhoven. 2013. *Creating Authenticity: Authentication Processes in Ethnographic Museums*. Leiden: Sidestone Press.
- Hogenboom, Melissa. Can you love a fake piece of art? *BBC News*, 4 June 2012. www.bbc.com/news/magazine-18180057.
- 'It's like DJing with paintings': artist Paul Stephenson on being Warhol, 30 years after his death

口絵ページ クレジット一覧

[p.1] Image courtesy of Kaye et al 2015 / Creative Commons license（上）；
Photos by L. Pyne / Oxford University Museum of Natural History（右下・左下）

[p.2] © Classic Image / Alamy Stock Photo（上）；
© age footstock / Alamy Stock Photo（下）

[p.3] © 1988.125 / Spanish Forger. Betrothal of St. Ursula. [19 -] © The Morgan Library & Museum. 1988.125. Gift of Martin Cooper.（上）；
© Harry Ransom Center（右下・左下）

[p.4] © Science History Institute / Creative Commons license（上）；
© Museum of Innovation and Science（右下・左下）

[p.5] © New York Public Library（上）；
© Science History Institute / Creative Commons license（下）

[p.6] Photo by L. Pyne / University of British Columbia（上）；
Hanging model of the Blue Whale in the Irma and Paul Milstein Family Hall of Ocean Life © American Museum of Natural History（下）

[p.7] Screenshot by L. Pyne © Explore.org / Alaska Department of Fish and Game（上）；© Daniel J. Cox / Getty Images（中央）；
Photo by Carole Fritz © Caverne du Pont d'Arc（下）

[p.8] Photo by Christian Tran © Caverne du Pont d'Arc（上）；
© PA Images（下）

リディア・パイン　Lydia Pyne
1979年生まれ。著述家・歴史家。アリゾナ州立大学で歴史学と人類学の学位、科学史・科学哲学の博士号を取得。科学と物質文化の歴史に関心を抱き、現在テキサス大学オースティン校・歴史学研究所で客員研究員をつとめる。これまで調査活動を行ってきた地域は、南アフリカ、エチオピア、ウズベキスタン、イラン、アメリカ合衆国南西部。著書に『7つの人類化石の物語 古人類界のスターが生まれるまで』（白揚社）などがある。

菅野楽章　Tomoaki Kanno
1988年東京生まれ。早稲田大学文化構想学部卒業。訳書にエリス『帝国のベッドルーム』（河出書房新社）、ラッド『世界でいちばん虚無な場所 旅行に幻滅した人のためのガイドブック』（柏書房）、レンジ『1924 ヒトラーが“ヒトラー”になった年』、クラカワー『ミズーラ 名門大学を揺るがしたレイプ事件と司法制度』（共に亜紀書房）などがある。

亜紀書房翻訳ノンフィクション・シリーズIII-15

ホンモノの偽物
模造と真作をめぐる8つの奇妙な物語

2020年11月 6日　第1版第1刷発行

著　者　リディア・パイン
訳　者　菅野楽章
発行所　株式会社亜紀書房
郵便番号101-0051
東京都千代田区神田神保町1-32
電話 03-5280-0261
http://www.akishobo.com
振替 00100-9-144037
印　刷　株式会社トライ
http://www.try-sky.com

ISBN978-4-7505-1671-4
Printed in Japan